エンジェル・センス

第六感で「天使の処方箋」につながる方法

ドリーン・バーチュー
奥野節子 訳

Divine Prescriptions
by
Doreen Virtue, Ph.D.

Japanese translation published by arrangement with St. Martin's Press, LLC through The English Agency (Japan) Ltd.

はじめに

一九九九年の春、私は天使が生活のあらゆる面でどんなに私たちを助けたいと思っているかをお話しするために、ラジオ番組に出演しました。

「ささいなことでなければ、何でも助けてくれます」と、ラジオ番組のパーソナリティーは淡々と言いました。

「いいえ、天使たちは、どんなことでも私たちを助けたいと思っているんです」と私は強調しました。「もちろん、いわゆるささいなことでもです。天使は、問題の大小は関係ないと言っています。あなたの頼みが、生死に関わることだろうが、小さなお願いだろうが、依存症から立ち直ることだろうが、便利な駐車スペースを見つけることであろうが関係ありません。天使にとって大切なのは、あなたがあらゆる苦しみから抜け出すのに必要な助けを受け取ることです。そうすれば、余計な心配をせずに人生の使命を果たせるでしょう」

つまり、天使からの聖なるメッセージは、宇宙の本質と死後の命についての啓示だけではありません。天からのメッセージはたいてい、とても単純で奥深いものです。そのテーマは宇宙のように無限で、大小を問わず、恋愛、家族、仕事などについてのあらゆる問題を解決してくれます。

私は、人に天使の存在を信じさせようとか、考え方を変えさせようとしているのではありません。私は科学的な教育を受けたセラピストで、個人的にも、職業的にも、天使とのすばらしい経験を持つだけです。天使が私のクライアントに与えてくれた処方箋を、自分の家族や健康や仕事などの問題や難題にも応用して、私の人生は劇的に改善しました。私は、たとえ人が信じようが疑おうが、誰にとってもこの天からのアドバイスが効果的であると確信しています。たとえば、不貞の傷から立ち直ろうとしていたり、ソウルメイトに出会いたいと思っていたり、依存症を治そうとしているときでも、有意義な仕事を見つけることや十分な収入を得ること、幼い頃の虐待に対処すること、その他のあらゆる一般的な難題にも役立つでしょう。

この本では日々の悩みへの神からの処方箋を紹介しています。天使が与えてくれた何百という処方箋から恩恵を得る方法と、そんな天とのチャンネルに自分自身がなる方法について学べるでしょう。

どのように私が第六感を失い、再び見つけたか

私のような伝統的訓練と臨床経験を積んだ心理学博士で、実践的なヒーラーでもある人間が、どうして天使や天からの処方箋に関わるようになったのかと思われることでしょう。私自身、新しいことを耳にすれば、「それは本当に効き目があるのか?」と知りたがる性格だと言えば、理解してもらえるかもしれません。天使がクライアントにくれた聖なる処方箋は、これまで私が学

び、試してきたどんな心理学の手法よりも、はるかに優れ、効果的な結果をもたらしました。だから、天使に助けをお願いしているだけなのです。

実際のところ、私は、天使の代弁者になろうなんてまったく思っていませんでした。何年も前、患者が何かを見た、声が聞こえたと言うと、私はただちに統合失調症の可能性あり、と診断を下していたのです。それが今日、天界と対話し、天使の声を聞く方法を人に教えているなんて、なんという皮肉でしょう。

多くの子どもがそうであるように、幼い頃の私には目に見えない友達がいました。映画『シックス・センス』は、ある意味、自分の子ども時代を思い出させてくれました。映画の中のコール少年のように、私にはあらゆる場所で亡くなった人が見え、どうして母や友達には見えないのかといつも思っていたのです。映画とは違い、私の見た人たちは血まみれではありませんでしたが、叔母のベティとか叔父のネッドというような自分の知る人ではありませんでした。そんな見知らぬ人たちが何も言わずに私をじっと見ているのに気づくたび、ぎょっとしたものです。今ではあのとき、そんな人たちは助けを求めていたのだとわかっていたら、と思います。彼らは、私に見えているのがわかっており、苦悩から救ってくれるよう望んでいたのです。助けてくれるのであれば、私のような子どもでもよかったのでしょう。

真夜中に、安らぎを与えてくれるような光の輝きを見たこともありました。今なら、天使が私たちの視野を横切った跡だとわかります。それは幸せで、安らかな光景で、この世のものとは思えない静けさを伴っていました。まるで、俗世間の音が一つも聞こえない、この上なく幸福な暗い穴へと落ちていくような感じがしました。その輝きと静けさの中で、私は深い愛と安らかさに包まれていたのです。

それでもなお、自分に見える光景のせいで、わびしい気持ちを味わいました。学校でいじめにあわないように、私はそのことを口にしないようにしていました。変なやつ、といううわさが広がらないようにするためでした。普通の子でいられるように、その光景を締め出そうとさえしました。そのため、とうとうスピリチュアルな世界に対する気づきをほとんど失ってしまったのです。

子どもの頃にクレアボイアンス（過去、現在、未来の映像が見える）の能力を封じ込めてしまった自らの選択を、他人のせいなどにしようとは思いません。長い目で見れば、若い頃にクレアボイアンスではない経験をしたことは幸いでした。その経験が、人にクレアボイアンス能力の開き方を教える助けとなったからです。私は、見えることがどんなもので、見えないことがどんなものであるかを真に理解しています。

私はスピリチュアルな考え方をする人間でしたが、常に天使や死後の命のことばかり考えていたわけではありません。愛に満ちたクリスチャン家庭に育ちましたが、家でも教会でも、天使やあの世についてはあまり話しませんでした。それよりもイエス・キリストの教えや癒しを重んじていたのです。ですから、私は天使への気づきを心の中から閉め出してしまいました。

私の世界観に大きな影響を与えたのは、南カリフォルニア州チャップマン大学で受けた心理学教育と、精神科での依存症専門カウンセラーとしての訓練です。私は臨床心理学の三つの学位を取り、カール・ロジャーズ、アーヴィン・ヤーロム、ウィリアム・グラッサー、ロロ・メイなどの心理学の第一人者から訓練を受けました。心理学の研究に燃え、自由時間はずっと大学図書館で過ごし、人間の行動についての論文を読みあさりました。

臨床心理学での最初の仕事は、精神科での受け入れカウンセラーでした。私の仕事は、精神科の入院患者とまず面接し、その人の精神的健康を評価して診断を下すことでした。そこで、人間の行動スタイルや思考スタイルの異常の有無を発見する能力を身につけたのです。

私は何百人もの何かが見えたとか聞こえたと話す人に会い、それを幻覚症状と診断しました。そんな光景や声の多くは、中毒によってもたらされた幻覚症状のようでした。でも、実際に神の声を聞いたり、天使を見ていた人も同じように診断していたに違いありません。当時は、現実世界とは五感で経験しているものからなると信じていました。目に見えず、耳で聞けず、指で触れなければ、それは現実ではなかったのです。私にとって、身体的感覚以外で何かを経験している患者は、幻覚症状を起こしているか、酒や麻薬の中毒を起こしているかのいずれかでした。

しかし、私はそれまでの人生で、非常に不思議なことも経験していました。それは、科学や心理学の教科書では説明のつかないものでした。私はそんな経験に注意を向けず、意識的に知らないふりをしようと心に決めていたのです。

私が無視しようとしていた不思議な経験の一つは、十七歳のときのものでした。祖母のパールと義理の祖父のベンが、エスコンディード（カリフォルニア州南部サンディエゴ北東部）の家で私たちと数日間過ごそうと車でカリフォルニアのビショップからやってきました。私は到着をワクワクしながら待ち、家の前にステーションワゴンが止まるのを今か今かと待っていました。私たちはとても楽しい時間を過ごし、帰途に着く彼らを見送りながら、二人にこれまでにない親しみを感じていました。

二人が出発して数時間後、電話が鳴りました。父親が受話器をぎゅっと握りしめ、体を震わせながら口にしました。

「ベンと母さんが事故にあった。車線を越えてきた酒酔い運転の車と正面衝突したらしい。母さんは病院に運ばれ、ベンは亡くなったよ……」

「そんな！」

私たちは涙を流しながら叫びました。私は真っ暗な寝室に走り込んでアコースティックギターをぎゅっと胸に抱きしめ、悲しみをやわらげようとしました。数曲弾いているうちに、安らいできました。でも、居間では両親と弟の泣く声が聞こえ、家族と悲しみを分かち合わずに安らぎを感じている自分に罪悪感がわいてきました。私もみんなと同じくらい祖父のことが大好きで、いなくなったのがとても寂しかったのです。しかし、たましいの深いところでは、祖父の死に悲しみを感じておらず、そのことに落胆していました。

ちょうどそのとき、ベッドの足もとのほうできらきら輝いている光に気づきました。よく見ると、祖父がいたのです。彼は、最後に会ったときとまったく同じ姿で、チェックのシャツとゆったりしたズボンをはいていました。ただ、少し小さく透《す》けているように見えました。洋服の色は、内側から発している青白い光のせいでちょっとぼやけて見えました。

祖父はテレパシーのようなもので、はっきりと私に言いました。

「ドリーン、おまえが感じているのは正しいことなんだよ。私は元気で、大丈夫なんだからね」

するとと、彼の姿はだんだん薄らいでいき、消えてしまいました。ただ、私の安らかな気持ちは正しいものだったのだという確信だけが残っていました。

その後、ベンが現れたと両親に話すと、我が家からずっと離れたところに住むベンの兄弟も、彼の死後すぐに彼を見たそうだと話してくれました。きっとベンは、私たち全員を訪ねたのです。なのに、どうしてほかの家族は気づかなかったのでしょうか？　たぶん、悲しみが強すぎたせいで気づかなかったのか、強烈な感情がベンの訪問を邪魔したのでしょう。その答えはわかりませんが、はっきりわかっていることが一つあります。悲しみは癒しに役立つ正常な感情ですが、死後の命に気づく邪魔をする、ということです。

大人になり、私は天使や自分の亡くなった親類の存在にいつも気づいていました。この気づきの感じは、期限の迫った仕事に集中しているとき、部屋の中でブンブンしているハエに意識を少し向けるような感じです。でも、私はスピリットの世界について考えまいとしていました。そのときすでに、摂食障害専門の心理セラピストとして成功していたからです。私の二冊目の本『一度やせたら戻らない』（越膳百々子訳　サンマーク出版）はベストセラーになり、精神病棟を管理する仕事に加え、講演旅行などで忙しく過ごしていました。ですから、自分の不思議な体験を公に認めて、同僚から辛らつな批判を浴びせられ、苦しむなんてまっぴらごめんでした。

その上、天使がしつこく私にくれるメッセージがあまり好きではありませんでした。彼らは口やかましく、生き方を変えるべきだと言っていました。毎晩飲むワインをやめ、瞑想とスピリチュアリティの勉強を始めることが大切であり、さらに、伝統的な心理セラピーをやめて、スピリチュアリティに基づいたセラピーについて書き始めるべきだと言うのです。天使は、私が子どものとき、男性の天使の声ではっきりと、私の人生の目的はスピリチュアリティについて教えることだと告げられたのを思い出させました。私は築いた成功を失いたくなかったので、天使の声を聞き流していたのです。

今では自分が、人生の正しい使命を果たすために、たましいのレベルで天使たちと契約したのだとわかっています。彼らのせかす声はだんだん大きくなり、回数も増えてきました。

ある日、作家で心理セラピストでもあるウエイン・W・ダイアー博士のワークショップに参加しました。彼の話は、私ががまんしているものに似た苦闘についてでした。そのせいで彼は、伝統的な心理セラピストの道を断念し、飲酒もやめたと語りました。

その日、私はお酒を飲むのをやめ、瞑想を始めました。しらふで心を集中しているうちに、私のクレアボイアンス能力は、急速に子ども時代の明晰さを取り戻したのです。

私は、まったくの初対面の人が自己紹介する前に、その人の全情報を知っているのに気づきました。朝、起きると、その日誰に会い、その人が何を言うのかもわかりました。天使は、直感力をもっと伸ばすにはどんな食生活をすればいいかも教えてくれました（巻末付録Bを参照）。

天使に自分をゆだねた最初の年、私はとても長いデジャヴュ（実際に経験したことがないのに、経験したことがあると感じること）を経験しました。そして、長い間忘れていた安らぎも得たのです。

それでも私には、秘密の部屋から出ていき、天使のお告げを、クライアントや友人、家族に話す勇気はありませんでした。自分の不思議な経験は厳重なる秘密事項で、馬鹿にされたり、仲間はずれになったり、批判されないように胸に閉じ込めたままでした。天使はスピリチュアルな信念をみんなの前で話すようにせきたてましたが、私は必死に抵抗していました。

でも、一九九五年のある日、私の中から、他人にどう思われるかという恐怖感がすべて消えてしまいました。危うく車強盗に襲われそうになったとき、天使が大きな声で私に警告して命を救ってくれたからです。天使たちは、三十分後に二人の武装した男が私の車を襲おうとしていて、そのときどう身を守ればいいかアドバイスしてくれました。この出来事については、『エンジェル・ガイダンス』（奥野節子訳　ダイヤモンド社）の中に詳しく書いています。

この車強盗にあった後、私の心は恐怖と驚きでしばらくかなり動揺していました。声が聞こえるなんて、私の受けた臨床訓練では精神錯乱の兆候です。しかし、この声は、私の未来に起きる出来事を知り、命を救ってくれたのです！

私は、自分の無意識が想像の声を作り出したのだろうと推測しましたが、それが未来を知るはずはありません。そのことが私の心理学的興味をそそり、事件を知っていた声は一体何なのだろう、と思いめぐらし始めました。

そのとき、子どもの頃に第六感があった経験が心をよぎりました。子どもの頃の私は、自分は天に見守られていると信じていました。車強盗から逃れられた後、私は同じような穏やかな気持ちになったのです。自分が金魚鉢の中にいるという感じではなく、妙にホッとした感じでした。しかし、私の中の科学者の部分が、自分の経験が何であるか調べるようせっついていました。そうして、この説明のつかない出来事を何とか理解しようとしたのです。

その後の数ヵ月間、私と同じように警告する声のおかげで命拾いしたと話す人を新聞や雑誌で探し出し、取材しました。心理学者としてすぐに、この人たちが幻覚症状を起こしているのではないとわかりました。彼らの話には、幻覚症状には見られない一貫したよどみのない流れと、揺るぎない根拠が存在していたからです。

統合失調症患者の幻覚には、たいてい被害妄想や誇大妄想が含まれています。たとえば、ＦＢ

Ｉ調査員が自分をかぎまわっていると思ったり、自分を傷つけるように命令する声が聞こえたり、ＵＦＯが特別な人間として自分を選んだと信じていたりするのです。

でも、命を救ってもらった人たちが聞いた声は、安らぎをもたらすものでした。そして、思慮深く、愛にあふれ、哀れみ深くなるように導くものでした。私はボディランゲージと声の調子から、ウソや誇張を見分ける訓練を受けていたので、これらの人たちが真実を語っているのもわかりました。

取材を続けているうちに、一つの明らかなパターンが現れ、それによりこの人たちの話は真実だと確信できたのです。

- 他人が自分の話を信じようが信じまいが、彼らは気にしていなかった。
- 彼らは他人を自分の考え方と同じに変えようとはしなかった。
- 彼らは自分の経験を人前で話したがらなかった。ほとんどが、車の運転中に命を救う導きの声を聞いたというものだった。

たくさんの人と話をするほど、神の関与について私が抱いていた疑いは消えていきました。私は、アメリカ人の成人の七十五～八十五パーセントが天使を信じていると報じられた理由をようやく理解できたのです。取材するのと同時に、危機に際して私に警告と導きをくれた声の源とつながるために、まだ残っているかもしれない自分の第六感を使ってみることにしました。

車強盗にあいそうになった経験から、その声がほかのときでも聞こえるのかどうか、あるいは危機のときにだけ聞こえるのかということに興味を抱きました。自分がコンタクトしようとしているものが何であれ、それにコンタクトする方法がわからなかったので、ただ大きな声で話しかけ、心の中でメッセージを送り、日記に質問を書きました。

答えの声は、数時間以内に心の中に聞こえてきました。その存在は、私のガーディアン・エンジェル（守護天使）の一人だと認め、車強盗のせいで経験している説明のつかない私の恐怖感について話し始めました。その存在が話し終えたときには、私の恐怖感はすっかりなくなっていました！

それから、そのガーディアン・エンジェルと一緒にいる他の天使たちの存在が感じられ、その声も聞こえました。この驚くべきものに注意を向け、もっと理解しようとするにつれ、自分の周りにいる天使たちが見えるようになりました。最初は、輝く光が見えるだけでしたが、まさに暗がりに目が慣れていくように、ゆっくりと天使の姿や形の細部までわかるようになったのです。

それ以来、私は、天使を見たという何千人という人に会って情報交換しています。私たちの見たものは、形、背の高さ、明るさ、色、服装、話し方などの細部までよく似ています。

エンジェル・セラピー

天使は最初、私自身の人生についてだけ導きをくれました。それは非常に難しい問題をうまく切り抜けられるように助けてくれたので、セラピストとして私は、自分のクライアントも第六感を使って天の処方箋にアクセスできたらどんなにすばらしいだろうと考えるようになりました。

ある日、クライアントの難しいカウンセリング中に、何を話せばいいかわからなくなったことがありました。天使ならどんなアドバイスをするだろうと思っていると、彼女にアドバイスを与えてほしいのか、と天使が尋ねてきたのです。セラピストとして、天使を全面的に信用していたわけではありませんが、行き詰まってしまって、その女性を助ける方法がまったくわかりませんでした。それで、ちょっと試してみようと思ったのです。

でも、プロとしての倫理観から、天使が処方してくれたものを、自分のものとしては提供できないと思いました。私はクライアントには正直に、そのアドバイスがどこからやってきたものか説明しなければならないと感じました。その結果、彼女が私のことをおかしいと思い、もう診察してほしくないと思ったとしてもです。幸い、彼女は天使を信じており、その提案に好奇心をそそられたようでした。彼女は、私の言うことに心を開き、進んで耳を傾けてくれました。

その日、彼女の人生は天使から聞いた処方箋によって大きく変わり、私の力では決してできなかったすばらしいヒーリングになりました。以来私は、カウンセリングを助けてほしいと天使に協力をお願いし、クライアントには常にそのアドバイスの源を知らせています。

まもなく私は、「エンジェル・リーディング」あるいは「エンジェル・セラピー」をするセラピストとして評判になりました。あらゆることを試してもうまくいかず、最後の手段として神や天使に助けをこう人たちが私のもとへやってくるようになりました。

天使はクライアントに、明確で効果的な指示（私が聖なる処方箋と呼んでいるもの）を与えてくれました。それはクライアントを助け、人間関係や金銭問題、健康、感情を癒してくれました。

私はエンジェル・セラピーについてきちんとした科学的検証を行ってはいませんが、この驚くほど効果的な臨床ツールに満足しています。私がエンジェル・セラピーで訓練したセラピストたちも、彼らのクライアントが健康になり、安らぎを得られるようになったと報告してくれています。

自分が関わった何千というエンジェル・セラピーの事例が、私の心からすべての疑いを取り除いてくれました。私は、疑う人も信じる人も、宗教的な人も不可知論者も、天使に与えられた聖なる処方箋に従って幸せになり、健康になったのを目のあたりにしてきました。私の養成コースに心理セラピストや医師、看護師、ヒーリングの専門家などが多く参加しているのはそのせいなのです。

典型的なエンジェル・セラピーでは、私は半トランス状態に入っています。それにより天使と聖なる処方箋に、より深く、迅速につながることができるからです。この意識の変容状態では、自分にやってくる言葉のほとんどに気づいています。でも、セッションの後では、その半分くらいしか覚えていません。そのため、言われた内容について、後で自分やクライアントが考えたい場合にはテープに録音しています。

ときおり、天使は、クライアントが後で聴けるように録音を要求します。これはおそらく、そのセッションが非常に感情的なものになると警告しているのです。「彼女は繰り返し聞かないと、私たちの言うことに心から耳を傾けないでしょう」と、私に説明してくれます。

エンジェル・セラピーでは、まず私がクライアントのそばにいる天使について説明します。主に四つのタイプの天使がいます。詳しいものは巻末付録Aにあります。

●天使
神からのメッセンジャーとして送られた翼のある天使で、地上で人間として生きたことはない。

●大天使
天使界の管理人で、天使よりも体が大きく、強力である。

●亡くなった愛する人
亡くなってからも、ガーディアン・エンジェルのように人々を助けるために私たちのそばにいる、親類や友人たち。

●アセンデッド・マスター
イエス・キリスト、モーゼ、モハメッド、仏陀、クリシュナ、聖母マリア、聖ジャーメイン、観音のような悟りを開いた教師やヒーラーで、天から人々を助けている。

それから、それぞれの天使の役割をクライアントに説明します。
たとえば、亡くなった愛する人はただ、「愛しているよ」「結婚生活を見守るためにそばにいるよ」と言うためだけにやってきます。天使は、むしろ私たちを助けるために一緒にいてくれます。たとえば、勇気を持ったり、がまん強くなったり、安全運転をしたり、他人を批判せずに愛せるよう助けるためです。

次に、クライアントが天使のアドバイスをほしいと思っている問題を聞きます。

ここでは主に、次のような基本的質問を扱います。

「どうすればボーイフレンドと結婚できますか？」

「買い物依存症で、クレジットカードの請求が何千ドルにもなっています。どうすればやめられますか？」

「母といつもけんかしています。母のいびりをやめさせるにはどうしたらいいか、天使に聞きたいんです」

などというものです。

それから、天使にガイダンス（導き）をお願いします。天使は、私を通してアドバイスをくれるので、その処方箋をクライアントへ伝えます。ときどき、天使は私に「映像」を見せてくれ、その中で、クライアントがスピーチをしていたり、本を書いていたり、ヒーリングの仕事をしているのがはっきり見えます。また、クライアントの人生の目的を伝える言葉が聞こえてくることもあります。

一般的に天使は、四つの方法でメッセージを伝えてきます。クレアボイアンス（クライアントの過去、現在、未来の映像が見える）、クレアオーディエンス（天使が私に話しかける）、クレアセンシェンス（天使の見解を伝える強力な感覚を受け取る）、クレアコグニザンス（天から思考がやってくる）です。誰もがクレアボイアンス、クレアオーディエンス、クレアセンシェンス、クレアコグニザンスを利用できます。1章では、これら四つのコミュニケーション法の概要をお話しします（この四つの方法を用いて天使のアドバイスを得ることに興味があれば、その方法について詳しく書かれた『エンジェル・ガイダンス』を読んでください)。

セッションの間、私はいつも右耳で天使の話を聞いています。どういうわけか、天からのメッセージを左耳で聞いたことはありません。クライアントや他の人も、片方の耳だけで聞くか、少なくともガイダンスの大半を片方の耳だけで受け取っているようです。ただし、両耳から聞こえるという人もいます。

私はそれが本当に天からのメッセージで、自分の想像ではないと確かめるために、同じ質問を天使たちに複数の異なるやり方で繰り返し尋ねました。聖なる処方箋の重要な特徴の一つは、そのアドバイスが繰り返し与えられることです。私が天使に数回同じ質問を尋ねると、同じ答えが返ってきました。それは、天使が本当に話しているとわかる一つの方法です。もし、私たちの想像にすぎなければ、毎回違う答えがやってくる傾向があるからです。

クライアントにさらに質問があれば、彼らが処方箋をはっきりと理解できるまで、私か天使が答えます。

天使が、自滅的な性格(たとえば、あまりにも攻撃的な性格)や破壊的習慣(不倫や喫煙など)を変えるようにという処方箋を与えても、尻ごみしたり、動揺したりする人はめったにいません。でも、私はクライアントの反応を心配して、「この優しそうな人に、こんなことをどう言えばいいだろうか?」と自問してしまいます。すると、天使は愛にあふれたやり方でメッセージを伝える方法について教えてくれます。その結果、クライアントは、意図された通りに救済策を受け取れるのです。彼らは、これらの言葉とともに無条件の愛を感じ、天使が非難したり、判断したり、懲らしめようとしているのではないとわかるのです。天使は助けを求める祈りに答えているだけで、その答えはたいてい、癒しを与えてくれます。心の奥深くで、ほとんどの人が常に天使のガイダンスを理解しています。

　クライアントの問題に別の人が関わっているとき、私はいつも天使たちに、その人と接触させてくれるようにお願いします。最初に、その人とつないでくれるように頼み、それから深呼吸をして、その人の名前を心の中で三度繰り返します。それは、正しい人物に集中しているかどうかを確認するためです。その人が生きていても死んでいても、天使はただちに、その人物の姿を見せてくれます。名前には、その人の過去、現在、未来すべての情報を記録しているエネルギーの刻印があります。それは、特定のプログラムにアクセスさせてくれるコンピュータ・プログラムの名前のようなものです。

　クライアントが自分の未来を見たいと頼むと、天使たちはちょうどビデオテープを早送りで見るようなプロセスを私に経験させます。彼らはこれからクライアントが経験するいくつかの異なる未来のテープを見せてくれます。誰もが、自分の未来を自由に選択できます。そして、それぞれの未来は、あなたがどんな決断をするかによって異なってきます。天使の役目は人間の代わりに決断をすることではありません。でも、天使は、人が自分の善良な性質ではなくエゴに従おうとしていると、代わりの解決法を示してくれるのです。

　クライアントが怒りや罪悪感、非難のようなうっ積し、やり場のないマイナス感情を持っていれば、天使はこれらの詰まっているものを取り除く手助けをしてくれます。天使は煙突を掃除する人のように働いて、クライアントが蓄積したマイナス思考やマイナス感情という煤《すす》をブラシで取り除きます。

私は、結婚生活や家族関係のカウンセリングをしていた心理学者なので、自分の臨床知識とエンジェル・リーディングを組み合わせることがよくあります。それが適当であると天使に指導されているように感じています。そしてクライアントには、今話しているのは私なのか天使なのかを、明確に知ってもらうようにしています。

エンジェル・セラピーのセッション後、クライアントは聖なる処方箋を受け取り、天使がネガティブなものを解放してくれたおかげで、ずっと気持ちが楽になり、自由で幸せだと感じるようになったと言います。彼らはたいてい、手紙や電話で連絡をくれたり、再度カウンセリングにやってきて、聖なる処方箋に従ったおかげで自分の態度や人生に大きなプラスの変化があったと報告してくれます。

天からのメッセージとメッセンジャー

あなたは、エンジェル・リーディングをしてくれる人に出会うのを待つ必要はなく、天からのアドバイスを受け取る特別な才能のある人を探し出す必要もありません。これらはあなたに向けられたメッセージで、自分でも簡単に受け取れるようになっているからです。何万人ものクライアントやワークショップの参加者たちが、すでに神からのメッセージを受け取る方法を学んでいますから、あなたにもきっとできるでしょう。彼らは、自分の天使の存在に気づく方法や、天使が何かを伝えようとしているときに気づける方法を学びました。

彼らはごく普通の、どこにでもいるような人たちで、特別な才能があるわけではありません。

私は誰もが第六感を持っていると信じています。この第六感は、私たちを天にコンタクトさせてくれるもので、それは自分の中に存在している神にほかならないのです。

神とのコンタクトは、誰にでも、いつでもできることです。なぜなら、コンタクトしようとしている相手は、すでにあなたの内にいるからです。

私たちは、神とコミュニケーションするための第六感という道具を、自分の内に持っています。あなたが自分の内側の感覚、思考、ビジョン、音などと波長を合わせる方法について学べば、天使の声をもっと簡単に聞き、理解できるでしょう。

1章では、聖なる処方箋とはどんなものかをお話しします。

●聖なる処方箋とはどんなものであり、どうあなたの役に立つのか
●祈りの答えが伝えられる三つの方法：安らぎ、奇跡、聖なるガイダンス
●なぜ人は、聖なる処方箋がやってくるのを邪魔したり、それに従って行動しないのか
●天使との接触への恐怖感にどう打ち勝つか
●第六感を受け取る四つの方法

2～7章は、もっとも一般的で緊急を要する問題への、神や天使からの実用的な処方箋を紹介しています。それらは天使が、クライアントや私の友人たち、私の家族、ワークショップの参加者たちへくれたものです。これらの処方箋の多くは、私の人生にとても役立ちました。あなたに

も同じように役立つと信じています。次のような問題が取り上げられています。

●依存症、うつ病、深い悲しみといった個人的問題
●デートや恋愛に関する問題：理想的なソウルメイトを引き寄せる方法、嫉妬心、真剣な交際への恐怖心
●不倫や性の不一致、親密さの欠如といった夫婦間の問題
●子育てやあまりにも批判的な親といった家族間の問題
●財政問題や職業上の問題：仕事のストレス、起業すること、資金繰りの難しさ

8章では、個人的問題に聖なる処方箋をお願いし、受け取るための詳しいアドバイスを多数紹介しています。

●天使からのサインを邪魔しないように、感情の混乱をなくす方法
●自分の問題に対して、聖なる処方箋を受け取るための簡単な二段階の方法
●あなたが受け取ったガイダンスが、本当に天からきたものかどうかを知る方法

9章では、さらにもう一歩進み、他人のためにエンジェル・リーディングを行いたい人に、順を追ってその方法をお教えします。

次のことが学べるでしょう。

- ●聖なる処方箋を他人に伝える方法
- ●相手を不快にさせるかもしれない処方箋を伝える方法
- ●他人が聖なる処方箋について、あなたに依存してきたときの対処法

この本は、あなたを天からのアドバイスにつなげてくれます。受け取ったガイダンスに最後まで従ってください。私はセラピストとして、神やアセンデッド・マスターに常に相談している人が、そうでない人よりも上手に人生に適応しているのを見てきました。彼らは、否定的でも用心深くもなく、人生の車輪を自分でまわしていて、あまり行き詰まることがないように見えました。さらに、ほかの人たちよりも幸せで、楽観的なように思えました。

エンジェル・センス 目次

chapter 2

個人的な難題と危機のための処方箋 54

chapter 5

結婚や親密な関係のための処方箋 155

著者注釈

この本は、特定の宗教に属さないスピリチュアル書です。あらゆる宗教や信念体系の人、そして無宗教な人も含むすべての人を対象にしています。宗教的専門用語のような部分がかなりあるかもしれませんが、宗教書ではありません。本書は日々、私たちを助けてくれるスピリチュアルな原則について書いたものです。

この本で紹介する物語は、どれも実話ですが、名前や個人を特定できるような部分は、匿名性を守るために変更しています。個人名を記したものは、すべて本人の了承を得ています。

私たちの創造主について話すとき、私は「神」やその代名詞である「彼」という言葉を用いていますが、これは神を男性としているからではありません。私にとって愛する創造主は男性でも女性でもなく、愛にあふれた力です。私は単に、欧米文化の習慣から男性代名詞を用いて、彼とか彼女といった厄介な言い回しを避けただけです。もし、創造主を表す言葉として、神以外のものを使いたかったり、女性代名詞や中性的な代名詞を好むなら、あなたの信じるところに従って自由に置き換えてください。

この本では主に、天使の領域からやってくる聖なるメッセージを太字で記しています。

chapter 1

あなたの問題に対する天からの解決法

あなたはおそらく、天からの慰めや奇跡的な介入を受け取ったという事例を耳にしたことがあるはずです。何か不思議な力や声、あるいは人のおかげで命が救われたとか癒されたという、ぞくぞくするようなお話です。これらの出来事によって人は、自分が神やガーディアン・エンジェルに見守られ、導かれていると信じるようになります。天使は、必要なら驚くべき方法で介入してきます。

でも、神や天使は、命を脅かすような状況から救うためだけに奇跡を起こすのではありません。天は、個人的な問題や精神的な傷や苦しい選択に対する解決方法についても、たくさんの実用的なアドバイスをします。天の介入法の中でもっとも一般的で、おそらくもっとも重要なものは、私が「聖なる処方箋」と呼ぶものを与えることによってなされます。それは、日々の心の傷や問題に対する天の治療薬です。

古代のスピリチュアルな書物では、神や天使は日常の問題に実用的な導きを与えてくれるものとして描かれていました。たとえば、旧約聖書には、家族間や他人との対立の解決法や、健康的な食事の準備方法、夫婦円満のアドバイス、家畜や作物の育て方などが書かれていました。聖書の完成後も、天はこのようなアドバイスを与えるのをやめてはいません。およそ二千年たった今でも、神や天使は、人々が個人的な問題をどう処理すればいいかについて聖なる処方箋を与え続けているのです。

神による人生相談

天使に救済策をゆだねてもよいと思い、神とコミュニケーションする四つのチャンネルを開くことを学び、第六感を通して受け取ったアドバイスに従って行動すれば、あなたは天使の助けという苦難をやわらげるクッションにのって人生を歩めます。

天使の処方箋は、人への神の贈り物です。その導きを受け取って利用すれば、数えきれないほどの恵みを得られるでしょう。つまり、成功（成功があなたにとって何を意味しようと）し、自分に安らぎを感じ、満足のいく恋愛関係や家族関係を楽しめるのです。

人はみな、とても辛く困難な問題に直面します。それは、少しイライラするものから、打ちのめされるほど強烈な問題までいろいろです。愛、お金、子ども、健康、人間関係などのような問題で、落胆し苦しんだことのない人などいるでしょうか？　あなたはその問題に立ち向かうために最善を尽くそうとするはずです。でも、次から次へと問題が起こるように思え、特に仕事の失敗や、夫婦間の性格や意見の不一致のような問題は解決不可能に感じているでしょう。

何百万という自己啓発書やセラピーやトーク番組を見れば、人々がいまだ、心理学にセルフヘルプの部門ができた当時と同じ問題で苦闘していることは明らかです。これらの人間による方法は、人がもっと健康で幸せになるために、さほど重要な役割を果たせませんでした。なぜなら、それは人間が作ったものなので、人間の限界ともろさをもともなっていたからです。

私は効果が絶大で、長続きする唯一の心理的ヒーリング法は、スピリチュアルなアプローチだと考えています。不幸な結婚、反抗的な子ども、うつ病、依存症、経済的問題、両親の高齢化問題、仕事での行き詰まりなど、その問題が何であれ、天使は問題を解決し、癒しをもたらす聖なる処方箋を持っています。専門家として私は、天使のアドバイスが多くのクライアントを助けるのを目にしてきました。天使は新聞の人生相談と同じと考えてもよいでしょう。天使は地上の人々の質問に、賢く、役に立つ答えをくれるのです。

私がセラピーをしているとき、天使は私を通してクライアントや聴衆の問題に実用的なアドバイスを与えてくれます。しばしば、これらの処方箋を私自身の人生にも活用していますが、それは解決できないと思っていた問題に答えを見つけてくれたり、より健康的で幸せな人生へと導いてくれる助けとなっています。その処方箋は、もともとお願いした人を助けるだけでなく、私の友人や家族や他のクライアントの助けにもなっています。そんな経験から、天使が与えてくれる解決法や方策は、同じような状況にあるほかの人に効果があると確信しました。

この本では、特に2～7章で、人々が今日の生活で直面する一般的な難問に対し、天使がくれた五十の処方箋を紹介します。

私にはこれらの処方箋が、問題解決や癒し、回復、自己成長のための心理学的に確実なアプローチだとわかりました。さらに、これらの天使のアドバイスに従った人たちが、すばらしい癒しと安らぎを経験するのを見てきました。彼らは自分が見守られ、愛されていると知るのです。それにより生じる内なる静穏な感覚が、人生にすばらしい人やチャンスや経験をもたらしてくれるのです。

助けを求めることの大切さ

聖なる処方箋を受け取るには、一つだけ条件があります。それは、意識して天に処方箋を頼むことです（声に出しても、無言でもかまいませんが）。

まず、天使のことを考えてください。それから、「どうぞ……の問題について助けてください」と心の中でお願いしましょう。

このようなお祈りをすると、ほとんどの場合、すぐに聖なる処方箋を受け取れるはずです。このきわめて重要な最初のステップを省いてしまって、天使に助けをはっきりお願いしないと、天の口をふさぎ、発言を禁じることになります。どんなに全力を尽くして天使に相談し、望み、切望したとしても、意識して天に助けをお願いしなければ、天使からの導きはやってきません。

天使は、導きの恵みをあなたに与えることを望んでいます。「望む」は、効力が発生するきっかけとなる言葉です。神があなたやほかの人に与えた自由意志にそむいて、天使が無理やり助けることはできません。ですから、あなたが「望む」ことが必要なのです。助けをお願いし、それを受け取ることに心を開くのが大切なのは、そういう理由からです。唯一の例外は、寿命がくる前に、交通事故などで命の危険にさらされた場合です。たとえそんなときでも、あなたが心を開いているときにだけ、天使はあなたを助けられるのです。

ある晩、天使たちはすばらしいユーモアを使って、意識的に助けを頼むことがいかに重要かという忘れられない教訓を与えてくれました。

私は、週末にセミナーを開催するため、アリゾナ州スコッツデールに滞在していました。土曜の夜、友人が私をジムまで送ってくれ、後で迎えにきてくれると言いましたが、タクシーでホテルまで帰るから、と辞退しました。運動を終えてからタクシー会社に電話をすると、最初にかけたタクシー会社の配車係は、「申し訳ありませんが、スコッツデールはエリア外です」と言いました。次にかけたタクシー会社は、ジムがある付近のエリアには詳しくないということでした。三番目にかけたタクシー会社は、「今晩はとても混んでいて、お迎えまでに四、五十分かかります」と言いました。

私はがっかりして、ホテルまで歩こうと決心しました。すでにトレッドミルで一時間歩いたのですから、もう一時間くらい大したことはないと自分に言い聞かせたのです。それでも、歩くのが大変なのはわかっていました。この付近には歩道がなく、暗闇の中、石がごろごろしている芝生の上を歩かなければならなかったからです。歩きながら何度もつまずき、結局、近くのにぎやかな通りに出て、タクシーかバスに乗ろうと決心しました。

時速五十キロで車が行き交い、公共の交通機関はまったくなさそうでした。この辺りは完全な住宅街で、バスもタクシーもいないのだろうと思いました。

「一日中天使について人に教えたのに、どうして天使は私をこんなにがっかりさせるのかしら？　私は自分の役目を果たしたのに、あなたは私を助けてくれないの？」

そう心の中で、天使に不平を言ったのです。

その瞬間、天使の優しいながらも皮肉たっぷりな返事が聞こえてきました。

『失礼ですが、あなたはタクシーが必要と私たちに頼みましたか？』

私ははっと息をのみました。

私は、天使にタクシーを見つけてくれるようにお願いしていませんでした。ですから、これほど困っていたのも無理はなかったのです。私は天に助けをお願いせずに、人間のレベルで問題を解決しようとしていました。

早速、心の中でつぶやきました。

「天使様、あらためてお願いいたします。今すぐ私にタクシーを送ってください」

それから二分もしないうちに、振り返ると、すぐそばの通りに大きな真新しいタクシーがゆっくりと走っているのが見えました。ニューヨークのタクシーを呼び止めるように、さっと手を上げると、運転手はすぐに道の片側に車を止めてくれました。

快適にホテルへと向かいながら、私はほっとして笑みを浮かべていました。その途中で、何気なく運転手はこう言ったのです。

「たまたま私があの通りを走っていたので、本当に運がよかったですよ。普段この辺では、まったくタクシーは見つからないんです」

この件以来、人生のあらゆる面で意識的に天使にお願いすることを、私は決して忘れません。

あなたの困り事が何であれ、そのための解決法を与えてくれるように天使にお願いしてください。これがいかに重要であるか、強調しすぎることはありません。多くの人は、命が危ういようなときにしか、神に助けを求めようとしません。でも、覚えていてください。危機の最中には、神にはあなたの要求も許可もいりません。助けを叫んだときには、神はすでにあなたのもとへ天使を送っているのです。神や天使があなたの許可を必要とするのは、日常的な出来事に関してです。

自分が間違ったことをするのではないかと恐れて、お願いを躊躇する人もいます。正しい方法でお願いしなければ、神に無視されるのではないかと心配しているのです。これに対して天使は、次のように言っています。

『私たちに助けを求めるのに、形式的な祈りは不要です。礼儀正しい手順に従ってお願いしたいという気持ちには感謝します。でも、私たちは、あなたに呼ばれたら、すばやくかけつけて、あらゆる問題に処方箋を提供したいのです。私たちに必要なのは、思考、言葉、ビジョンだけです。お願いの言葉は、あまり重要ではありません。重要なのは、あなたが私たちに助けを求めているということだけです』

初めて天使に助けを頼むときには、ぎこちなく感じたり、どぎまぎするかもしれませんが、心配しないでください。あなたの意図が神や天使とつながりたいというものである限り、間違いを犯すことはありません。たとえ、質問が彼らに聞こえていないように思えても、天はちゃんと聞いているので、安心してください。

ときには祈りと呼ばれますが、天に助けをお願いすることが、それを受け取るのに不可欠なものです。あなたの祈りが、教会や寺院、シナゴーグ（ユダヤ教の礼拝堂）で行われるような形式的なものか、神に対する個人的な心からの要求であるかは重要ではありません。宗教的背景がどうであろうと、たとえ不可知論者でも無神論者でも、非難の余地のない奉仕の人生を生きていようと、貪欲とごまかしの不誠実な人生を生きていようと、天はあなたの祈りに答えてくれるでしょう（もちろん、神は、「悪人」の「悪行」を手助けしてほしいという祈りには答えませんが、天使はそんな人間が、善人になる道を見つけられるようにアドバイスします）。天は、どんな差別もせず、聖なる処方箋を求めるすべての要求に答えてくれるのです。

祈りはどう答えられるでしょうか

あなたが何を必要としており、何を頼んだかによって、神は三つの方法で助けを送ってくれます。あなたの祈りは、すばらしい安らぎか、奇跡か、聖なる処方箋かのいずれかでかなえられるでしょう。

すばらしい安らぎ

あなたは意気消沈し、心配や怒り、孤独や恐れを感じたり、あるいは何か別のネガティブな感情でとても苦しんでいて、天に助けを求めています。神や天使は、慰めを与え、安心させるようなメッセージを届けてくれるでしょう。あなたは突然、安らかで幸せな感じに満たされるかもしれません。あるいは、自分にとって意味があり、元気をくれる夢を見るかもしれません。ある状況についてまったく新しい観点から見る気づきを、突然与えられるかもしれません。また、友人が、気分のよくなることを言ってくれるかもしれません。

自分にだけ特別な意味のあるサインを目にすることもあります。たとえば、蝶とか、虹とか、足もとに落ちた羽のようなものです。

奇跡

危機の最中、あなたは助けを求めて祈っています。すると、自分の努力によってではなく、幸運な出来事で奇跡的に救われるでしょう。人里離れた高速道路で迷っていると、どこからともなく現れた見知らぬ人が正しい方向を教えてくれ、その後、跡形もなく消えてしまうかもしれません。あるいは、交差点で信号が青になったとき、突然耳もとで、「止まれ！」という叫び声が聞こえ、赤信号で走ってきた車との衝突をかろうじて避けられるでしょう。命に関わる危険が差し迫っているとき、神や天使は、ただちに行動を起こします。

聖なる処方箋

あなたは特別な問題を抱えています。それは、娘の結婚式の費用を工面することだったり、禁煙、子どもの数学の成績を上げること、執拗にあら探しする家族との感謝祭を乗り切ること、激しいストレスを軽減すること、似たような仕事のどちらかに決めること、だめな人物とは会わず立派な人にだけ出会えるようにすること、などです。そして、そんな問題を解決したいと神や天使にお願いするのです。すぐに心の中で声が聞こえたり（実際に聞こえる声かもしれません）、あるいは新聞記事やテレビ番組などで自分の問題にぴったりな解決法をたまたま見つけることでしょう。また、同僚の言葉として伝えられたり、有能なセラピストや回復のためのグループセラピーが見つかるかもしれません。

人はなぜ聖なる処方箋を阻止しようとするのか

天使に相談しても、まったく答えてくれず、がっかりしたと不平を言う人がいます。こういう場合、直感がやってきたり、頭の中で繰り返しある歌が聞こえたり、気になっていることにまつわる強烈な印象の夢を見たりしなかったかと尋ねると、たいてい「はい」と答えます。

天はずっと聖なる処方箋を送ってくれているのに、無意識にそのメッセージを無視しているのです。神が耳を傾けなかったのではなく、自分が神のガイダンスに耳を傾けていなかっただけなのです。

人はなぜ自分の第六感に目隠しをし、神の処方箋のような優しい癒しとなるものを締め出してしまうのでしょうか？

それは、心の奥では天使を信頼していないか、天使が自分の人生やライフスタイルに変化を要求するのを恐れているからです。心の深い部分とは、低次の自己、すなわちエゴで、それは百パーセント純粋な恐れからできています。それはあらゆるものを恐れています。神も愛も天使も幸せもです。エゴは、もし私たちが何かを変えて恐れがなくなれば、自分が消えてしまうのを恐れているのです。

このように、エゴは恐怖感を抱かせようと努力し続け、次のように思わせるでしょう。

「以前に直感に従ったけれど、うまくいかなかった。また失敗すれば、今よりも悪くなってしまう。他人は何と言って、どう反応するだろうか？　自分のことを笑って、去っていってしまい、訴訟すら起こすかもしれない」

犬が自分のしっぽを追いかけ回すように、あなたのエゴは、常にあなたのハイヤーセルフと闘っています。ハイヤーセルフは聖なるメッセージへと導き、処方箋を信頼し、それに従っています。聖なる処方箋に気づく邪魔をしようとエゴが作り上げる恐れについて、これから説明しましょう。

神を怒らせるかもしれないという恐怖

宗教的な規則を破るのではないかと心配し、神からのアドバイスに耳を傾けない人がいます。規則を重んじる宗教の中で育てられた人は、天使と直接話をしても安全かどうか、許されるかどうかと考えます。その恐怖とは、天使のアドバイスに従うことで、神を怒らせ、罰せられるかもしれないということです。彼らは、「天使に直接話してもいいのですか？　それともすべてのお願いを神だけに向けるべきでしょうか？」と尋ねてきます。

あなたが神やイエス・キリスト、あるいはほかの特定のスピリチュアルな存在とだけ対話すべきという宗教で育ったなら、その存在に祈りを向けてください。その存在が、聖なる処方箋で答えてくれるでしょう。

私としては、天使にじかに話しかけた人を神が罰したという話を聞いたことがありません。天使は神を崇めており、神のために働いています。なので、神をさしおいて自分たちが崇拝されることは望んでいません。しかし、聖書やスピリチュアルな書物には、人が天使と話したという報告が数多く載っており、明らかに天使と話すことが奨励されていると言えるでしょう。

過ちを犯す恐怖

多くの人が、聖なる処方箋に従うことで悲惨な過ちに導かれるのではないかと恐れています。「もし、神の意図を誤解していたらどうなるのだろうか？　もし、人生がもっと悪くなったらどうしようか？」というようにです。

天のアドバイスは、いつでも癒しとなります。それはあなたの人生をよりよいものにしてくれ、決して悪くはしません。お願いすれば、天使は処方箋を信頼できるように助けてくれます。そうすれば、あなたは自信を持って、それを実行できるでしょう。

幸せになる資格がないという恐怖

子どもの頃に屈辱を受けたり、虐待された経験があると、自分には調和、成長、豊かさ、愛のある人生を送る資格がないと信じているかもしれません。しかし、これは神があなたのために計画した人生であり、常に聖なる処方箋で導かれているのです。

たとえば、あなたは誰かを傷つけたり裏切ったりしたから、幸せになる資格がないと思っているかもしれません。あるいはあまりよい人間じゃないからとか、自分のライフスタイルのせいとか、一生懸命に生きていないから、幸せにはなれないと思っているかもしれません。すると、当然ですが、天からの導きを得ることも恐れているでしょう。

神の愛は無条件ですが、多くの人が条件つきであるかのように行動したり振る舞ったりしています。そんな人は、自分に対しても条件つきの愛を抱いているからです。

「私はまだ幸せになる資格はない。
まず、［　　　　　］（ダイエット、卒業、請求書の支払いなど）をしなければならない。
そうすれば幸せになれる」

と思っています。これは、家政婦が来る前に家を掃除する人に似ています。

これでは本末転倒です。完全に幸せな人のために神ができることなど何もありません。神や天使が助けたいのは、不幸な人です。そんな人がお金持ちになり、達成感を持ち、満足して生きられるように助けたいのです。つまり、神は与える人になるために、助けを必要とする人が必要なのです。神があなたを助けるのを許すことで、天はその目的を実現し、聖なるガイダンスを与えることができるでしょう。

神によって与えられるパワーを恐れる

神からの忠告を怖がらせるものの一つに、それが人々に与えるパワーがあります。

ほとんどの人が、自分は創造主のイメージに似せて作られているとわかってはいますが、創造主が全知全能であることを考慮していません。あなたは神のイメージで作られているので、生まれながらに大きなパワーを持っているのです。

たいていの人が、外的なパワーの哀れで無力な犠牲者のように振る舞っています。これは、パワーを怖がるように教えられている人がほとんどだからです。たとえば、女性の場合、パワーを持つとは攻撃的なのを意味するので、それは女性らしくない性質だと信じるように育てられています。その結果、女性の多くは、力をつければ見捨てられ、非難されると恐れています。男性でもパワーに疑いを抱いていることがあります。なぜなら、パワーが父親や他の男性たちをだめにしたのを見てきたからです。男性も女性も、パワーを行使する過程で、うっかり間違いを犯して、自分や他人に苦痛を与えるのを恐れているのです。

あなたにも、ほかの多くの人のように過去に誤った方法でパワーを用いた経験があれば、天使はあなたがその時点から進化していることを思い出させてくれるでしょう。

天使はこう言うはずです。

『今日、あなたは自分の周りの人の感情にさらに敏感になっています。この気づきが、自分のパワーで他人に苦痛を与えることを防いでくれます。過去にしたように、自分のパワーを乱用することはもうないでしょう』

創造主から授かったパワーを使う許可を自分に与えたときに、あなたはそのパワーを人の役に立つ方法で用いることができます。たとえば、家族間の積年の問題を解決したり、職場であなたの率いる部署が社長からお褒めの言葉をもらったり、虐待的な関係を解消したり、自分で起こしたビジネスを救えるように、天使が導いてくれるでしょう。あるいは、メンターや教師、カウンセラーのような奉仕的な職業で成功を収めるかもしれません。

堕天使に接触する恐怖

多くの人は、神以外の存在にお願いをすると、堕天使に接触してしまうのではないかと恐れています。そんな人は私にこう尋ねます。

「もし、堕天使や反キリスト者にだまされて、その気はなくても無理やり苦難の人生に引き込まれたらどうするのですか？　悪い輩《やから》は自分の正体をいつも偽っているのではないですか？」

善良な心を持って生き、祈っている普通の人に堕天使の心配はいりません。愛に基づいた意識を持つ人は、愛にあふれた存在を引き寄せます。穢《けが》れのない人生を生きる人は、暗黒の世界とは無縁です（巻末付録Aで、堕天使と呼ばれる存在を見分け、避ける方法について説明します）。

神と対話する4つの方法

人が天からの処方箋を見逃してしまう決定的な理由があります。単に、答えがどんな形をとっているかがわからないのです。それで、空想だとか、気味の悪い感覚だとか、気分的なものにすぎないとか、単に頭にこびりついた考えにすぎないと思い、その体験を放り捨ててしまいます。そして、自分が切に望んだ神のアドバイスがやってきたのに気づかぬまま去ってしまったことを理解せず、天使は自分の祈りに答えてくれないと非難するのです。

ほとんどの本が、天からのメッセージを「聞いている」人々について紹介していますが、実際には、答えを耳に聞こえる言葉で聞く人はあまり多くありません。私の調べでは、聞こえる声で（頭の中で聞こえたか、耳に聞こえたかのどちらかで）聖なる処方箋を受け取ったのは約四分の一の人にすぎませんでした。ほとんどの人は、天使からのメッセージを思考や感情といった形で受け取っているとわかりました。さらに、心の目で見たり、肉体的感覚で受け取る人もいました。それ以外では、言葉を超えた、深い認識の形で受け取る人もいます。

天からのアドバイスを伝える方法がいろいろあるのは、なぜでしょうか？

あなたが友人にメッセージを送るときも、方法は一つに限られません。電話もあれば、電子メール、実際に会うなど、どれが一番便利かにより、いくつかの選択肢があるはずです。同じように、天は、導きを伝える方法を一つに限っていないのです。天使はどれがあなたにとって一番簡単で、一番合うかと考えながら、いろいろな方法であなたとコミュニケーションしようとしています。

天からの処方箋は主に、次の四つの方法のどれか一つ、あるいは二つ以上で伝えられます。

- **クレアオーディエンス（言葉と音）**
- **クレアボイアンス（イメージと映像）**
- **クレアセンシェンス（感情と感覚）**
- **クレアコグニザンス（突然のわかったという認識）**

誰もがこの四つの方法すべてを学べます。しかし、科学的調査（と私の経験から）では、少なくとも最初は、そのうちのいずれかの方法に受け取りやすさを感じていることが示されています。

ハーバード大学をはじめとする最近の多くの調査によると、聖なる処方箋を受け取る四つの方法は、脳の四つの基本的な「知能」あるいは「領域」に関係しており、それぞれに独自の学びと認知と思考のスタイルがあります。ある人にとっては、視覚的な知能とそれに関する領域が優勢で、そういう人は、言葉よりもイメージで学び、考えるほうが簡単です。

あなたの優勢なスタイルが視覚なら、視覚的イメージで送られた天使のアドバイスを理解するほうが簡単だとわかるでしょう。でも、他人や状況などに対する自分の感情に敏感なら、天使は感情に基づく直感や警告の形でメッセージを送ろうとするはずです。

天使の処方箋を受け取る最善のスタイルは何なのかを意識していれば、それを見逃すことはなくなります。そんな神からの信号にうまく波長を合わせられるようになれば、それを受け取る能力が磨かれ、そのメッセージの有効性にもっと自信が持てるようになります。その結果、神とつながる能力をさらに高められるでしょう。

次に紹介する神とのコミュニケーションの四つの方法について見ながら、どれが自分にとって一番自然に思えるか比べてみてください。自分に同じような経験があるのを思い出したら、その方法に✓印をつけてください。そして、似たような出来事が翌週も起こるかどうか注意していましょう。新しい経験をしたら、その方法にまた✓印を加えてください。

その出来事が現実なのか想像上のものなのか確信が持てなくても、✓印をつけてください。たとえ天使の羽が触れたと感じただけだとしても、肉体的感覚をともなっていたのですから、あなたにその傾向があることを示しています。さもなければ、あなたは天使の存在を見たり、聞いたり、わかったと感じているはずです。一番✓印の多いものが、あなたの天とのコミュニケーション方法です。

□クレアオーディエンス

聖なる処方箋はたいてい、優しい内なる声で、あなたの問題への解決法を詳しく教えてくれます。

それはあたかも天のラジオの周波数に合わせているような感じです（実は、それが実際に起こっていることです）。

天使たちは、どこからともなくやってくる魅力的な旋律であなたにサインを伝えます（特に、朝目覚めたときに）。あるいは、亡くなった人の声や自分の名前を呼ぶ声を聞いたり、鐘のような音が聞こえたりします。もっとはっきりと聞きたければ、音量を上げてほしいと天使にお願いしてください。

□クレアボイアンス

天使は、心の中に突然、何らかのイメージを見せることで人とコミュニケーションします。

心の中に映画の一場面が浮かんだり、亡くなった人がメッセージを持って訪ねてくる夢を見たりするでしょう。これらのイメージは、あらためて説明する必要もないほど明らかですが、意味がわからない場合には明確にしてほしいとお願いしてください。メッセージが伝わったかどうかを知るために、天使にはあなたからのフィードバックが必要なのです。

□クレアセンシェンス

ときどき、聖なる処方箋は、感情や肉体的な感覚を通して伝えられます。

これが起きると、天使の羽根が触れて、自分の行動や物事がある方向へ向けられているのを感じたり、あるいはそこから引き離されている感じがするでしょう。

緊張や恐怖感は、ある人物や状況に注意したほうがいいという導きを与えてくれます。胃や胸のあたりが温かくなってリラックスした感じがするのは、あなたが正しい道にいるとか、知り合ったばかりの人ともっと親しくなりなさいという印です。

ほかにも、後で正しかったと証明される直感を受け取ったり、亡くなった愛する人の香水の香りがしたり、誰もいないのに触られた感じがしたり、誰かが自分のベッドに座っていたような気がしたという例もあります。

□クレアコグニザンス

天使の導きを求めた次の瞬間、あなたの頭に完全な解決法がはっきりと浮かびます。でも、そこには言葉で表現された考えが一切存在しません。

これは、神が「問題への解決法」というコンピュータ・ファイルを、あなたの頭にダウンロードしてくれたようなものです。このような言葉をともなわない認識では、複雑で抽象的な概念でさえ容易に吸収され、すべてが深いレベルで理解されます。

聖なる処方箋を信頼すること

自分も天使もそのプロセスも信頼できないがために、天使のアドバイスに従えない人がいます。天から処方箋を受け取るという考え自体を、ひどく異様なことに感じる人もいます。また、神が本当に自分の嘆願を聞いて答えてくれるのか、疑う人もいます。さらに、天使のアドバイスが、仕事やお金、結婚のような世俗的で具体的な問題についてまで本当に助けてくれるのか信じていない人もいます。

しかし、私がエンジェル・リーディングで受け取る感想で一番多いのは、「私の天使が言っているような気がします」というものです。つまり、私の伝えた聖なる処方箋の信憑性を、クライアントも深いレベルで認めているのです。彼らはすでに、そのメッセージを受け取っていましたが、それに従って行動できませんでした。でも今、それが繰り返し言われたのです。それでもなかにはまだ疑って、神の貴重なアドバイスを捨ててしまう人もいます。

聖なる処方箋を使い始めた当初は、天からの提案に抵抗しがちなのは理解できます。私は、神や天使が自分たちのしていることについて本当によくわかっているということを、自らの経験から信頼できるようになりました。この導きを信頼して従えば、あなたの人生は油を十分にさした機械のようにスムーズに動きだします。天使のアドバイスに従い、常にその絶大な効果を経験すれば、天が与えてくれる癒しの知恵にきっと強い信頼を持てるでしょう。

ほとんどの場合、あなたには自分に与えられた処方箋がどう助けになるのか予測もできません。なので、最初の数ステップは信頼して進む必要があります。

たとえば、悩みの種である人物をどう扱うべきか、夢見ている昇進のために何をすべきかという導きを得たとします。自然な反応として、それを実行する前に、すべてがうまくいく保証を探そうとするでしょう。でも、神は物事がどう進むかという段階的な青写真は提供してくれません。あなたに受け取れる唯一の保証は、すべてが神の手中にあるということだけです。それゆえ、あなたが心から信頼し、そのときどきに与えられる導きに従えば、すべてはうまく進むでしょう。

人々が天使のアドバイスから恵みを得られない一番の理由は、行動を起こす前に、神様が「実際にお金を見せてくれる」のを待っている、ということです。あなたは与えられた導きに従って、自分に割り当てられた仕事をしなければなりません。そうして初めて、残りの部分を神にゆだねることができるのです。

疑いを乗り越えるよい方法は、受け取った処方箋を寝ている間に信頼できるようになるよう天使にお願いすることです。今夜ベッドに入る前に心の中で、天使に、

「どうぞ、今夜私の夢の中にやってきて、聖なる処方箋に気づき、それに従う邪魔をする恐れを取り払ってください」

とお願いしましょう。

＊＊＊

神や天使は、あなたの問題に喜んで聖なる処方箋を与え、あなたが癒され、成長し、危機や苦しみに対処できるように必要なステップを詳しく説明してくれます。しかし、天がすべての仕事をしてくれるわけではありません。天は、人生の地雷原をうまく旅する道路地図を与えてくれるだけです。

天使は、彼らが与えた提案を実行するかどうかを私たちにゆだねています。あなた自身で、天使が処方してくれたステップを実践しなければなりません。あなたには自由意志があり、天使の導きを無視して無駄に苦しみ続けるという選択もできるのです。私たちを永久に取り囲んでいる目に見えないヘルパーたちの導きに従えば、誰でもスピリチュアルに、心身ともに癒され、成長し、もっと愛にあふれ、信頼できる存在になれるでしょう。

chapter 2

個人的な難題と危機のための処方箋

ときに私たちは、薬物依存、虐待、うつ病、嫉妬、孤独、愛する人の喪失のような深刻な難題や個人的危機にぶつかります。でも、そんな苦闘をしているのが自分一人だと思ってはいけません。医師や生活保護受給者、大卒者や高校中退者、同性愛者や異性愛者、キリスト教信者やユダヤ教信者、無神論者やヒンドゥー教信者などのあらゆる人が、似たような問題に苦しんでいるのです。外側がどう見えようと、内側では何らかの個人的な問題に苦しむ人がとても多いのです。

幸い、天使には、人生を打ち砕くほどの辛い経験に対してでさえ、癒しや成功をもたらせる処方箋があります。そして、あなたの安らぎや幸せを見ることが、彼らの報酬なのです。

あなたは、天使の助けが本当にあれば問題など一切起こらない人生を送れるはず、と誤解しているかもしれません。

あるクライアントが打ち明けてくれました。

「誰かに見守られていると信じるのは難しいことです。私には問題が次から次へと起こります。人生のある部分が落ち着いたかと思えば、別の大きなものがやってきて幸せを打ち砕こうとします。私がガーディアン・エンジェルを必要としているとき、彼らは一体どこにいるんでしょうか?」

天使たちは、あらゆる問題や困難をなくすためにあなたのそばにいるわけではありません。なぜなら、これらは潜在的に、あなたにとって大切な学びや成長の経験となるものだからです。天使たちは、難しい状況をどううまく処理できるかを提案してくれるガイドなのです。

これらの聖なる処方箋は、自分の成長のための神による青写真にほかなりません。これは、あなたの内側や外側の問題をうまく乗り越えるのに必要なものです。

あなたが心の中で苦しんでいたり、不可抗力な問題に直面していても、聖なる処方箋を神や天使にお願いし、受け取った導きに従えば、調和のとれた人生を送れるでしょう。人生の使命の大半を占めるのは心の安らぎであり、天は、そこにあなたが到達できるように助けたいと思っています。真夜中に心配で目が覚めてしまうなら、この世での使命を果たすエネルギーが失われるのを天使は知っています。あなたが緊張し、びくびくしていれば、それがあなたと接触するすべての人にマイナスの影響を与えてしまいます。

あなたは、安らかな状況を作り出すために、天使と協力しなければなりません。天の導きに従って、自分の進路を決めるという方針さえ持てば、たとえ激しい嵐の吹き荒れる海でさえ安全に航海できるのです。あなたは船長のように、方角や気象に関する情報を常に人工衛星から受け取ることができます。しかし、人はたいてい、大荒れになるまでは天使に相談しようとしません。大荒れとなってくると、彼らはただちに天に助けを求め、天使たちは喜んでスムーズな航海ができるよう導いてくれます。

　天使たちは、人間を導くことが綱渡りのように難しいものと知っています。つまり、一方であなたの人生の目的は、責任ある選択の仕方と、難題を乗り越えて成長する方法について学ぶことです。その一方では、依存症や自己嫌悪のような破壊的パターンを繰り返して人生を無駄にしてほしくないとも思っています。ですから、天使は、あなたに主導権を残しながら導く、という微妙な立場に置かれています。

　あなたが神や天使に助けを求めると、その問題が何であれ、神の治療薬はたいてい内側での変化をもたらします。人生が癒されるにつれ、あなたにとってもはや健全ではないような状況や人間関係や食物や場所にだんだん耐えがたくなるでしょう。たとえば、ジムに行きたい、仕事を変えたい、私財を投げ打ってビジネスを始めたい、回復サポートグループに加わりたい、と思うようになるかもしれません。

　あなたは、結婚、仕事、家庭生活など、人生のあらゆる面での現状の見直しを始めるでしょう。内側と外側での健全な変化によって、内側での満足感が得られます。

自分が生み出した問題への処方箋

　人は不幸なとき、幸せを探し求めます。幸せはいつも自分のところを通り過ぎてしまうと思っているかもしれません。でも、真実はまったく逆だと天使は言っています。幸せを避けているのは人間のほうなのです。

天使は全員に幸せになってほしいと思っており、幸せになれる可能性を提供しています。しかし、自分が求めているはずの幸せに抵抗する人もいます。そんな人は他人や状況が自分を不幸にしていると考えていますが、天使は苦悩や問題のほとんどは自分自身が生んだものだと言っています。

人はみんな、何らかの形で自分の苦悩や問題を生み出しています。きっとあなたも例外ではないでしょう。浪費したり、大切な会議でぶざまなところを見せたり、運動しなかったり、間違った相手と結婚したり、大切なときに自己主張できなかったり、人生の苦しさから逃れるためにお酒におぼれたり、助けてもらうのが恥ずかしいのであきらめたり、成功をほとんど手にしながらすべてを台無しにしてしまった経験があるかもしれません。

残念なことに、この種の自ら問題を生み出す行動が、一種の生き方となってしまうことがあります。気づかぬうちに、あなたは自分で問題を生み出すようになってしまい、人生は、長いひと続きの危機のようだと思うのです（天使によると、人生は成長のための学びの経験とチャンスの連続ですが）。運悪くその原因を理解できなければ、自らが生み出した問題を外側の何かのせいにして、友人やセラピストに、「神は私に対抗している」「どうして私には不運ばかり起こるんだろう？」と不平を言い続けるでしょう。

その原因が何であれ、失恋や修復できない家庭不和、昇進を逃したことなどすべてが、とても深い傷となります。自分で生み出した傷も現実の傷であり、ほかの傷と同じように血が流れます。あなたは自分自身が問題の原因であることに気づき、その状況を解決するまで、混乱や問題や悲惨さの中にとらわれたままとなるでしょう。

天使は、人が幸せになるのを拒絶し、自分で問題を生み出している四つの理由を教えてくれました。

●自分には幸せになる資格がないと感じている。
●幸せは退屈なことと恐れている。
●危機解決が人生を意味あるものにすると信じている。
●本当の幸せを経験したことがなく、悲惨で不幸な生き方しか知らない。

あまりにも多くの人が、自分には幸せになる資格がないと感じています。これはたいてい、批判的すぎる親や子ども時代の虐待やトラウマによるものです。ある部分では、他人が享受しているような幸せを望みながらも、別の部分では、自分にはそんな資格がないと思ってしまうのです。幸せになるチャンスが訪れるたびに、前者よりも後者が大声を上げます。そして、幸せの可能性をつぶす理由や言い訳を見つけます（こんな人に天使たちは、神は全員を平等に作っており、彼らの罪や過ちのせいで幸せになる資格がなくなるとはまったく考えていないと言っています。天使は、彼らが送るあらゆる幸せの可能性に目を向けてほしいと思っています）。

ジェットコースターのような興奮した生活を楽しみ、別離や経済的危機などで絶えずドキドキするのを生きがいにしている人もいます。安定や安らぎ、幸せさえも退屈なものに思い、問題のない生活を考えるだけでうんざりします。彼らは幸せを望んでいますが、瀬戸際にいるドキドキ感がなくなることを恐れているのです。「空いた時間で何をすればいいのだろうか。問題がまったくないと退屈じゃないか」と思っています。天使はそんなクライアントに、平和な生活とはドキドキしないことではない、とアドバイスしています。単に、違う種類のドキドキ感があるだけです。それは、友情、冒険、旅、成功、ロマンスに満ちたものなのです。

無意識のうちに幸せを拒絶している人は、問題や危機の解決が、自分の人生の有用性と価値を証明すると感じています。つまり、自分が役に立ち、必要とされていると感じるために、自ら危機を生んでいるのです。天使は、そんなクライアントがボランティアやメンターとなって、もっと意味のある方法で自分の能力を使えるように手助けしています。

落ち着かない家庭に育つと、人は危機や心の動揺の中で暮らすことに慣れてしまいます。安らいだ生活よりも、問題に満ちた生活のほうが快適になるのです。なぜなら、そういう状況しか知らないからです。彼らは本能的に、職場でも、友人関係でも、恋愛関係でも、うまく機能していない状況を探し求めます。彼らは、問題の多い生活スタイルや恋愛関係にしがみつく思考や信念や感情を持っています。天使は、このような考えを取り去りたいときには、いつでも自分たちに頼むように言っています。さらに、ボランティア団体の活動への参加もすすめています。

自分で危機を生み出す行動に苦しむ人への天使の処方箋では、たいていの場合、問題を根源から改善するために現在のパターンを変えるよう要求しています。

個人的な問題の解決法について質問したクライアントは、天使から自助努力をするように促されるメッセージを受け取ります。天は、多くの苦労を生じさせている思考や感情や行動の破壊的パターンを直せば、彼らが幸せになれると知っているのです。このようにして天使は、外側の世界での混乱を変化させる方法として、内側の世界を変化させる方向へと人々を導きます。

私はワークショップで、参加者が、神や天使から受け取ったメッセージを調べていますが、「あなたの人生を変えるようにという導きを受け取りましたか？」と尋ねるたびに、ほとんど全員の手が上がります。

ヴェルダは四十歳のほっそりした女性で、警備会社の管理職でした。彼女は、人生で何一つとしてうまくいかないと、ひどく落ち込んでいました。

「三年前には、とてもいい仕事についていました。でもちょうど退職警官と別れた時期で、彼が私の後をしつこく追い回したんです。それが仕事にも影響して、職を失ってしまいました。そのすぐ後、とてもいい人にめぐりあったんですが、たまたま、麻薬中毒になるようなくだらないやつと関係を持ったところでした。それから、別の楽しい仕事につきましたが、今度は私が馬鹿なことをしました。単に上司の話し方ががまんできずに、やめてしまったんです。今は魅力的な男性とすばらしい恋愛をしていますが、彼が運命の人だと思って結婚を考えるたびに、緊張してけんかをしてしまいます。なぜかはわかりませんが、幸福の青い鳥は、私のところに止まってくれません」

天使は私に、ヴェルダの子ども時代について尋ねるよう指示しました。彼女は、混沌として先の見えなかった子ども時代について話し始めました。

「私の両親はいつもけんかばかりしていました。母は自分が冷静になるまで、私を連れて祖母の家に泊まりにいきました。父は軍人だったので、毎年引っ越しをしました。私は学校ではいつも転校生で、ようやく友達ができたかと思うと、また荷造りして引っ越さねばならなかったんです」

天使は次のように答えてくれました。

『親愛なるヴェルダ、幸せはあなたを避けてはいません。幸せを避けているのは、あなたのほうです。子どもの頃とても落ちつかず、問題が多かったので、安らぎや幸せは、あなたには奇妙でなじみのないものになってしまいました。子どもの頃に知っていたものとはあまりにも違いすぎるので、尻ごみしてしまい、本能的に子ども時代の混乱や苦しみを再び作り出せる状況を探してしまうのです。人生にはいつでも困難や騒動があふれていなければならないと信じています。でも、あなたも問題のない人生を送ることが可能なのです。ただ、問題が起こるだろうと心配しないでください。そうすれば、喜びと調和の経験が増えていくでしょう』

ヴェルダはじっと考えてから言いました。

「その通りです。よくわかりました。私はいつも悪いことばかり期待していたのだと思います。何度か、本当にすばらしい男性と親しくなりましたが、結婚話が出てくるたびに、私はパニックになっていました。それは結婚への不安のせいだと思っていましたが、あなたが教えてくれたように、私はそんな男性にはふさわしくないと感じていたんでしょう。でも、不幸な状態しか知らないのに、どうやって変えられるんでしょうか？」

天使は次のように教えてくれました。

『どんな苦痛も不幸も受け入れてはいけません。これについては、どんな小さな違反も認めません。自分が不幸だと感じているのに気づいたら、すぐにその感情と状況を私たちに知らせてください。私たちは、あなたの不幸をゆだねてくれれば、その不幸をもっとよいものと交換するか、その状況を癒す手助けができます。私たちは、あなたが心に喜びを感じられるようにお手伝いをします。そうすれば、エネルギーややる気を最高の状態に保てるでしょう』

「どんな不幸も受け入れない」ヴェルダは、明るい声で繰り返しました。「すばらしいアイディアだわ。これまで考えてみたこともありませんでした」それから彼女は眉をひそめました。「でも、何か悪いことが起きたら、不幸だと思うのが普通じゃありませんか？」

「そう、不幸は自然な感情です。でも、あなたが不幸を感じるたびに天使に助けをお願いすれば、彼らが重荷を軽くしてくれます」

天使は、ネガティブなパターンを取り除くのがとても上手なのです。

天使はさらに言いました。

『自分よりも幸せではない人を助ける活動に参加してください。そうすれば、もっと大きな観点から自分の問題を捉え、自分の人生における恵みにもっと気づけるようになるでしょう』

「実は、地元のホームレスのシェルターでボランティアをしたいとずっと思っていたんです。天使が私をつついていたのかもしれません（もちろんそうでしょう）」

天使はボランティアの考えを心に植えつけ、自ら困難を生むサイクルからヴェルダを抜け出させようとずっと努力していたのです。でも、彼女は抵抗し、なじみのある惨めさと混乱の生活パターンにしがみついていました。私を通して天使の声を聞き、すでに自分が心の中でわかっていたことを再度確認したのです。私は、天使に夢の中に来てもらい、問題となる思考や信念や感情を取り去ってくれるようにお願いするようアドバイスしました。

ヴェルダは、そうすると約束しました。さらに、ボランティア活動に参加するという天使からの提案を受け入れました。それは、ヴェルダの人生への姿勢を大きく変える助けとなったのです。自分では問題と思っていたものが、実は些細なものだとわかり、その一方で、よい仕事、友人、十分な給料など、すでに自分の人生に存在しながら一度も感謝したことがなかったすばらしいものを、ありがたいと感じ始めました。仕事で昇進のチャンスがやってきたとき、彼女は何ものにも邪魔させず、積極的にその地位につきました。まだ探し求める男性には出会っていませんが、もし出会えたら、自分には幸せになる資格がないとは決して思わないでしょう。天使は、私がこれまで試み、目にしたどんな心理カウンセリングよりも、迅速かつ効果的に、人々の人生の優先順位を変えられるのです。

天使は、人はまるで惨めさや不幸が人生の普通の状態であると期待しているかのように、それらに対してがまんしすぎると言っています。「〜がやってくる」という車のバンパーステッカーがあるのを思い出してください。問題を期待するような言葉を、「平和と幸せがやってくる」に書き換えてみてはいかがですか？

天使の処方箋

あなたの人生が問題続きなら、なぜ自分に幸せになる資格がないと感じているか調べてみましょう。そして、幸せを期待し、どんな不幸も許さない態度を持ちましょう。

依存症への処方箋

今日、依存症は、伝染病のようなものです。薬物やアルコールの乱用による破滅や苦しみを経験している人数は、どの年齢層でも前例のないほどにふくれあがっています。さらに、世界中の何億という人が、衝動買いやギャンブルやわざわざ危険を冒すなどといった依存症の犠牲者となっています。そして、もっともわかりにくいのは、次のような依存症です。快適すぎる生活スタイル、単純作業、豪華な食事、テレビ、メディア、インターネット、車、ショッピングなどと、リストは永遠に続きます。

依存症の最悪なケース、つまり薬物とアルコールの乱用による影響は、どんなに大げさに言っても言い過ぎではありません。それは文字通り社会を荒廃させ、特に都市中心部でひどく、今では郊外や地方にまでも広がっています。何千万もの人が薬物依存症のために、仕事も、家族も、お金も、心身とスピリチュアルな健康も台無しにしてしまい、その数はまだまだ増え続けているようです。

天使は、多くの人を依存症に駆り立てる空虚感を深く理解し、哀れみを抱いています。そして、これらの依存症が、周囲のすべての人の人生にもたらす大混乱にはうんざりしています。それで天使は、依存症のきっかけとなるようなさまざまな問題をなくす手助けをしたいと切望しているのです。

天使は、依存症や強迫神経症的な行動は、人々の内なる空虚感や神の愛から引き離されているという感覚からやってくると言っています。神の愛とは、人が生まれる前に母の子宮の中で経験したものです。天使は、神とは同時にどこにでもいる存在で、あらゆる人とあらゆるものの中に存在すると説明しています。しかし、生まれてまもなく、人は自分の中にある神の愛の感覚を失ってしまいます。そしてしだいに、親や社会から学んだ自分をけなす考えのせいで、自分は悪であり、何の価値もないと思うようになり、自らを神から完全に切り離してしまうのです。

その結果、人はその空虚感を満たしてくれるという錯覚を起こさせるもの、少なくとも痛みをやわらげるものを自分の外側に探そうとします。それは、薬物やアルコールのようなものだったり、食べ物、喫煙、ギャンブル、買い物、ネットサーフィン、テレビのスポーツ観戦などで、それにより一時的に陽気な気分になり、空虚さから逃れられます。少しの間は満ち足りていられますが、すぐに、無益で恥ずべき行為に時間とエネルギーを無駄にしたという自己嫌悪に襲われます。この思いが、もともとの空虚感をいっそう強めてしまい、人を再び薬物や依存行動に駆り立てるのです。

クライアントのバーバラは、まさにそんなサイクルにとらわれていました。二年間で二度もの流産に落ち込み、不眠症に苦しみ始めました。彼女たち夫婦は、とても子どもを望んでいたのです。五年間の努力の後、バーバラは失望した夫の気持ちが自分から離れていくのを恐れていました。彼女の担当医は、眠れるように鎮静剤を処方してくれましたが、まもなく彼女はその薬を日中でも飲み始めたのです。リラックスのため、と自分に言い聞かせてはいましたが、一ヵ月もしないうちに、薬を余分に数週間分ももらうようになりました。

医師と薬剤師に疑われないように、バーバラは鎮静剤の量を減らし、その代わりに昼間からワインを飲み始めました。それもリラックスのため、と自分に言い聞かせました。

ある日の午後、夫は意識を失っている彼女を見つけ、救急治療室に担ぎ込んだのです。医師自身、薬物中毒から回復した経験があったので、すぐにバーバラの中毒症状に気づき、カウンセリングを受けるようにすすめました。彼女は入院し、アルコール中毒の回復プログラムに参加し、その後は薬も使わず禁酒をしていました。

しかし、彼女の根底にある問題はまだ解決されていませんでした。そして他の依存行動に走ったのです。タバコを吸い、過食を始め、彼女の体重はたちまち驚くほどに増えていきました。とうとう夫はがまんできず、彼女のもとを去ってしまったのです。

私がバーバラに会ったとき、彼女はまさにアルコール中毒患者救済協会が「空酔い（飲んでいないのに酔ったように振る舞う）」と呼ぶ状態、つまり、薬物は使っていないけれど、中毒のように行動している人そのものでした。

天使は話し始めました。

『愛するバーバラ、あなたは自分が感じている空虚感を一瞬でもやわらげたくて、薬物に頼りました。あなたの心は、天国で神やガーディアン・エンジェルに深く愛されていたときの満足感を覚えています。でも、生まれてすぐ、この愛をほとんどの人が忘れ、ガーディアン・エンジェルが永遠にそばにいて、天国と同じように大きな愛を与えてくれているのを忘れてしまうのです。彼らは特に愛から切り離されているという空虚感には敏感です。あなたがその愛に気づきさえすれば、空虚であるという恐れは消えてなくなるでしょう』

天使がそう話したとき、バーバラは、自分の渇望の背後に、愛されたいという欲求から生まれた空虚感があるとわかったのです。夫の愛を確信し、将来子どもがこの欲求を満たしてくれると期待しているうちは何とか乗り越えられました。でも、夫が背を向け、子どもを持つ希望も絶たれたと思ったとき、バーバラは自分に忍び寄る空虚感をやわらげるために薬やアルコールに頼らざるを得なかったのです。その後は、その欲求を満たすため、タバコや過食に走りました。それでもいつも空っぽだと感じ、愛してほしいとむせび泣いていたのです。

天使は答えました。

『あなたが満たそうとしている空虚感は幻覚です。あなたの中で、愛が存在していないところはありません。その空虚感を、あなたが切望している愛と置き換えられるのです。何かに依存したくなったら、目を閉じて、深呼吸をし、私たちを呼んでください。私たちが、特別にたくさんの神の愛をあなたに注ぎましょう。それが胸とお腹を通してあなたを温めてくれます。深く息を吸い、神の愛で自分をいっぱいにしてください。そうすれば、物質的なものへの渇望が、あなたを支配することはなくなるでしょう。

そして、自ら犯したと思っている過ちを忘れてください。なぜなら、そう信じることでの罪悪感が、依存行動を長引かせるからです。神の子よ、あなたは潔白です。あなたの罪の痛みをやわらげるように私たちに助けを求めてください。そうすれば、もう何も恐れることはありません』

セッションが終わると、バーバラは毎日、この愛のために瞑想すると約束しました。

後日、彼女は電話で、強迫神経症的な行動が減ったと報告してくれました。私は、もっと彼女が愛を感じられるように、亡くなった愛する祖母を含むガーディアン・エンジェルたちとコンタクトする方法を教えました。バーバラは愛がほしくなるたびに、自分の天使たちに手紙を書き始めました。そして、内なる安らぎという返事を受け取ったのです。バーバラはときどき、質問を書いては、自分が聞いたり感じたりした内容を書き出すことで天使と対話するようにしました。彼女は、このプロセスが大きな癒しになったと言っています。

個人的、臨床的経験を通して、私は聖なる処方箋で依存症を治せるのを知っており、実際に、薬物中毒や依存行動をやめられた実例をいくつも見てきました。結局、アルコール中毒患者救済協会やその十二段階のプログラムのようなもっとも信頼できる依存症治療のモデルは、スピリチュアルな原則に基づいたものなのです。

天使の処方箋

依存しているものがほしくなるたびに、愛のイメージで自分を取り囲んでください。空虚感や痛みを、温かさや満足感に置き換えましょう。

うつへの処方箋

誰でもときには憂うつな気分になります。でも、絶えず落ち込むようなら、それは問題があるというサインです。うつ病はあなたから、エネルギーも喜びもやる気も奪い取ります。さらに、うつ状態のせいで、人はあなたを避けるようになり、それが寂しさと悲しみをいっそう強めるでしょう。

うつ病の場合、人は家に閉じこもり、仕事の達成感、愛にあふれた関係、満足のいく生活を楽しめなくなると、さまざまな研究が示しています。さらにそれは、あなたの愛する人にもひどい苦しみを与えます。たとえば、子どもにはお母さんやお父さんがどうしていつもひどく悲しんでいるのか理解できません。配偶者も一緒にうつ病になりやすく、自分がこれほど愛してもまったく無駄なので、どうすればいいのかと思い悩むのです。

うつ病は、人を自殺や依存症に追いやり、死に至らしめます。それは、自分を無視することによって引き起こされる死の原因でもあります。多くの不慮の死の原因にもなっています。

天使は、うつ病という言葉が、地中の穴、つまり、どん底を意味すると言っています。うつ病とは、ある出来事が人を深く傷つけたときの自然な行動であり、癒しが必要となって、しばらくの間、世の中を避け、心の内側に逃げ込んでしまった状態だと理解しています。つまり、世の中から屈辱を受けたので、うつ病という井戸の中に自分を沈めているのです。

天使は、自分はうつ病だから、心身ともに孤立状態になっても仕方ないと考えているなら、らせん階段を下へ下へと降り続けることになるだろうと言っています。自分を気の毒がったり、誰も愛してくれない、理解してくれないと言い続ければ、うつ病の症状はますます長引くことでしょう。幸いなことに、天使は、うつ病に苦しむ人を助ける処方箋を持っています。バーニスはそれで救われました。

バーニスは五十三歳で、二人の子の母でしたが、実年齢よりも十歳は老けて見えました。彼女は、近所の人も、友人や家族も、知っている人はみんな忙しくて自分に会ってもくれないと不平を言っていました。前かがみの肩、うなだれた頭、やる気のない態度を見たとき、私はすぐに問題は何かがわかり、天使たちも納得しました。バーニスはうつ状態で、そのネガティブな態度が人を追いやっていたのです。

結婚してまもない頃、彼女の生活は家族中心に回っていました。大企業に勤める夫のマイクはいつも忙しくしていましたが、バーニスは子育てに追われていたので、気にも留めませんでした。一番下の子が結婚して家を出てから、突然、人生に虚しさを感じたのです。それは、子どもが家からいなくなった悲しみ、夫や子どもとの交わりのない寂しさ、空いた時間に何をして、どうやって人生に意味を与えればよいのかという恐怖感が混じり合ったものでした。

娘の結婚式が終わって数週間もしないうちに、バーニスはぐったりし、ふさぎ込むようになりました。うつになっていたのです。子どもの家を訪ねようと電話をしたり、近所の家に立ち寄りましたが、みんな忙しく、話をするひまはないようでした。まもなく、彼女は、家族も他人も自分のことを好きではないのだと信じるようになったのです。バーニスのうつ病はひどくなっていきました。彼女は一日中ベッドに横たわり、身支度さえできませんでした。そして、心配して助けを求めてみたらどうかという夫の嘆願をすべて無視しました。

ある夜、彼女は夫の睡眠薬を多量に飲んで病院に運び込まれました。そこで胃の洗浄をした後、精神病棟に数週間入院し、家に戻ってきました。しかし、彼女のうつ状態は依然として続き、躁うつ病の薬を飲んでいました。そんな彼女を見かねた友人が、私のところへカウンセリングに行ってみてはどうかと提案したのです。

天使はバーニスに言いました。

『うつ病は、自分が一人ぼっちだという誤った思い込みからきています。私たちはいつも一緒にいて、無条件の愛であなたを理解しようとしていると信じてください。あなたがうつになるたびに、私たちはもっとあなたの近くへ行きましょう。あなたの気分や態度を改善するのが、私たち天使の役割です。ですから、自分の内側に深く身を隠そうとしたときに、急に笑いたくなったり、笑顔になるかもしれませんが、それに抵抗しないでください。気分がウキウキしてくるのは、私たちがあなたに影響を及ぼしているからです。天使のエネルギーを周りに感じたら、そのエッセンスを深く吸い込んでください。そうすれば、あなたの求める温かさや安心感を得られるでしょう』

バーニスはこう答えました。

「そんな感じがしたことがあります。天からの力が自分のそばにあって、私のところに届こうとしていると強く感じたんです。でも、とても落ち込んでいたので、それを聞きたいとは思いませんでした」

私はバーニスに、誰かがうつでひどく落ち込んでいるとき、天使はその状況の明るい面を見て、許し、笑うように導くのだと言いました。面白い冗談を思い出させたり、お気に入りのコメディー番組を見せたりするのです。こういう気分を明るくしてあげようという天使の努力に、抵抗しないようにお願いしました。

そして、天使はバーニスに処方箋をくれました。

『一番暗いうつ状態の瞬間を、あなたの中で永久に燃えている神の光の輝きを求めるきっかけにしてほしいと思います。これを、神の恵みを数えるべき合図と考えるのです。落ち込んだら、時間を作って、一日の中で目にした愛の表現を七つ思い出してください。手を取り合って歩いている親子、他人同士の優しい行為など何でもよいでしょう。この練習を始めたら、あなたのうつ病は軽くなるはずです。自分が見たもの、経験したこと、持っているものに感謝するようにすれば、自分だけでなく、あなたに出会った人の気分も明るくなるでしょう』

しばらくの間、バーニスは黙っていました。そして、まるで太陽が昇ってきたかのように微笑みました。

「たった今、今朝、起きてから目にした五つの愛の光景を考えてみました。天使が言ったことは正しいと思います。これは確かに役に立ちそうです」

天使は、バーニスが自分の気分について考えたり、話したりするとき、言葉を注意して選ぶようにアドバイスしました。「私のうつ病」「私はうつです」という言い回しは、個人的に所有している意味を強めるので、避けるように注意しました。その代わりに、「うつが現れた」「気分が落ち込んでいるようだ」という表現をするように指示しました。そうすれば、自分自身とうつを不必要に結びつけることがなくなるからです。さらに天使たちは、変えたい状態ではなく、そうなってほしいと思っていることをはっきり言うようにアドバイスしました。

数ヵ月後、バーニスは再び、まったく違う態度で私のもとに来ました。うつ状態がずっと軽くなっていたのは、一目瞭然でした。彼女は挨拶しながら微笑み、その握手の力強さと座る動作にはエネルギーが感じられました。

「物事をどう見るかという天使のアドバイスは、とても役に立ちました。家族や友人たちが私のところへ戻ってきましたし、娘からは、もうすぐ孫のベビーシッターをしてほしいと言われたんです」とうれしそうに報告してくれました。

天使の処方箋

自分の一日を振り返り、目にした愛の表現を七つ思い出してみてください。一つひとつがあなたの中で黄金の輝きを放ち、うつの雲を追い払ってくれるでしょう。

不安に対する処方箋

うつ病と同じように、不安は、二十一世紀の避けられない現実です。一日中、テレビで暴力や大惨事の映像に攻め立てられ、地球のどこかで戦争が起こる危険と、エイズなどの生物的危機に直面しているのですから、かつてないほど誰もが不安を感じていて当然です。しかし、不安が人生のあらゆる部分をだめにしてしまうほど、手に負えないものとなっている人もいます。不安がすべてを麻痺させ、現実世界で機能不全にさせているのです。

天使によると、不安は、ひどい悲観癖と心配症が結びついて起こります。人は不必要に自分の将来に不安を感じており、天使が『神はあなたと一緒にいて、あなたが自分の人生の主人である』と言っても理解しません。さらに天使は、今この瞬間の思考と感情が、将来のあらゆる経験を創造すると言っています。特に、自分に起こることは自分に責任があり、心配するものなど何もないのです。

二十六歳のサリータは、慢性不安に陥りそうにはとうてい見えませんでした。収入の安定しているほれぼれするような夫、健康で頭のいい二人の子、郊外の一軒家という、誰もが理想とするものをほとんど持っていたからです。彼女は、お金の必要からではなく、人の中にいたいと望んで書店でパートをしていました。

なのに、どうしてサリータは、私とのエンジェル・リーディングのセッションで、将来を心配する質問をいくつもしたのでしょうか？　彼女は、自分のこと、夫、子ども、その他の家族、世の中一般についてリーディングしてほしいと言いました。彼女は次々に尋ねました。

「子どもたちの健康状態はどうですか？　夫の仕事は大丈夫ですか？　母は長生きしますか？

書店の人たちは私に腹を立てていませんか？」

私は、質問の一つひとつにエンジェル・リーディングしながら、みんな大丈夫で、近い将来に問題もないとわかりました。私は好奇心から天使に、家族にさしたる困り事や健康問題の兆しもないのに、どうしてサリータはそんなに心配ばかりしているのでしょうか、と尋ねました。

『彼女は病気になりそうなほど心配ばかりしています。朝は子どものことを心配しながら目覚め、一日中、夫や知っている人みんなのことを心配しています。サリータは、他人を助けたいという目的を持つ愛にあふれたたましいなのです。あなたの役割は、彼女が心配するのをやめて、自分の人間関係と人生を楽しめるようにすることです』

私は彼女に、どうして心配ばかりしているのかと尋ねました。すると、彼女は両手を顔にあてて、こう叫びました。

「いつも怖いんです。子どもや夫や自分たちの生活について心配しなかった日はありません」

天使たちがサリータにメッセージを伝えたとき、私でさえその結集した声の力と愛にあふれたエネルギーに驚かされました。

『不安は、あなたが何らかの形の闇（邪悪、苦労、不幸）を恐れており、その闇から逃れようとしているから起こるのです。あなたは、誰かあるいは何らかの状況が自分を圧倒したり、傷つけるのを恐れています。しかし、ほかならぬあなたの恐れそのものが、実際には存在しない力やエネルギーを生んでいるのです。闇と闘えば、単なる幻想に実体を与えてしまいます。そして、自分が一番恐れるものを、実際に生み出します』

私はサリータに次のように説明しました。

「どんな思考も感情も、祈りと同じです。自分が注意を向けたものは何でも引き寄せてしまうのです。皮肉なことに、愛する人を病気で失う、あなたに対する怒りから愛してもらえなくなる、といった心配もです。つまり、あなたの心配こそが、その問題を生じさせるものなのです」

サリータは叫びました。

「まったくその通りです。私はいつも、夫が自分のもとを去るのを心配し、子どもたちが私を愛してくれなくなるのを恐れて、彼らを遠ざけていたんです。夫はたえず、大丈夫か、私のことを怒っていないかと尋ねられるのにうんざりして、口論するようになりました。私には、みんなを怒らせるつもりなど毛頭ありません。ただ自分のもとから去ってほしくないだけなんです」

『私たちに助けを求めるようにお願いしたのは、その理由からです。闇の状況を恐れないで、私たちがあなたの安全を永久に守っていると覚えていてください。自分で作った敵と闘いたい欲求に抵抗してください。そして、目に見える友人と目に見えない友人に助けを求めてください。外側にあるものは何ものも、あなたや家族を脅かしはしません。心の中にもっと安らかな環境を作るために、ただ内側の状況を調整すればよいのです』

さらに、天使は、自分の環境におけるネガティブな刺激を取り除くことで、前向きな姿勢になれるとアドバイスしてくれました。不安感がなくなるまで、ニュースやマイナス・イメージのものを見たり読んだりするのを避けるように警告したのです。そして、心に安らぎを得る方法として、瞑想をすすめました。

『自分の時間は、有意義で励みをくれる人間関係や活動に費やすほうがずっとよいでしょう。子どもたちと一緒に笑ったり、瞑想したり、インスピレーションをくれる本を読んだり、自然の中で過ごしたり、運動したりしてください』

そして、天使は私に、サリータよりも二、三歳年上の女性の姿を見せました。この女性のことを、こげ茶色のショートの髪のちょっとふくよかな女性だと説明すると、サリータは友人のパティだと言いました。

「天使は、この友人がかなりの不安の源だと言っています。まるで彼女のマイナス・エネルギーが、あなたに流れ込んでいるようです」と私は天使の言葉を伝えました。

サリータは、パティはいつも元気がなく、心配ばかりしていて、自分の悩みにアドバイスをもらいによく立ち寄ると教えてくれました。

天使は続けて言いました。

『その友人と話すたびに、彼女のネガティブな見方があなたに影響を及ぼすのです。心配ばかりする習慣の大半は、パティと話をすることからきています。なぜなら、彼女自身が心配性な人だからです。あなたは罪悪感と義務感でパティと一緒にいますが、これはよい関係ではありません。自分の一日の時間を、恐れではなく愛で過ごすようにしてください』

天使は私に、サリータの不安をやわらげる聖なる処方箋を動画にして見せてくれました。

『コーヒーやカフェインのような刺激や興奮を与える食べ物や飲み物は控えてください。あなたの食生活は、血圧が上がるのと同じような肉体的反応を引き起こしています。さらに、あなたは刺激にとても敏感なので、チョコレートや砂糖の摂取をやめたほうがいいでしょう』

この処方箋に従うと、サリータの人生はあっという間に好転しました（巻末付録Bに、食生活と健康に関する天使のアドバイスがあります）。

天使の処方箋

テレビ番組から友人まで、あなたの人生でネガティブなものを生み出す源を除去してください。ポジティブで、満足感を得られる活動に従事しましょう。イライラした気分にさせるような食べ物は避けてください。

虐待に対する処方箋

虐待という行為は、歴史が始まったときから存在していました。特に、非常に多くの女性が、さまざまな宗教の原理主義の名の下に虐待されてきました。少年は、「一人前の男にする」という口実で父親から残酷な扱いを受け、少女は親類の年長男性から、「自分から望んだ」「一人前の女にする教育」という理屈をつけられて性的虐待を受けました。労働者は、「効率」や「利益」のためとして冷淡で欲深い雇用主のもとで苦しみました。

これまで虐待は、多くの場合、隠されてきました。最近になり、人の精神的成長に関する心理的理解が広がったおかげで、犠牲者が口を開き始め、虐待者に対し自分の権利を主張し始めたのです。

天使は、相手が両親であろうと、配偶者や恋人であろうと、友人や雇用主であろうと、あなたが虐待を受けるような状況にあったり、その状況を受け入れるのを望みません。私生活や仕事上の関係で何らかの虐待を受けていると感じたら、天使の介入を祈ってください。神や天使は、あなたを解放へと導いてくれるでしょう。自分を守るために立ち上がる勇気を与えたり、虐待をやめさせられる人物を連れてきたり、新しい仕事やもっとよい関係へと導いたり、専門家からの助けが得られるようにしてくれるかもしれません。

天使は、私たちが昔の苦しみを手放したいと思うだけでよいと言っています。虐待に関連する辛い感情を解放したいという気持ちさえあれば、扉は開きます。そして、苦しみのたまった貯蔵庫に天使を招き入れることができます。そうすれば、天使は辛い思い出や虐待によって身についた自分を非難する傾向を一掃してくれるでしょう。

ワークショップでベスとゲーリーに会った私は、すぐにこの二人が辛い人生を耐えてきたことがわかりました。ベスが公開リーディングを受けるために立ち上がったとき、天使は、彼女が父親から受けてきた精神的、肉体的虐待を見せてくれました。さらに悲しいことに、彼女は性的虐待も受けていました。ゲーリーも同じような虐待を受けていました。虐待の被害者によく見られることですが、内側の痛みに耐えるため食べ物に頼り、この二人も二十キロも太りすぎていました。

ベスとゲーリーの秘密を守るために、私は公開リーディングでは天使が見せてくれた虐待に触れませんでしたが、二人にワークショップが終わってから個人リーディングをしたいと申し出たのです。二人とも喜んで承諾してくれました。

個人リーディングで天使は、ベスとゲーリーが傷ついた自尊心に苦しんでいるのを見せてくれました。それは、「おまえには何の価値もない！」と何年間も叫ばれ、殴られ、耐えがたい虐待を受けたことで生じたものでした。実家を出てからも、二人は子どもの頃に受けた虐待パターンを繰り返していました。ベスの最初の結婚は、二、三歳年上の軍曹で、彼女は父親から逃れるために彼のもとへ走りました。しかし、夫が独裁的で嫉妬深く、お酒を飲むたびにパンチバッグの代わりに彼女を殴るような人間だとわかったとき、結婚は悪夢に変わったのです。一方、ゲーリーは麻薬常習者となり、なぜかいつも虐待的な雇用主のもとで働き、さらには彼をだまし、お金を盗み、殴り、見捨ててしまうような友人にばかり囲まれていました。

これは虐待を受けた人の典型的な行動パターンです。心理学の研究では、人は忘れることも許すこともできないとき、過去の泥沼にはまり込んでしまい、虐待を再現し続けるようになることが明らかになっています。虐待被害者が繰り返し虐待的な人間関係や職場環境に巻き込まれるのは、そういう理由からです。このようにベスとゲーリーは恨みを抱き続けることで、怒りを感じている相手ではなく自分自身を罰していたのです。

天使は、二人に言いました。

『自分が受けた虐待の状況を、愛のレンズを通して見てください。あなたが耐えているあらゆる状況を、自分が強くなるための挑戦と考えてください。心を閉じるという誘惑に屈しないでください。あなたには自らの経験から得た、人に与えるべきものがたくさんあります。同じような虐待に苦しむ人が、あなたを必要としています。過去の経験が詰まった宝箱を目の前から隠すのではなく、利用すべきときなのです。虐待の経験と向き合ってください。自分の感情や自分自身に向き合ってください。外へ出ていき、それを人と分かち合いましょう。これまで醜さや苦しみしかないと思っていたところに、すばらしい美しさが存在するのに気づくはずです。現在の状況から立ち去るために私たちの助けが必要なら、喜んでお手伝いしましょう』

多くの虐待被害者のように、ベスとゲーリーは、犠牲者になったのは自分のせいだと責めていました。それは父親から、おまえが悪いとか、罰に値することをしたなどと言われたせいでした。二人は子どもでしたので、父親は大人だから正しいことを言っていると思ったのです。でも、自分たちが大人になると、何とかして虐待を防げたはずだとも感じるようになりました。そして、二人とも、「父さんが私にこんなことをしたり、母さんがそのままにしていたのは、自分が本当に悪かったからなんだ」と結論づけてしまったのです。

これについて、天使は次のように言って安心させてくれました。

『虐待はあなたのせいではなく、あなたがそうされる価値があるから起きたことでもないと理解してください。神は、あらゆる関係において、あなたが愛され、敬われることを望んでいます。あなたがどんな過ちを犯したとしても、威厳と優しさでのみ扱われる価値があるのです』

天使は、子ども時代の虐待によって生じた激怒、怒り、うつ状態から解放されるための聖なる処方箋を与えてくれました。

『あなたは許すことで癒されます。それは、自分自身、虐待者、あなたを救えなかった大人、あなたを虐待していた人への怒りから自由になることです。神は、あなたが抱えている怒りから自由になってほしいのです。人や状況への激しい怒りは、今この瞬間を楽しむ能力を奪い去ります。誰か、あるいは何らかの状況に怒っている限り、喜びとなるかもしれない瞬間はあなたの前を通り過ぎ、決して戻ってはこないでしょう。苦痛の種を数えることで、人生を無駄にしないでください』

ベスもゲーリーも最初、この考えを受け入れられずにいました。私は、天使が二人に起こったことをよしとしたり、知らないふりをしているわけではないと説明しました。天使は虐待が二人に与えた影響を否定してもいないし、二人の父親のしたことが正しいと言っているわけでもありません。天使は、虐待という行為を許す必要はないと言っています。ただ、それに関係した人たちを許す必要があると言っているのです。それは虐待者のためではなく、自分自身が癒され、成長するためです。

天使は、「牛がすきを引くように」彼らの後ろからついてくる過去の痛みや嫌悪感を手放すようにアドバイスしています。許すとは、このすきの引き具をポキンと折って、自分を重荷から解放する方法です。この許しは、虐待された本人以外の、誰のためのものでもありません。

次に天使は、子ども時代の虐待の痛みや傷跡から解放されるために私に聖なるエネルギーの使い方を教えるように導きました。私はベスとゲーリーに次のような指示を出しました。

「深呼吸をして、癒しの天使たちに体の中へ入ってもらいましょう。天使にあなたの心と体の全細胞に入ってもらい、神の愛でいっぱいにしてもらいましょう。少しちくちくした感じがしたり、筋肉が勝手に動いたり、体温が上がったりするかもしれません。これは天使が関与し、解放しているポジティブなサインです」

私は、ベスとゲーリーが天使たちと取り組む様子を見ていました。特にベスは、この上なく幸せな表情をしました。彼女は虐待の過去を忘れることができてほっとしたようでした。

「天使は、傷つき、虐待を受け、操られ、コントロールされたせいでできた昔の怒りを進んで手放すようにと告げています。自分自身の許せない気持ちをただ手放して、天使に残りすべての仕事をしてもらいましょう」

私はゲーリーが身震いしているのに気づきました。それは手放したという確かなサインでした。このように虐待の精神的な傷を癒したいと少しでも思っている人は、天使と働くことですばらしい変化をとげられるのです。

天使の処方箋

人を許すことで、心の中の痛みを解放してください。しかし、必ずしも自分自身が関わった行為を許す必要はありません。

寂しさに対する処方箋

友人や支えがなかったり、ほかのみんなが受け取っている温かさや愛から切り離されて寂しさを感じるのは、世の中でもっとも打ちひしがれる経験と言えるでしょう。ほとんどの人は、孤立感による苦しみを何とかやり過ごします。しかし、なかにはほとんど何もできず、自殺を考えるほど強烈な寂しさを感じる人もいるのです。

三十六歳で秘書のビッキーは、シングルマザーで、仲のいい友人もいません。彼女は、寂しくてたまらないと私に訴えました。彼女の気をもませているのは、恋愛ではありませんでした。彼女は教会に通い、大きな会社に勤めていましたが、親しい友人は一人もなく、生きている価値などないように感じることもありました。ビッキーは、同じような趣味や考えの人たちとの深い精神的つながりや絆を切に望んでいたのです。

私から見たビッキーは、愛にあふれた天使たちや友人になれそうな人々に囲まれていました。でも、ビッキーは自分の周りに精神的な壁を作っていて、それが天使や他人の温かい気持ちをブロックしていました。他人が彼女に抱いている愛に気づかないのも当然だったのです。

私はビッキーに言いました。

「たとえ四六時中そう感じているとしても、あなたは絶対に一人ではないんですよ。天使は、あなたが耐えている苦難を知っているので、特別たくさんの愛を送ってくれています。問題は、余計な痛みを感じないようにあなたが自己防衛していることです。それを人は近寄りがたいと誤解しているのです。でも、天使には、あなたがこれらの難題を通して成長するのがわかっています」

天使は私を通して、ビッキーに言いました。

『裏切られたとか、見捨てられたという痛手からあなたが立ち直ろうとすれば、私たち天使はあなたが自分にかけた呪縛から解放してあげられます。あなたは誰も愛してくれないと自分を哀れんでいますが、本当は私たちが大きな愛をささげているのです。あなたが自分の意志で方向を変えないかぎり、私たちはあなたの望みの方向を変えられません。でも、寂しいと思ったら、あなたのそばには私たちがいることを知ってほしいと思います。いつもより多くの天使があなたのそばにいて、神や神の子たちが、見捨てられたという悪夢のような錯覚から目覚めさせようとしているのです』

私がこう話すと、ビッキーはいらだったようでした。明らかに、彼女にとってこのメッセージは気分のいいものではありませんでした。彼女はため息をつき、ゆっくり話し始めました。

「認めたくはありませんが……。私は、子どものときに母がしていたのと同じことをしています。そこが母と似ているなんて考えもしませんでした。母はいつも、『私には誰も必要ない』という印象を与えていました。それでいつも一人ぼっちだったんです」

私はビッキーの手をとり、涙をふくようにティッシュペーパーを渡しました。そのとき、まるで真実を理解したことで内側に隠れていたパワーが現れてきたかのように、彼女の体に静かな力強さが感じられました。

「天使からのメッセージは、心の中に愛を招き入れるのを恐れないでくださいということです。彼らは、他人があなたに近づけるように、緊張をほぐし、もっとリラックスできるように助けてくれます。天使たちは、愛と敬意を持ってあなたに接してくれる人たちを連れてきてくれるでしょう。そうすれば、あなたは自分の心を開けるはずです」

天使は次のように言いました。

『たとえ一瞬でも私たちの愛に包まれたいと思っているなら、その願いはすぐに聞き届けられると信じてください。さらに、新しい友人を連れてきてほしいと願ったときにも、私たちはすぐに応じます。孤立するのではなく、私たちみんなの中にあるスピリットと交わることで安らぎと慰めを感じてください。今も、これからもずっと、あなたは一人ではありません。私たちはその事実を、今すぐに証明しましょう』

二ヵ月後、私はビッキーから次のような手紙を受け取りました。

「あなたとのセッションは、私の人生を大きく変えてくれました。あなたと天使にはお礼の言いようがありません。天使の言葉の中には、私にとって直面しがたいこともありました。私が自分を哀れんでいるというのは特にそうです。自分ではまったく気づいていませんでしたから。でも、今ではそれが本当だったとわかっています。私には母と同じような、『なんてかわいそうな私。誰も私のことを愛してくれない』という姿勢があったんです。でも、もう大丈夫です。天使に浄《きよ》めてほしいとお願いしました。一晩でこんなすばらしい変化があるなんて、信じられません」

ビッキーは、自分がカントリーウェスタン・ダンスの教室に通いだし、新しい友人もできそうだとも書いていました。

天使の処方箋

友人を引き寄せる磁石になってください。人に会い、一緒にいることを楽しみましょう。

羨望に対する処方箋

うらやむのは害のある感情です。それは家族や友情を破壊します。自分がうらやむものを手に入れるために、国は戦争を起こし、人は犯罪的行動を起こすのです。おそらくあなたは、いつも人をうらやみ、人生を楽しめず、自分は恵まれない人生を送っていると言い続ける人を少なくとも一人は知っているでしょう。子どもの頃に聞いたお話の中でもこれを学んでいます。それは、巨人がジャックの父親の魔法の持ち物をうらやんで、父を雲の上にある自分のお城へと連れ去り、ジャックを豆の木に登らせるというお話です。

うらやむのと嫉妬を混同している人もいます。うらやむとは、人が持つものをほしがることです。嫉妬は、自分が持つものを失うかもしれないという恐怖です。

天使によると、どちらも人生のネガティブな見方からやってきています。つまり、豊かさではなく、足りないという悲観的な思考からです。恋人たちが笑うのを見て、自分もソウルメイトがほしいと思い、自分よりいい仕事につく人や、高価な服を着る人を見て、同じものがほしいと思うのです。また、魅力的な容姿の人を見て、自分もそうなりたいと思ったりします。同じようなものがとてもほしくなり、自分を貧しく感じ、うらやむ気持ちを持つのです。

最初から他人の持つものは自分には手に入れられないと信じているので、そんな感情を抱いてしまうのです。この感情は、他人には運や遺伝子、家族のコネなどの何らかの特別な能力があるから達成できるが、それのない自分には決して手に入れられないという確信から起こってきます。簡単に言えば、うらやむのは、自分には特別の才覚が授けられていないので、恋人、仕事など何であれ、ほしいと思うものは絶対に手に入れられないと考えてしまうことです。

多くの人が、うらやむのは「悪いこと」と教えられていますが、それは誰もが経験する人間の正常な感情です。天使は、適切に枠組みを変えれば、うらやみの感情もやる気に満ちた動機づけの道具となると言っています。幸い天使は、うらやみをそんなポジティブな方向へと向け直すための処方箋を持っています。

リリアーニは、自分よりお金持ちで、すばらしい成功を楽しんでいる人をうらやんでいました。システム・エンジニアのリリアーニは、会社の相乗りシステムで週に一度、車で上司の送り迎えをしなければなりませんでした。上司の住む高級住宅街に運転していくたびに彼女は、二階建ての屋内プールつきの家の外で待ちながら、車庫の前に止められた三台の光り輝く豪華な車を眺めていました。そして、いつも怒りを覚え、かっとなっていたのです。

「私が会社の利益のほとんどを生む仕事をしているのに、どうして彼女がすべて持っているの？私が得たものと言えば、おんぼろの中古車と、小さなアパートと、支払う余裕のない請求書だけだわ」

自分の目にした上司との不公平さを表すものが頭から離れなくなり、リリアーニは私のところへやってきました。その状態はさらにひどくなっていて、今では一睡もできず、朝方までイライラしていました。そして、とうとう上司への怒りを会社まで引きずっていることに気づいたのです。彼女は会社で、とげとげしいきつい応対をするようになっていました。

天使はこう告げました。

『娘よ、天にいる父は、あなたがた一人ひとりにとても多くの才能を授けており、あなたがたの誰かが達成できることはすべて、ほかのみんなにも達成できるのです。ですから、上司の成功をうらやむのではなく、それを自分が前進するためのインスピレーションとしてください。つまり、上司の持つ快適な生活を手に入れたいという激しい欲求を、自分の現状を高める動機にするのです』

リリアーニは驚いたようでした。

「つまり、私も上司のようにお金持ちになれるということですか？」

天使は言いました。

『それはあなたしだいです。自分で言ったように、あなたの仕事は会社にとってとても大切なものです。事実、会社の利益の大部分を生み出しています。でも、考えてみてください。あなたも上司と同じリスクをとって、彼女がしたように独立し、起業したいと思いますか？　成功する能力は、あなたの中にも存在しています。それを疑ってはいけません。でも、あなたは毎週給料をもらい、九時から五時まで働き、自由時間を持てるというのも好きなはずです。これらすべては、あなたが夢見ているものを実現したときに失われるでしょう。自分がどちらの道に一番の興味があるのかを決めるのは、あなたなのです』

リリアーニは、考え込みました。

「まったく新しい見方なので、考えることがたくさんあります。私は、自分で会社を始めることができ、社長になって高級住宅街に家を持ち、高級車に乗れるなんて考えたこともありませんでした。でも、今の生活すべてを変えてもよいだけほしいかどうかはわかりません」彼女はにっこりとしました。「はっきりわかっていることが一つだけあります。もう社長のことをうらやましいとは思いません。彼女は自分の持つものの代償を支払っているんですから。それも高い代償を。もし本当に私もほしければ、彼女の持つものすべてを手に入れられるし、それをするか否かは自分の選択しだいとわかっただけで、かなりすっきりしました」

天使の処方箋

他人をうらやむ必要はありません。あなたには、人生でほしいものは何でも手に入れられる能力があるのです。何かを持たない理由は、それを得るには自分にとってそれ以上に価値あるものをあきらめなければならないからです。

嫉妬のための処方箋

嫉妬は、もう一つの厄介な感情です。それは恋愛関係やパートナーシップ、家族間の絆を引き裂いてしまいます。テレビの連続ドラマではないですが、現実の生活で、人は毎日はかりごとをめぐらしているものです。姉妹は母にゴマをすり、お金では買えない先祖伝来の家財を手に入れようと張り合っています。嫉妬した配偶者は、見捨てられたり、だまされるのを恐れて、自分からパートナーの信頼を裏切ります。

人は毎日、嫉妬のせいで馬鹿なことをして物笑いの種になっています。でも、嫉妬はもっと醜いものです。嫉妬にかられて人の後をそっと追いまわしたり、襲ったり、殺したりということが日々起きています。嫉妬はうらやみに似ていますが、もっとゆがんだものです。他人の持つものをほしがるのはうらやみですが、嫉妬とは、自分がすでに持つ大切なものを失うかもしれないという恐怖です。それは、世間には愛やお金などが不足しており、他人に自分の分け前をとられないようにひそかにため込んでおかなければならない、という信念に基づいています。

天使は、嫉妬の対象になるものは何もないと教えています。なぜなら、神はお願いさえすれば誰にでも恵みを提供してくれるからです。それゆえ天使は、持っているものが奪われることはありえず、すべての人の欲求が満たされると言っています。ただし、神の計画には、新しい状況に挑戦しながら成長することが含まれています。ですから、どんな関係や持ち物も、永久にその人の人生の一部であるようには計画されていません。

庭師のジェーミーは、嫉妬の感情に悩まされ、パートナーのロビンが自分のもとを去り、ほかの女性へ走ってしまうのを恐れていました。

「ロビンがほかの女性を見るたびに胸が痛み、怒りがわいてくるんです。こんなふうに感じるべきじゃないってわかっています。私たち二人は人生のパートナーで、教会で誓いの式までしました。それでも、世の中のすべての女性のことが心配なんです。ロビンはとてもきれいですから。彼女たちがロビンに魅了されるのはわかっています。私の姿を見てください。私は美人じゃありません。最近よく口論になって、ロビンは私が信頼していないと責め、私はロビンのことを浮気女だと責めているんです」

天使は次のような処方箋をくれました。

『私たちは、あなたが未来の起こりうる喪失に身がまえるのではなく、自分の思考、感覚、感情、肉体をリラックスさせ、ロビンと今の一瞬一瞬を楽しんでくれるよう望んでいます。なぜなら、そのような防衛心は、自分が失うと恐れている事態を実際に引き起こしてしまうからです。あなたの愛している女性は、あなたのことしか考えていません。ほかの女性は、彼女にとって透明で見えない存在です。一方、あなたは彼女の人生の基盤であり、核なのです。二人の絆は決して失われないでしょう。変化という形で進化していくだけです。もし、それでも心配なら、私たちが、あらゆる方面からあなたを助け、見張っていましょう。静止した状態は、私たちの世界には存在しません。ですから、あらゆる状況や関係は、常に変わっていくことに気づいてください』

ジェーミーは恥ずかしそうにしていました。

「このままいけば、ロビンを失うところだったんですね。感情を落ち着けるようにします。天使のような信頼できる方から、二人の間は大丈夫だと聞いて安心しました。私は、ロビンのことを贈り物ではなく、自分の所有物で、失ってしまうかもしれないという幻覚にとらわれていました。それに、ロビンが私と別れたがっているとは思えません」

ジェーミーは二度とはカウンセリングに来ませんでした。カウンセリングに来た人から連絡がないのは、彼らが天使の処方箋に従って悩みが解決したからであってほしいと常に思っています。

天使の処方箋

あなたの所有しているものは、地上での人生のように、ほんのつかの間のものです。それはすべて、神からの借り物なのです。価値を同じくするものやそれ以上のものと置き換えられることはあっても、決して奪い取られることはありません。

深い悲しみに対する処方箋

親友や家族の一員を亡くすことは、誰にでも起こりえます。その直後、人々が、打ちひしがれるほどの深い悲しみを経験するのは当然です。このような喪失は、人生における自分の無力さを痛感させ、耐えがたい深い悲しみや空虚感を生じさせます。深く悲しんでいる人は、ジェットコースターのように感情が浮き沈みして、むせび泣いていたかと思った次の瞬間には怒りで叫んでいるかもしれません。

天使には、深い悲しみは深刻な精神的喪失の後、心を癒すために誰もが通らなければならない自然なプロセスだとわかっています。しかし、人々の苦しみを見るのが嫌いで、できるだけ迅速に平和な方法で悲しみを癒す手助けをしたいと思っています。天使はこう言いました。

『あなたが愛する人に先立たれた悲しみでいっぱいのとき、神はいつもよりたくさんの天使をあなたに送ってくれます。私たちに愛する人とつながれるよう助けてほしいと頼んでください。自分の愛する人が安全で幸せであり、あなたの幸せを願ってくれているのがわかれば、天とのコミュニケーションは、一番確実なヒーリング法になるでしょう』

アーリーンの夫は二十五年間の結婚生活の後、突然亡くなりました。彼女には、夫の死を乗り越えられませんでした。いつも涙にくれ、職場でも仕事に集中できずにぼうっとし、悲嘆にくれていました。亡くなった夫のこと以外、何も考えられず、話すこともできませんでした。

アーリーンは私のワークショップで、公開リーディングに立候補し、ステージに上がってきました。その直後、彼女の後ろに亡くなった男性が現れたのです。私は、この男性が彼女の夫だという感じを強く持ちました。彼女に男性の様子を話すと、アーリーンは夫のハンクに間違いないと言い、その男性は私に、自分が心臓発作で突然亡くなったと話し始めました。私は、ハンクが話していることをアーリーンに伝えました。

「彼は、あなたが庭仕事をしているときにそばにいると言っています。花の世話をし、雑草を抜きながら、あなたは瞑想状態になります。そのときに彼はあなたと話せるそうです」

アーリーンはほろほろと涙を流し、そのメッセージは当たっていると認め、自分も庭にいるときハンクがそばにいるのを感じたけれど、単なる想像なのかどうかわからなかったと言いました。ハンクは私に、アーリーンは深い悲しみをうまく処理できていないと伝えました。彼は、ときどきアーリーンが、愛する夫と一緒になるために自分の命を絶つことまで考えていると言ったのです。このメッセージをアーリーンに伝えると、彼女は両手で顔を覆い、うなずきました。

「彼は、まだあなたの来るときではないと言っています」と、私はしつこいくらい言いました。

「ハンクは、あなたが知るよりも、ずっと多くの時間一緒にいると言っています。あなたたち二人はまもなく一緒になるでしょう。でも、今はまだそのときではありません。ハンクは『君にはこれから長くすばらしい人生があるんだよ』と言っていますよ。子どもさんたちには、まだあなたが必要なんです。それにもし、自分で命を断てば、自分に怒りを感じるでしょう」

アーリーンは初めて微笑みました。

それからハンクは私に、小さな黄色い蝶のイメージを見せました。私はそれをアーリーンに説明しました。

「オオカバマダラの蝶のような種類ではなくて、小さなキンポウゲの花のように見えます」

私がそう言うやいなや、アーリーンは金切り声を上げました。

「誰もその蝶について知らないはずです。いったいどうしてわかったんですか？」

アーリーンと子どもたちは、ハンクの葬儀で棺を埋葬しようとしたときに、たくさんの小さな黄色い蝶が飛んでいるのに気づいたと話してくれました。そのときから、あらゆる場所で、同じ蝶を目にするようになったそうです。彼女はおかしくなったと思われるのを恐れて、誰にもこのことを話していませんでした。でも今、ハンクが彼女の疑いを裏づけてくれたのです。蝶は、彼からのサインでした。彼はアーリーンや子どもたちを見守っていると伝えていたのです。

数週間後、アーリーンから電話があり、今でもハンクがいなくて寂しいけれど、ひどい喪失感は少しずつやわらいでいると話してくれました。そして、もうすぐ自分がお祖母ちゃんになるというニュースにワクワクしていると教えてくれたのです。

アーリーンと同じように、誰かが亡くなると、天使や亡くなった愛する人が慰めのメッセージを送ってくれます。たとえば、愛する人が夢に出てきたり、実際に現れたりして、自分は大丈夫だと伝え、あなたも前へ進み、人生を思い切り生きてほしいと言うかもしれません。あるいは天使が、アーリーンの蝶のように、愛する人は今でもそばにいるというサインを送ってくれるでしょう。

深い悲しみを癒すためのステップの一つは、亡くなった愛する人からやってくるサインに波長を合わせることです。物が動いたのに気づいたり、頻繁に鳥や蝶を見たり、愛する人を思い出させる香りがしたり、亡くなった人のお気に入りの歌がラジオで繰り返し流れたり、というようなサインは、たいていの場合、亡くなった人があなたのそばにいるという強い感覚とともにやってきます。天使は、そのサインを現実のものと信じ、単なる偶然とは思わないようにとお願いしています。

亡くなった愛する人と一対一で対話すると、あなたの癒しは速まります。たとえば、その人に手紙を書き、自分の胸の内を吐き出してもよいでしょう。亡くなった人との対話で一般的なのは、手紙を書くことです。やってみて、天から返事が聞こえてきたり、答えを感じても驚かないでください。もう一度言いますが、天使はこれを現実の体験と信じるようにお願いしています。

さらに、亡くなった人との過去の日々をバラ色に見たり、昔のよき日々を夢見るのはやめるように注意しています。天使は、現実は今このときだけだと言っています。天は、今という瞬間から最大限の意味と楽しさをつかみとってほしいのです。それゆえ、天使たちは、楽しみ、リラクゼーション、そしてあなたに喜びをもたらし、他人の助けになる活動を処方してくれるのです。

天使たちは、今この瞬間を楽しんで、悲しむ心を癒すように願っています。彼らは、人々が笑い、楽しみ、遊んでいるほうが好きなのです。休暇をとること、マッサージを受けること、友人と過ごすことなど、あなたがリラックスできるものは何であろうと悲しみを軽減する天からの処方箋です。

有給でもボランティアでも奉仕活動をすることが、悲しみや喪失感をやわらげるもう一つの天からの処方箋です。癒しで大切なのは、自分で意味があると思え、楽しめるような活動に従事することです。そうすれば、ただぼうっと座って自分をかわいそうだとは思わなくなるでしょう。他人を助けることに積極的に従事していると、自分にはどれほど与えるものがあるのかわかるはずです。それが自尊心を高めてくれるでしょう。このような仕事は、自分の持つものに感謝し、自分の恵みを数えさせてくれるでしょう。

さらに天使は、深く悲しんでいる人を熟練のカウンセラーや悲嘆サポートグループなどに導きます。

天使の処方箋

失った人とのつながりを持てるように、天使に頼みましょう。自分よりももっと悲惨な状況の人たちを助けることに時間をささげてください。今この瞬間を楽しめる活動に従事しましょう。

個人的な喪失のための処方箋

あなたが深く悲しんでいるのは、愛する人が亡くなったせいではなく、ほかのショッキングな喪失のせいかもしれません。

たとえば、恋人との別離、事業の失敗、投資の損失、大切な形見の盗難、火事による家の焼失などのようなものです。どれもあなたにとって大切なものであり、その喪失によって自分の一部分も失われてしまうものばかりなのです。

そういったことが起きると、挫折や悲しみの気持ちに加えて、自分を非難し、その喪失へと導いたすべての過ちを事細かに見直そうとするでしょう。

でも、天使は、望まぬものではなく、望むものへ意識を向けるように言っています。つまり、治療には過去の状況を振り返り、過ちから学ぶことも役に立ちますが、過去のことを分析しすぎないようにし、過去の中でもがき続けないことが重要なのです。

もし過去のネガティブな経験を考え続けていれば、それを永久に繰り返すでしょう。なぜなら、今の思考が明日の経験を作り上げるからです。

天使は、人生で起きている新しい変化に抵抗するのではなく、変化に柔軟になり、心を開く努力をするように言っています。

エディは五年前、自分がデザインして建てた夢の家を、恐ろしい火事で失いました。修理代のほとんどは保険でカバーでき、小さな建築会社の共同経営者であるエディは、すぐに建て直すことも、新しい家を買うこともできました。しかし、彼は火災の後、退職した父親のアパートに身を寄せ、そのまま住み続けていたのです。

エディは、シャツのボタンをいじりながら言いました。

「別の場所に住む気にはなれないんです。私がいることを父も喜んでくれますし、何も問題はありません。デートのときはちょっと困りますが、たいてい相手が理解してくれて、彼女の家へ行っています。いつ新しい家を建てるのかとみんなに聞かれますが、まだそうする気になれないんです。私は、夢も希望も、汗も涙も、人生の三年間のすべてを焼け落ちた家につぎ込みました。あらゆる点で完璧な家でした。あの家以上に心躍らせるのは、いつか結婚して子どもが生まれるときくらいでしょう。あの家に住んでいるときは、毎日が幸せでした。一つひとつの部屋や廊下がどんなにすばらしいかを味わおうと、夜中によく家の中を歩きまわったものです。そして、あの火事が起こりました……。一夜にして全部なくなってしまったんです。あんなことが起きるなら、また家を建てて一体何になるんですか？」

天使は、エディに次のような処方箋をくれました。

『深い悲しみにくれる人にとって、時間はとても大きな要因です。彼らは過去の時間をもとに、現在を考えようとしています。そして、大きな変化が起こる前の物事がどうだったか、残念そうに思い出しているのです。私たちの見解では、過去ばかり見ていると、やってきた新しいものがもたらす恵みを逃してしまいます。冬から春になったときに、木々は過ぎ去った寒さを嘆き悲しみますか？　開いた花がしぼみ、実をつけ始めたときに、木々の胸は悲しみで震えていますか？　木々のように、あなたも変化している自然の一部なのです。ですから、一つひとつの変化を、自分が新しいものへと成長するために神が用意してくれたものと考えてほしいのです』

「そういうことか！」エディは叫びました。「いつも自分のことをスピリチュアルだと思っていましたが、自分の居場所がはっきりわかったような気がします」

彼は、まるで重いおもりか手放せないでいたものからようやく解放されたように、深いため息をつきました。

「わかりました。もう前に進みます。まだ家を建てたり、買ったりはしませんが……。町の中心部にすばらしい古い倉庫があって、そこにいろいろ手を加えられそうなロフトスペースを見つけました。まずは、そこを借りようと思います。内部をいろいろいじったりしたら、二、三年は忙しくしていられるでしょう。それからどうなるかわかりませんが、ひょっとしたら、ぴったりの女性を見つけて結婚し、自分たちの夢の家を建てるかもしれません」

天使の処方箋

過去に思いを向けるのはやめてください。満足感や幸せを手に入れる新しい可能性として、自分の新しい状況を受け入れましょう。

＊　＊　＊

あなたは、苦しむようには計画されていません。

あなたの周りには、天からのカウンセラーのチームが永遠に存在しています。彼らはいつもあなたのために働いてくれ、援助してくれています。ちょうど、スーパーマンと、赤十字社と、平和部隊が一つになって、あなたのもとに配属されたようなものなのです。

天使たちは、あなたの個人的な幸せを助けたいだけでなく、人生のあらゆる面において助けてくれるでしょう。

次の章では、ロマンスや愛を求める悩みに、天使が聖なる処方箋を与えてくれます。

chapter 3
デートのための処方箋：ソウルメイトを見つける方法

その人がどんな人であろうと、どんな経歴、年齢、性別、宗教、性愛志向であろうと、みんなに共通するものが一つあります。つまり、愛されていると感じたいのです。私が出会った人はみな、まるで誰も必要ないように見せかけている人でさえ、結局は愛を切望しています。

ロマンスの欲求、つまり、自分にとって特別の人から愛をもらい、その人に愛を与えたいというのは、人類の普遍的な欲求です。恋愛関係にある人は、幸せで長生きし、適応力に優れていることが科学的に証明されています。

ロマンスはさらに、女性にとってと同じくらい男性の幸福にも大切です。幸せな結婚生活を送る男性は、離婚した男性よりも平均寿命が長いという調査結果が出ています。事実、離婚した男性の自殺率は毎年、一番高いのです。私自身、多くの働く女性を調査した結果、成功や幸せの主たる要因は、よい結婚であるとわかりました。

これは、なぜ恋愛関係にない人が、かなり多くの時間とエネルギーをデートや恋人紹介所、シングルスバー（相手を求める独身者のためのバー）などにつぎ込んで、ソウルメイトを探そうとしているのかを説明しています。この努力は多くの場合、期待はずれ、断腸の思い、拒絶、苦痛、痛烈な屈辱に終わります。デートが徒労に終わり、探している愛を見つけられないとき、自分の何が悪いのか、自分は神から見捨てられていて、神が他の人に与えているロマンスの贈り物を受け取る資格がないのだろうかと考えてしまうのです。

それでも、愛への欲求は、デートがもたらすかもしれない苦しみよりもはるかに大きいので、多くの人が週末ごとにレストランや映画館に出かけて、ロマンスを再び探し求めます。ときたまのデートであっても、一生の愛を探しているときでも、天はその全ステップに関わりたいと思っています。

ときに人は、たまたま目の前にいる人を見て自分が探し求めていた特別の人だと思ってしまいます。すなわち運命の人だと思うのです。でもしばらくして、残念ながら、ソウルメイトやロマンスへの渇望が、自分を誤った方向へ導いていたとわかります。まさに探し求めていた相手とデートして、最終的には気が合わなかったという経験がこれまで何度ありますか？

『ビバリーヒルズ青春白書』のようなテレビ番組に描かれている魅惑的な生活とは異なり、デートはほとんどの独身者にとって、すぐにむなしく、イライラする儀式になってしまいます。調査によると、多くの人が、一人でいる苦痛や違う相手を探す苦労を避けるためだけに、悲惨で満たされない関係を続けているそうです。それでもなお彼らは、ソウルメイトを切望しているのです。

天使は、あなたは愛されていると感じる必要があり、ロマンチックなパートナーシップが人生には大切であると知っています。さらに、どんな種類のパートナーシップが、あなたの人生を真に高められるのかもはっきりわかっています。

こんな理由から、天使はあなたの恋愛に密接に関わりたいのです。可能性のあるパートナーを探すあらゆる過程で、助けを求めてほしいと思っています。拒絶や親密な関係への恐怖を乗り越えられるように助けてくれ、心惹かれた人について真実を教えてくれるでしょう。

でも、命を脅かす状況や私生活や職業上での危機なら気楽に助けを求める人も、恋愛のような比較的ささいなことではなかなか助けを求めようとしません。しかし、心理学者が言うように、調和のとれた恋愛生活が健康や幸せにとって重要なら、恋愛の助けを求めることが、どうしてつまらないことだと言えるでしょうか？

愛の源である神は、あなたには愛にあふれるパートナーを見つけることがとても大切だと思っているので、それを専門分野として助けとサポートを頼める天使を創りました。これがロマンスの天使で、神からの恋人たちへの贈り物です。矢で戯れるキューピッドは、ロマンチックな愛の伝統的なイメージとなっていますが、その姿は私が見た現実の天使の姿と同じです。ロマンスの天使は、濃いピンク色の輝きを発する子どものような智天使（ケルビム）の姿をしています。第六感で、ロマンスの天使に囲まれた人を見ると、それは巨大なピンク色の聖バレンタインのように見えます。彼らが見えると私は、その人が恋愛に天からの介入をお願いしているか、まさに新しい愛が起ころうとしており、天使が先導しているとわかるのです。

ロマンスの天使の使命は、ソウルメイトに出会えるように手配したり、危うい結婚を救う処方箋を与えたりしながら、ロマンチックな愛へのあなたの欲求を満たすように助けることです。ロマンスの天使の中には、新しい恋人たちを引き合わせる専門家もいます。また、今ある関係にロマンスを生み出すよう助けてくれる天使もいます。

誰でもロマンスの天使にお願いできます。彼らはたくさんいるので、わずらわせすぎだとか、彼らの時間を独り占めしているのではないかと心配する必要はありません。ロマンチックな愛を経験できるように助けるのが、彼らの喜びなのです。それはあなたのスピリチュアルで、精神的な満足感のために必要なことです。

天使に、あなたをソウルメイトへと導いてくれるようにお願いしましょう。そして、直感がやってきたら、必ずそれに従ってください。天使はこう言っています。

『あなたは具体的な導きを受け取るでしょう。初めは恋愛には無関係のように思えるかもしれませんが、それに従ってください。なぜなら、神は必ずあなたの望むところへ導いてくれるからです』

お祈りをするとすぐに、天使たちはあなたが夢の人と出会えるように全力を尽くします。天からの「なすべきリスト」のようなものがあって、それは天使がもたらそうとしているロマンスに心を開くため、どんなステップが必要かを教えてくれます。それに従えば、あなたは望むソウルメイトに出会い、魅了し、関係を楽しめるでしょう。天使は、この導きをあなたの感情、夢、ビジョン、思考に送ってくれます。

ロマンスの天使の仕事は、デートの複雑な手順をうまく乗り越えられるよう手助けし、ソウルメイトに出会わせてくれた時点で終わりではありません。デートする関係から誓い合う関係へと進んで、カップルになってからは二人が仲よくし、ロマンスを保っていられるようにしてくれます。これについては、4章で説明します。関係が深まり、結婚に至っても、天使たちは私たちと一緒にいてくれるのです。これについては、5章で説明しています。

ソウルメイトを見つけるための処方箋

愛を見つけられなければ、問題はたいてい自分自身の中にあります。

あなたは必死にソウルメイトを探しており、夢の人に出会えないと悲嘆にくれていますが、天使が自分にふさわしいロマンスの可能性を与えていることに気づいていないのです。天が自分の祈りに答えてくれないと思っているのかもしれませんが、実は天使は、あなたにソウルメイトになりうる人を教えようと花火をあげているのです。

あなたは、次のような誤った考えを追い求めているのかもしれません。つまり、人にはそれぞれ、生まれながらにソウルメイトは一人しかおらず、あなたはその人を愛し、その人にだけ愛されると決まっていて、その人はあなたとあらゆる興味を分かち合い、胸はいつもときめき、ありのままの自分を愛してくれると思っています。そして、魔法のように一目でそのソウルメイトが見分けられ、その人を万が一見逃してしまえば、あなたは残りの人生を、二番目か三番目の人と一緒にならざるをえない、と。

人生でずっと待ち続け、ふさわしい相手になりそうな人と何度も別れを繰り返し、何年も欲求不満や寂しさに耐え、まるで伝説上の生き物のような実在しない人をずっと探し求めている人がいます。また、目の前にいない人を自分のソウルメイトだとずっと思い焦がれ、昔の愛に哀愁を感じている人もいます。おそらく、この完璧な恋人は、既婚者だったり、地球の反対側に住んでいたり、虐待者や中毒者だったり、恋愛関係が秘める真の可能性を理解できない人でしょう。理由は何であれ、この特別な関係は、バラ色のめがねを通して見られており、もし少しでも何かが違っていたら二人は理想的なカップルになっていたのに、という空想を抱いています。

天使は、人にはたった一人のソウルメイトしかいないという考えや、運命の人が見つかるまで探さなければならないという考え方は、あらゆるロマンチックな神話の中でもっとも有害なものの一つだと教えてくれました。神は、たった一人のソウルメイトをクリーブランドに置いて、あなたがサンフランシスコで仕事について愛を逃してしまうようなことをするでしょうか？

実際には、何百人というソウルメイトになる可能性のある人がいて、彼らはあなたをスピリチュアル的にも、精神的にも、肉体的にも満たすことができ、人生のある時点で選ぶかもしれない都市や職業や社会グループであなたを待っているのです。

でも、このことを知る人はほとんどいません。私のクライアントはたいてい、年齢や男女の別を問わず、誤ったソウルメイトの神話を信じており、自分の求める愛を見つけられずにいます。

「たった一人の特別な男性に、いつ出会えるんでしょうか？」

ローズは私に尋ねました。彼女は三十代半ばで、父から受け継いだすばらしいイタリアンレストランを所有し、その誇りである伝統を徹底して守りぬいていました。平日の夜は、そのレストランのすべてを完全に統率している、とても魅力的な女性でした。

しかし、今、彼女は心から親密な交際を望み、嘆願するようなまなざしで私の前に座っていました。ローズは、出産年齢の限界に近づいていることを心配していたのです。

「自分には時間がないと感じるんです。すでにあらゆるところで運命の人を探しました。教会でも、ビジネスでも、とてもたくさんの人に出会ってきました。まあまあのボーイフレンドもいて、そのうちの何人かとは真剣な交際もしました。でも、最後には、心の底から確信できなかったんです。彼らのうちの誰一人として、理想的なソウルメイトには思えませんでした。時間をかけて待てば、必ず出会えるだろうと信じていました。お互いに目が合っただけで、運命の相手とわかるだろうと。そして結ばれて、あらゆる点で理想的なカップルになって、残りの人生、けんかもせずに仲良く過ごすんです。そんな人が現れたときのために、私は自由の身でいたかったんです。自分のソウルメイトと思えた人と結婚した後で、ある日、本当のソウルメイトとばったり会うなんてことになったらいやだったので……」

天使は次のように答えてくれました。

『ローズ、あなたを待つソウルメイトがいます。でも、おそらく、それはあなたが考えているようなものとは違うでしょう。本当のところ、あなたにはほかのみんなのように、たった一人ではなく、たくさんのソウルメイトがいるのです。その一人ひとりが、満足できる愛と友情を与えてくれるでしょう。

ソウルメイトの一人ひとりが、あなたの心やたましいの異なる部分をはぐくみ、癒しを与える能力を持っています。あなたはすでに、私たちが送った何人かの理想的なソウルメイトを逃してしまいました。なぜなら、もっといい人が現れたとき、彼らと一緒にいたくないと思ったからです。

でも、元気を出してください。まもなく、あなたの求めるようなソウルメイトに出会えるでしょう。そのときがきたら、その人のほうへと私たちが導きます。その人は癒しを与え、あなたが成長や発展をするために必要な次のステップのレッスンを教えてくれます。あなたのたましいが自由について一番学ぶ必要があるなら、一生懸命励ましてくれる人に引き寄せられるでしょう。情熱的で、肉体的な愛に飢えていれば、その部分を満たす人に引き寄せられます。あるいは、忍耐について学ぶ必要があれば、とてもがまん強い男性に引き寄せられるでしょう』

ローズはほっとした様子でした。

「今のお話をうかがって、自分が恋愛に関してとても馬鹿だったとわかりました。これまで二、三人の男性とつきあいましたが、特にアーマンドとは真剣につきあうべきでした。おそらく、彼は天使が送ってくれたんだと思います。これからは、もっと賢くなります」

自分にぴったりのソウルメイトは一人だけという幻想から自由になったローズは、自分の知る男性にソウルメイトになりそうな人が何人かいると考え始めました。最後に彼女のことを耳にしたのは、婚約したということでした。ローズは新しく見つけた幸福が、天使の聖なる処方箋のおかげだと話しているそうです。

天使の処方箋

「完璧なソウルメイトはたった一人しかいない」という神話を信じて、天使が連れてきてくれたすばらしい男性を見逃さないでください。彼もまた、あなたのソウルメイトなのです。

理想的なソウルメイトを引き寄せるための処方箋

目標を高く設定しすぎたせいで、ソウルメイトを見つけられないこともあります。あなたが恋人にしたいと望む人は、今のままのあなたを望むような人ではありません。相手は異なるレベルにいて、もしあなたがその人で、その人があなただったら、あなたも自分と恋人になりたいと思わないでしょう。

もう少し具体的に説明しましょう。怒りやコミュニケーションの課題に取り組む人は、穏やかで調和のとれた相手と、静かで平和な人生を送りたいと夢見ています。でも、穏やかで調和のとれた人は、気難しくて怒ってばかりの恋人を望みません。同じことは、いつも体調の悪い人が、いかにも健康的なスポーツマンとつきあいたいと望む場合にも言えます。また、依存症の人が、気分の安定し、愛情にあふれた配偶者がほしいという空想を抱くのも同じです。

目標を適度に高く持つのは悪いことではありません。それはまさに神や天使の望むことです。ソウルメイトにはたくさんの役目があり、その一つがあなたの最善のものを引き出すことです。ソウルメイトは、その人自身のすばらしい性質のせいだけでなく、あなたがなりたいと望むような人物を表すので、スピリチュアルなレベルで引き寄せるのです。

問題は、あなたの手に届かないくらいはるか遠くにある人や物が、ほしいと願った瞬間に、きちんと包装された小包として自分のもとに届けられると期待したときに起こります。これがいかに馬鹿げた願いかがわからないと、失望や拒絶、孤独、惨めさ、悲しみに苦しむことになるでしょう。引き寄せの法則は、スピリチュアル的、肉体的、精神的に、あなたと同じレベルにあるソウルメイトを引き寄せると教えています。

こういった問題にぶつかったときには二つの選択肢があると、天使は言います。まず一つは、自分の期待を下げて、自分のレベルに近いソウルメイトにすることです。もう一つは、自分が向上する努力をして、理想とするソウルメイトに愛されるような人間になることです。

これはカルメンが直面していた問題でした。彼女は三十五歳の正看護師ですが、病院の新しい警備係の責任者ラッセルと、どうすれば生涯を共にできるか教えてほしいと天使に一生懸命お願いしていました。

天使は私に、二分割された画面を見せてくれました。それは二人が、気質も好みもまったく違うことを示していました。私はカルメンに、自分のことを少し話してほしいと頼みました。

そして、彼女が絶えず借金で首の回らない状態にあり、家族や友人や同僚と言い争いばかりしているのがわかったのです。彼女の生活は、ジェットコースターに乗っているような浮き沈みの連続でした。次に、ラッセルについて教えてほしいと頼みました。

現れてきた彼の姿は、きちんとした身なりの大学卒で、元米海軍特殊部隊の男性でした。株を資産として持ち、自分も周囲も完全にコントロールできる人物でした。

「彼はこれまでつきあった男性とまったく違います」と彼女はまくし立てました。「ラッセルは、女性が安心して人生を共にできるような人なんです。彼を射止めるにはどうすればいいか教えてください」

私には、天使の言うことをカルメンが決して聞きたがらないだろうとわかっていました。それでも、私は単なるメッセンジャーで、私の仕事は天使からの処方箋を伝えることだと自分に言い聞かせたのです。そして、天使が言ったことを繰り返して言いました。

『愛するカルメン、あなたの頼みは不可能ではありません。でも、そのためにはたくさんのステップが必要です。あなたとその男性は、二人ともスピリチュアルな道にいるという共通点があり、それがあなたの惹かれた要因の一つです。でも、あなたがたは、スピリチュアルな道のまったく異なる地点にいます。今の段階では、互いにぴったり合う存在ではありません。私たちは、今のあなたのレベルに合うパートナーを連れてくることもできます。あるいは、もう少し時間をかけて生活を変え、スピリチュアルな道で向上できるようにがんばれば、一、二年後には、前途が開けるかもしれません』

カルメンは、私をにらみつけました。彼女は感情を爆発させるだろうと予測し、私は天使に介入をお願いしました。すると、リーディングについてよく考えた後で、多くのクライアントが言うように、彼女は笑って言いました。

「言われることはわかっていた気がします。私はただ、天使が何らかの奇跡を起こして、ラッセルが必要とするような人物に今すぐ自分を変えてくれるのを望んでいたんです。でも、ラッセルは、その価値のある男性です。私はこれまでのような生活や自分に、もううんざりしています。彼のような人になれるよう学びたいと思います。穏やかで落ち着いていて、思いやりを持てるように。彼は瞑想しているんです。おそらく、瞑想講座に通うことから始めるといいかもしれません。それに、感情の抑制を助けてくれるカウンセラーかグループを見つけたいと思います。不可能だとは思いません」

一年後、カルメンから電話がありました。彼女はラッセルとデートこそしていませんでしたが、前とはまったく違い、落ち着いてなごやかな雰囲気でした。カルメンは、怒り抑制のグループとヨガ教室に参加しており、病院のカフェテリアで働く信頼できるすばらしい男性と出会ったと教えてくれました。

天使の処方箋

理想的なソウルメイトが自分よりもすばらしいとき、自分自身をもっとすばらしい人間にするように努力してください。そうすれば引き寄せの法則によって、あなたはその相手を自分へと引き寄せられるでしょう。

現実的な期待を培うための処方箋

自分の目の前にソウルメイトがいても、その人を見つけられない人がいます。それは、ロマンスについて多くの人を惑わせている誤った神話を信じているせいです。つまり、本当の恋人とは、単なるパートナーではなく、双子のようにあらゆる点で自分と似ている人と思っているのです。同じ音楽を愛し、同じ個人的、宗教的価値観を持ち、レッド・ツェッペリンの『天国への階段』を聴いて、雨の土曜日の夜には冷製パスタを食べるということまで、まったく同じなのです。

本当のソウルメイトにはたくさんの共通点はあるけれど、双子の兄弟や、鏡に映したようなものではないと、天使は言っています。天使はもし、ソウルメイトがあらゆる点であなたの双子のようなら、ときどき自分にそうなるように、しばらくするとその相手にうんざりして退屈してしまうと警告しています。

もちろん、つきあいだした頃は、どのカップルも自分たちの似ている点に目を向けるでしょう。新しい恋人は大きな声でこう叫ぶはずです。

「僕は、『姫戦士ゼーナ』というドラマが大好きなんだ」

そしてあなたはこう答えます。

「本当？　私も大ファンなのよ」

あるいは、相手が高所恐怖症だと言った途端、あなたも高いところが怖いと告白します。まるですべて同じソウルメイトを見つけたと思うかもしれません。でも、少したつと、お互いの相違点が明らかになり始めます。

これは二人が、お互いをだまして実際よりも共通点が多いように思わせたのではありません。むしろ、二人とも自分の全記憶を必死に探して、共通点を探したからなのです。これは自然なプロセスですが、映画にあるようなソウルメイトについてのウソを信じ込ませる可能性があります。つまり、恋人たちは、食べたいものから次の大統領選挙についてまで、あらゆることで決して意見の異なることはないと信じてしまうのです。でも、現実には、半年もするとたいていの恋人はバラ色のめがねをはずして、自分たちの類似点ではなく相違点に気づき始めます。

二十七歳の若くハンサムなフランクは、新聞社の専属カメラマンでしたが、自分の恋愛生活にうんざりして私のところへやってきました。

彼の問題は、女性が見つからないことでも、プロポーズを受け入れてもらえないことでもありませんでした。彼は恋愛ではとてもうまくいっていました。でも、誰一人として、自分の将来の妻や子どもの母親になる相手に思えなかったのです。フランクのデート歴から、彼がお似合いのソウルメイトにたくさん出会い、逃してしまったことは明らかだったので、私はフランクに、ソウルメイトをどう考えているか話してもらいました。

フランクは自信いっぱいに語り始めました。

「そうですね。僕の女性版のような人で、僕の好きなものすべてに関心のある人がいいです。アウトドアが好きで、スポーツが得意で、パーティーが大好きで、週末にはテレビでスポーツ観戦するか釣りをし、ジャズを理解していて、ストックカー（改造自動車）のレースに夢中で、共和党を応援し、自分の友人とうまくやってくれる女性です。これまでずいぶん探しましたが、そんな条件の女性は見つかりませんでした。最初はそう思えた女性もいましたが、少したつと、大切な興味や見解で意見が分かれるとわかったんです」

彼の天使は言いました。

『フランク、私たちはいかなる点でも妥協するようにとは言いません。でも、神がソウルメイトに与えている意図について、あなたの理解を少し修正する必要があります。多くの人のように、あなたは無用な苦しみを経験しています。なぜなら、ソウルメイトが自分の双子であり、あなたの女性版のように、まったく同じく行動し、同じく考え、同じように話す人だと信じているからです。

もしそんな人がソウルメイトなら、あなたはすぐに飽きてしまうでしょう。自分にうんざりしたり、自分のことが嫌になることはありませんか？　新しい考えを持ったり、新しい経験をする機会もなく、単調な生活を五十年も続けることを想像してみてください。

あなたの興味は多様で、賞賛に値します。あなたには、一緒に娯楽を楽しめる友人が男女問わずたくさんいます。外側の興味が一致するという狭い範疇に、結婚を当てはめようとしないでください。もちろん、ソウルメイトとはたくさんの興味を分かち合うべきです。でも、もっと大切なのは、あなたの心に火をつけてくれ、別の興味を持ちながらも、共に生活を楽しめる相手を見つけることです。そうすれば、あなたたち二人は、たくさんのものを分かち合えるでしょう。まったく同じ興味を持つ人を生涯にわたって探し続けるよりも、互いに補い合える興味を持つ人を探すほうがずっといいはずです』

フランクはショックを受けて、しばらく自分の行動を省みていましたが、やがてくすくす笑いだしました。

「僕の友人たちも同じことを言っています。きっとみんなのほうが正しいのでしょう」

フランクは、理想のソウルメイトについての自分の考えが非現実的だとようやくわかったようでした。

天使の処方箋

ソウルメイトは、あなたの双子のようだったり、自分とまったく同じような人ではありません。二人は、似ている点で互いを強化し、違う点でお互いの領域を広げるべきなのです。

ぴったりのパートナーを引き寄せるための処方箋

昔からの慣用句に、「自分の願い事に注意してください。それを手に入れてしまいますから」というのがありますが、これはまさにロマンスに当てはまります。

神や天使は、喜んで仲人となり、あなたの望む細かい条件にぴったり当てはまるソウルメイトと一緒にしてくれます。あなたに必要なのは、お願いすることだけです。

ただし気をつけてください。パートナーに関するお願いのリストを作るときには十分注意してほしいのです。私自身、苦労してようやくそのことがわかりました。天は、あなたの祈りに文字通りに答えてくれるのです。

何年も前ですが、離婚して二人の子を抱えながら、私は神様にソウルメイトと夫を見つけてほしいとお願いしました。そして、自分が相手に望むものを三頁にわたって具体的に書き、たくさんの花を贈ってくれるロマンチックな男性がいいと表現しました。私は何年間も、同じようなリストを自分の仕事や個人的な目標のために作っていて、うまくいっていたのです。

一週間もしないうちに、私は公認会計士のジョニーと出会いました。一言も花束がほしいとは言っていないのに、彼は真っ赤なバラをオフィスに贈ってくれ始めました。毎日、秘書のドンナがジョニーから届いたバラの花瓶を二つ抱えてきました。朝に一つの花束、午後にもう一つ届きました。でも、この人前での愛情表現に私は戸惑いを感じ始めたのです。というのは、その当時、私の職場は保守的な精神科で、私はそこで上級のセラピスト兼責任者として働いていたからです。

私は、ジョニーの優しさをうれしく思いましたが、自分のリストに重要な要因を忘れていたことに気づきました。出会った瞬間にその男性に惹きつけられると書かなかったのです。実際、ジョニーにあるのは兄弟のような気持ちだけで、異性としての興味はまったくありませんでした。

私は振り出しに戻って、もっと詳しいものを作りました。今度は、「私が彼に引き寄せられる」という一文を加えました。そして、ジョニーの強烈さに悩まされたので、次のような文章も加えました。「彼は結婚したいと思っているけれど、関係をゆっくり進めることにしている」

私は完全に神の手にゆだね、神へラブレターを渡したのです。これは聖なるガイダンスへと導いてくれ、すぐに引き合わせてくれました。ハンサムで優秀なフランス系カナダ人男性が現れたのです。私たちは互いに惹かれ合い、彼は私と同じように、長くつきあってから結婚したいと思っていました。よくあることですが、初めのうちはすべてが完璧に思えました。

しかし、まもなくして、彼の英語力が気になり始めたのです。彼の母国語はフランス語なので、なじみのない英単語や言い回しがたくさんありました。彼がフランス語で愛の歌を歌ってくれるのはとてもロマンチックでしたが、知的な刺激を得られる会話はなかなかできませんでした。

結局、私はもう一度リストに戻りました。今度は全力を尽くして、お願い項目のリストを作りました。それは、自分の夫に望むこと望まないこと、すべてを詳細に書いた三頁にもわたるリストでした。私は、自分にとって大切な特質だけを書きました。身長などそれほど重要でないものは、リストから削除したのです。

すぐに、ある場所に行って、ある活動に従事するようにという神からの指令を受け取ったので、それに従いました。その結果、どうなったと思いますか?

三週間もしないうちに、フレンチレストランで偶然一人の男性にぶつかり、私たちの目は互いに釘づけになったのです。部屋中がぐるぐる回り、私と彼以外誰もいないように感じました。私たちは腰掛けて、お互いについて質問し合い、相手が自分の探している人かどうか知るために印象を述べ合いました。結果、それから三年もしないで結婚したのです。私のリストの全条件を、彼は生まれつき備えていました。

数年前、私は独身男女に恋愛関係について教えました。そこで、リストの作成と、実現させるプロセスについて話しました。このスピリチュアルな方法をデートに用いてみた生徒たちは、すばらしい成果を報告してくれました。

ある女性は、将来の夫についての「お願いのリスト（Wish List）」を作り、常に持ち歩いていたそうです。彼女は、リストの男性について常に前向きに語り、近いうちに出会えるだろうと確信していました。彼のことを、お願いリストの男性（Wish List Man）と呼んでいたのです。

数ヵ月後、彼女はリスト通りの男性と出会い、結婚しました。彼女は興奮ぎみに話しました。「私たちの姓は何だと思いますか？ Wishner（お願い）です！ 私が彼のことを、私の Wish List Man（お願いリストの男性）と言い続けていたので、この姓が現実になってしまったんだと思います」

それで、彼女は今では Wishner（お願い）夫人です。

この方法を用いて、ソウルメイトやそのほかのゴールを現実のものにしたいと思うなら、まず一枚の紙に、あなたが理想的なソウルメイトだと思うすべての特質を書いてください（相手に望まない性質のリストを別に書いてもよいでしょう）。決してあわてず、二、三日かけて仕上げましょう。

そうすれば、大切なものを書き落としてしまうことはありません。そのリストを神と天使に渡してください。何か脱落していたり、間違って書いた場合に自分を守るため、「この通りか、もしくはこれ以上によいものをお願いします」と言いましょう。自分を幸せにしてくれるものを限定して、天使たちに制限を与えたくないはずです。

天使の処方箋

ソウルメイトを探し始める前に、自分の探す相手をはっきりさせましょう。さもなければ、自分が期待しなかった人や、お願いしなかった人を手に入れて、身動きできなくなります。

完璧主義者への処方箋

ソウルメイトを探す上で、自ら悲痛な思いを生み出すもう一つの原因は、完璧ではないという理由で理想的な候補者を拒絶することです。

自分の行動や仕事に完璧を求め、生き地獄のような人生を生き、肉体的衰弱や自殺にまで追い詰められる人がいます。彼らは、過ちや間違いに対する寛容さを持ち合わせていません。ソウルメイト探しでも、同じような自己破壊的な行動をしています。彼らは何一つ欠点や弱点のない、完璧なソウルメイトを望んでいます。彼らの心が壊れそうになっているのは、自分自身のせいなのです。期待が高すぎるので、この世の人間でその期待を満たせる人など一人もいないからです。

そんな人は、古いスーフィー教の物語を思い出させます。その主人公の男は、完璧な妻探しに全人生を費やしました。そして、ようやく彼女に出会えましたが、プロポーズを断られてしまうのです。なぜなら、彼女もまた完璧な男性を探していたからです。

キャサリーンは、これと同じことを経験していました。彼女は三十代後半の販売責任者で、ここ何年間で多くの男性とデートをしてきました。でも、誰一人としてキャサリーンの基準に合わなかったのです。彼女は子どもが産めるうちに結婚しなければ、というプレッシャーを感じていましたが、自分のめがねにかなう男性はまったくいないように思えました。

仕事が販売営業だったので、キャサリーンはいろいろな男性と知り合いました。その多くは魅力的で、礼儀正しく成功した男性で、どんな女性にとっても理想的に見えました。でも、キャサリーンは、その一人ひとりについて、自分の条件に満たない致命的な欠点を指摘したのです。背が低すぎ、背が高すぎ、太りすぎ、やせすぎ、ロマンチックすぎ、ロマンチックじゃない、恋人にしてはよすぎ、恋人にするにはひどすぎ、仕事に打ち込みすぎ、仕事に十分打ち込んでいない、けちすぎ、浪費しすぎ、などのようにです。彼女は最後にこう締めくくりました。

「要するに、第一印象がこの人だと思う人に出会っても、よく知るにつれて、ガールフレンドがほかに十人もいるとわかったり、私の体形についてうるさいとか、仕事中毒だということがわかるんです」

キャサリーンは、「私は完璧な男性に出会えると思いますか？」と口にしながら、自分の将来について不安そうでした。

天使たちは次のように説明しました。

『この完璧さが、相手を見つける妨害となっています。なぜなら、あなたは親密な関係と拒絶を恐れているからです。自分では、ソウルメイトとの親密な関係を求めていると信じていますが、心の奥底ではそんな関係を恐れているのです。ソウルメイトに不完全さや人間的短所があるべきでないと主張するのは、あなたがその関係に身をささげたくない口実にすぎません。何度も夢の男性になりえる人と出会いましたが、あら探しばかりして、欠点を見つけたのをこれ幸いに、その関係から逃げたのです。

ソウルメイトとの関係を築くには、自分の傷つきやすさや、傷ついた感情を癒さなければなりません。私たちは、あなたの心を癒せます。私たちに、あなたの夢の中に現れて、愛や親密さや他人との分かち合いへの恐れをすべて取り去ってほしいと、お願いしてください。私たちに、あなたの両親、昔の恋人、自分自身がもたらした古い傷や、あなたが彼らにもたらした古い傷を許せるようにお願いしてください。愛され、愛を与える恐れが解放されるように私たちを招き入れてください。私たちの助けがあれば、あなたは完璧主義をすぐに手放すことができ、真にあなたを愛し、あなたも愛せる男性と、すばらしい関係を始められるでしょう』

キャサリーンは、ほっとしたようでした。

彼女は明らかに、天使からのアドバイスを喜んでいました。すぐに天使は、キャサリーンの将来のパートナーを私に見せてくれました。私は自分が見たものを話しました。

「あなたのソウルメイトが見えます。でも、あなたの現在の基準から言えば、彼は百パーセント完璧には見えません。彼はめがねをかけていて、人目のないところではユーモアがありますが、ずばずば言う人ではなく、恥ずかしがり屋のほうです。彼は母親との問題を抱えています。あなたがたは、図書館とか、書店とか、勉強に関わる場所で出会います。この男性の周りには本がたくさんあって、熱心な読書家です。ものすごくかっこいいというわけではありませんが、あなたは彼に魅力を感じるでしょう。

あなたがた二人が彼の仕事で、一緒に旅行しているのが見えます。ヨーロッパを列車で旅しているようです。あなたはこの男性と一緒にいるととても幸せで、二人は親密なつきあいをしており、尊敬し合い、互いに満足しているのが見えます。あなたがロマンチックと呼ぶ温かさは感じますが、火のような情熱はありません。互いに献身的で、愛にあふれたよい関係のようです」

キャサリーンは深いため息をついて言いました。

「最初に彼のことを聞いたとき、正直怖い感じがしました。彼は、私が夢見ていた完璧ですばらしい男性とはとうてい違うように思えたからです。でも……」彼女は背筋をのばし、真剣な表情で続けました。「その男性は、私にとって本当にすばらしい相手に思えます。完璧ではなくてもかまわないと思えそうです。私には、一番の親友で、恋人でもあるような人が必要なんだとわかりました。その男性は、私が必要としている男性のようです」

数週間後、キャサリーンはニューオリンズに転勤となり、以来、彼女からは何の音沙汰もありません。もし彼女が自分の決意を守り、天使たちに自分の完璧主義を克服できるよう頼んだなら、天使がきっと彼女にとって完璧なソウルメイトを見つけていることでしょう。

天使の処方箋

本当に完璧な人が出てくるまで、息を殺して待つのはやめましょう。あなたのソウルメイトには、不完全なところもあるかもしれません。

誰にも出会えない人のための処方箋

「神は、自らを助ける人を助ける」という格言は、ソウルメイトを探す上でも当てはまります。ソウルメイトの見つかりそうな場所に行くこともせずに、神がソウルメイトをあなたの腕の中へ連れてきてくれると思ってはいけません。天使は、あなたのロマンチックな願いをかなえてあげたいと思っていますが、まずは少しでも信頼と努力で貢献しなければなりません。すると、天使たちは、驚くような方法であなたの望みをかなえるように働いてくれるでしょう。天使は、天からの協力を得るには、受け身ではなく、積極的に参加することが必要だと言っています。

あまりにも多くの人がソウルメイトを望みながらも、ただ座って神や天使がすべての仕事をしてくれると期待しています。そんな人は、これまでソウルメイトと出会えなかった自分の習慣や日課を変えようとはしません。そして、奇跡が起こるのを待ち望み、何も起こらないと、がっかりして落ち込んでいます。そして、相手の見つからない運命をぼやいています。彼らは神や天使たちへの信頼さえ失い始め、こうぼやくのです。

「私はソウルメイトに出会えるように、何度も何度も祈りました。でも、私のソウルメイトは一体どこにいるのでしょう？　あなたは、神や天使が私たちの祈りをいつでもかなえてくれると言ったはずです。天使たちは、私に恨みがあるのですか？　それとも、すべてでまかせだったんですか？」

これは、古いジョークにある宝くじが当たるように毎週祈ったという男性を思い出させます。

彼は毎週金曜日、最高賞金の獲得を知らせる電話をじっと座って待っていました。数週間、何の電話もないのにがっかりし、彼は怒って天を見上げ、文句を言いました。

「神様、何がご不満なんですか？　毎週あなたに祈りました。でも、一度も当たりません」

すると、神様は答えたのです。

『それで、宝くじはもう買ったのですか？』

自分から積極的に関わらなければ、ソウルメイトは見つかりません。あなたは天使に何をしてほしいのですか？　玄関の前にソウルメイトを置いていってほしいのですか？

愛が得られるように祈っても、その祈りに誰も答えてくれないようなら、チャンスをせばめてしまう習慣や日課を続けており、ソウルメイトに出会えない障害を自分で生み出している可能性があります。自分より背の高い女性とは決してデートをしない孤独な男性、あるいは、自分のアパートの部屋掃除に全自由時間を費やしている孤独な女性が、一人ぼっちの寂しさに涙を流しているかもしれません。彼らは、自分から天使に会いにいく努力をし、思い切っていつもとは違うことをすることが必要なのです。二人とも、自分が望む関係へと導くすばらしいチャンスを自らだめにしているのです。このことを天使は、エマニュエルに話しました。

私とのセッション中、エマニュエルは、問題はソウルメイトを見つけることではなく女性と出会うことだと訴えました。三十八歳の彼は、印刷工場の現場監督をしており、まだ結婚したことがありませんでした。おとなしく、でしゃばらない性格で、自分はスピリチュアルな人間だと思っており、妻や恋人になる女性をずっと探しているけれど、一度もうまくいったことがないと言います。彼はデートの相手さえ見つけられないようでした。

「私はとてもいい夫や父親になれると心から思っています。でも、最近、神様は私の祈りを聞いていないのではないかとか、自分は一生妻も家族も持てない運命なんじゃないかとか思うことがあります。もう何年もデートしていませんし、女性に出会う機会もまったくありませんから」

少ししてから天使が答えてくれました。

『私たちは、あなたの助けを求める祈りを何年間も聞いています。そして助けようとしているのです。あなたが恋人に出会えるように、仕事が終わってからもっと外出しなさいとせっついてきました。でも、この導きにあなたは逆らっています。仕事が終わるとまっすぐ家に帰り、テレビを見て、自分はどうして孤独なのかと考えてばかりいるんです。週末にはテレビの前に座って、食事を宅配してもらっています。同僚からパーティーに誘われても、いつも出席すると言いながら、やっぱり疲れているからと欠席してしまいます。あなたは恥ずかしがり屋なので、思い切って相手に声をかけても断られるのが怖いのはわかっています。でも、そうして自分を幸せにしてくれるたくさんの女性を見すごしてきたのです。私たちがあなたの思考や感情に送っている導きに従わなければ、あなたを助けることはできません』

天使の話を聞きながら、エマニュエルはぽかんと口をあけ、目を大きく見開いていました。

「信じられません。近所でやっているエクササイズ教室のチラシを見たんです。何回か行ってみて、入会しようと思いましたが、そのたびに面倒になってやめていました」

天使は処方箋をくれました。

『あなたはずっと一人ではありません。でも、あなたが求めているソウルメイトに出会うには、これまでの行動パターンを変えなければなりません。どうかエクササイズ教室に通ってください。

私たちがそのチラシを受け取るように手配したのです。行くようにせっついたのは私たちなんです。そして、同僚の誘いも受けてください。そうしなければ、自分が探している愛に出会うことは決してないでしょう』

それから数日後、自分のソウルメイトはどこにいるのかと悩みながらエマニュエルが電話をよこし、あせったように言いました。

「あれからエクササイズ教室に入りました。でも、まだ誰にも出会っていないんです」

私はクスクス笑い、天使にもう少し時間をあげるようにアドバイスしました。エクササイズ教室に通ってまだ一週間しかたっていなかったからです。天使たちは一生懸命働いており、彼のもとにソウルメイトを連れてくるため、必要な糸をすべて引っぱっていました。天使たちは加えて言いました。

『家から出るだけでなく、出会った人に対して、自分から心を開こうとしなければなりません。親しげに目を合わせたり、微笑んだり、挨拶してください。あなたの探す女性は、あなたのように繊細で、恥ずかしがり屋です。彼女からは決して近づいてはこないでしょう。あなたが今のようなよそよそしい態度でいれば、なおさらです。ですから、人には温かい態度で接する必要があります。自分の出会う人はみんな、内側に神を持っていると思ってください。そうすれば、簡単にできるはずです。誰かに会ったり話をしたりするたびに、神への愛を感じてください。そうすれば、あなたの温かさが自然に周囲へと伝わります。あなたは自分が探している女性はもちろん、たくさんの友人を引き寄せるでしょう』

エマニュエルは、がまん強くなると約束し、もっと外出して、いろいろな人と出会う努力をすると誓いました。明らかに、彼に必要なのはそれだけだったようです。というのは、次に連絡をくれたとき彼は、まさに自分にふさわしい女性がエクササイズ教室に入会したと、得意げに教えてくれました。彼らはデートを始め、互いに魅力を感じ、共通点も多く、真剣な交際に発展しそうでした。

「天使たちは、本当に理解して話していたんですね」とエマニュエルは認めました。

天使の処方箋

ソウルメイトに出会えずにいるなら、昔からの決まりきったやり方を続けるのはやめましょう。あなたが一緒にいたいと望むような人に一番出会えそうな場所を見つけてください。

chapter 4
ロマンスのための処方箋：ソウルメイトとつながる方法

ほとんどの人の場合、恋愛問題は、ソウルメイトを見つければ終わりではありません。実のところ、それは単なる始まりなのです。その関係が非公式なものだろうと、暗黙の了解のものだろうと、あるいは正式な婚約であろうと、パートナーと真剣な関係になったとき、最初のデートでは想像もしなかった対立に直面することがよくあります。

お互いを知れば知るほど、欠点が目につきだして、摩擦が起こります。あるいは、出会う人すべてがソウルメイトに見え、性的にも精神的にも相手の便宜を図って献身的な関係を作ろうとし、自分の時間をすべてささげてしまうかもしれません。なかには、妥協して受け入れたパートナーを夢のソウルメイトに変えようとして、何年も無駄にする人さえいます。また、破滅的で、虐待する恋人と気づいたときにはすでに遅すぎるほど深い関係になっているかもしれません。多くの人にとっての問題は、一緒にいる人を見つけることではなく、真剣な関係になれる人を見つけることです。めったにありませんが、あまりにも多くのソウルメイトに出会い、その結果起こる対立を処理するのが問題になっている人もいます。

ソウルメイトを見つけた後のロマンスでは、悲痛や苦しみの可能性が十倍にもなります。表面的な関係を超えてパートナーとなると、自分のほとんどすべてを相手につぎ込んでしまいがちです。二人の関係を脅かすものがあれば、それはあなたにとってとても大切なものだけでなく、自分自身の一番深い部分も脅かします。私たちのほとんどに経験があると思いますが、このような脅かしはとても恐ろしくて破壊的なものです。

ロマンスの天使の仕事は、ソウルメイトを見つけるお手伝いで終わるものではありません。それがパートナーシップの死であろうと、相手の死であろうと、死が二人を分かつまで続くのです。天使たちは、ソウルメイトはあなたに大切なレッスンを教えるためにここにいると言っています。簡単ですぐに学べるレッスンなら、二人が情熱を感じていても、互いの人生にいる期間は短くなります。いくつものレッスンがあったり、難しいレッスンなら、あなたとパートナーは何年間も一緒にいるでしょう。天使はあなたのそばにいて、二人を最大可能な癒しと調和へと導いてくれます。

恋愛関係のもめ事に対する処方箋

あなたたち二人は、どのくらいの頻度でもめ事を経験していますか？　ようやくソウルメイトを追い求めることが終わり、あなたは運命の人を見つけました。二人は交際し、一緒に暮らし始めます。そして、いさかいが起こり始めるのです。あなたとパートナーはまるで水と油のようで、習慣も欲求も、コミュニケーションの仕方もまったく正反対だとわかるかもしれません。

恋愛関係が生み出すいさかいは、無用な議論、激しい怒鳴り合い、憎しみに満ちた言葉、傷ついた感情や罪悪感へと導きます。そして、突然の痛みをともなう別離で終わります。

感情が高まり、二人が天使の介入を許さないと、爆発して肉体的暴力にも発展しかねません。ソウルメイトとの関係は、いつでもぴったり合って、いさかいも対立も角《つの》突き合わせることもないものと思っている人がたくさんいます。でも、天使たちは、それは錯覚で、ソウルメイトについての誤った考えだと言っています。

ソウルメイトを地上の天使（神の使命のために、気づかないうちに選ばれた人）と考えてください。ソウルメイトと口論になるたびにそう考えるのです。どんなに相手があなたを怒らせても、おかしくなりそうになっても、天はある使命を果たしてもらうために、あなたのもとへ地上の天使をもたらしました。彼はあなたの成長を助け、あなたを癒し、内側の強さを見つける方法を示し、忍耐、親切、忠誠、愛の真の意味を教えることができるのです。ときにはこれらの性質を自らが所持することで教え、ときにはそれを欠くことによって教えてくれるでしょう。

このような意味で、ソウルメイトはガーディアン・エンジェルと同じような機能を果たしています。つまり、自分が優先するもののために努力して時間を作ったり、最高の状態になれるようにインスピレーションを与えたり、自分の情熱に従ったり、世の中に違いを生み出せるようにあなたをつつくのです。これをソウルメイトが行う場合、ときとして、天使になんて会わなければよかったと思わせるかもしれません。自分の生活を改善するようにせきたてられると天使にイライラするように、ソウルメイトに地上の天使として働きかけられると、自分がコントロールされているとか、いじめられていると感じて、ソウルメイトに腹を立ててしまうのです。

近所に住むブラッドは、妻のリサが早く修士号を取得して教師の職につきたがっているとわかっていました。彼は、リサが何かと理由をつけて修士論文の完成をぐずぐずと引き延ばしているのも知っていました。そこで彼は、やわらかく、しかも明確に、リサが論文を書く気になれるような方法を探していました。あるときには雑誌から卒業式の写真を切り抜いて、リサの枕の下に入れました。また、修士号の証書のようなものを作り、冷蔵庫に貼ったりもしました。リサが夜少しでも時間がとれるように、洗濯や皿洗いをすすんでかって出ました。そんな彼の努力に、リサは、かまわないでくれと口酸っぱく言っていました。彼女は、自分に論文を書かせようとする夫からのひっきりなしの合図にプレッシャーを感じていたのです。リサは爆発寸前でした。

「夫は、私の気分がのって準備ができればちゃんとやるのがわからないんです。子どもじゃないんです。確かに、延ばし延ばしにしているし、図書館でのアルバイトにもうんざりしています。でも、最後にはちゃんとやります。ただじっくり考えて、落ち着く時間がもう少し必要なだけなんです」

天使は、すぐに返答しました。

『あなたのいらだちは理解できます。でも、ブラッドの立場になって考えてください。彼は、あなたがどんなに今の状況を変えて、教師の職につきたがっているか知っているんです。毎日、教師になりたいと言うあなたの声を聞いています。あなたは自分がいつもそう言っているのに気づいていないかもしれませんが……。彼はあなたをせっつこうとして、やれるだけのことをしているのに、それに腹を立てています。ブラッドは、あなたを愛しているから、とても心配なのです。あなたには、行き詰まって前に進むのを怖がる傾向があります。最初の大切な一押しをするのが、あなたの人生で彼が行うべき使命の一つなんです』

リサの機嫌は少し収まったようでした。

「それが彼に心惹かれた理由の一つなんだと思います。彼は、あらゆる面で私を支えてくれますから。彼の存在から自分の人生で学べることに目を向けていませんでした」

リサは、自分のソウルメイトであり、地上の天使である彼にもっと感謝しようと決心しました。それは功を奏したに違いありません。一年後、リサは修士論文を書き終え、学位を取得できました。おそらく、ブラッドがせっつくのにうんざりしたことが、早く終えられる動機となったのでしょう。リサは学位取得を祝われるたびに、みんなの前でブラッドを抱きしめています。

天使の処方箋

互いに角突き合わせ、ソウルメイトがふさわしい相手ではないと思う前に、そこにあるレッスンを探してください。

ソウルメイト中毒のための処方箋

あなたは、ずっと探しているソウルメイトのイメージで頭がいっぱいになっており、自分が出会ってデートする相手すべてにそれを投影しているかもしれません。すぐにその相手は「運命の人」だと信じ、友達みんなに報告してしまうのです。そんな状況では、関係をうまくいかせようと全力を尽くすことで、かえって自分の人生とパートナーの人生を悲劇と苦しみに満ちたものにしてしまうでしょう。あなたは、相手が自分のソウルメイトなので、懸命に努力する価値があると誤って信じています。私はこの状態を、ソウルメイト中毒、害のあるロマンス病と呼んでいますが、これらはかなりの無用な悲嘆を引き起こします。

ソウルメイト中毒が起こると、あなたは衝動的に行動し、相手にも自分と同じように二人の関係を見るよう強要し、お互いを十分知る前から、長いつきあいを要求します。でも、自分の勝手な空想に身をささげていたとわかると、痛みをともなう結末が待っています。神のタイミングや天使の手助けを待たずに、あなたはそれがどんなパートナーシップであろうと、すぐに手に入るものに飛び込んでしまいがちなのです。このように急いだせいでの痛々しい結果が、離別と離婚です。

テリーは、若く魅力的なテレビ番組のリポーターでしたが、自分の生まれながらの美しさを見せびらかすこともありませんでした。私とのセッション中、彼女はじっと私のほうを見て、自分が出会ったばかりの男性と結婚できるかと真剣に尋ねました。

「出会ってまだ数ヵ月ですが、ずっとマーカスのことを知っているような気がします。私たちは何でも話し合えるし、おまけにセックスもすばらしいんです。私は、彼が自分のソウルメイトだと信じています。実は今、同棲しようと彼をせかしているところなんです。私たち二人が一緒に生活して、将来結婚できるかどうか教えてください」

天使に導かれて、私はテリーに、以前にも同じような経験がなかったかと尋ねました。

「ええ。昨年、すばらしい男性に出会いました。最初は絶対一緒にいる運命だと思いましたが、お互いのことをよく知るにつれ、まるで猫と犬のようにまったく違うことがわかりました。昨年の春のことですが、天気予報士にも出会いました。彼もソウルメイトだと思ったのですが……」

テリーは頬を赤らめました。「以前にも、一、二度こんなふうに感じたことがあったと思います。そういうことを尋ねているんですか？」

天使は言いました。

『親愛なるテリー、あなたはソウルメイトを必死に探しているので、自分の周囲の人全員がそう見えるのです。あなたはマーカスと知り合ったばかりで、まだソウルメイトであると確信するほど十分に彼のことを知りません。彼がずっと探していた人だと自分に言い聞かせるのではなく、マーカスとの最初の数ヵ月を、彼と自分のことについていろいろ発見するのに使ってください。これから長く続く友情や尊敬や信頼の確固たる基盤を作り、自然の流れで物事がゆっくりと展開していくのを待つのです。二人の関係を無理やり進展させようとしないでください。バラの花が自然に咲くのを待たずに無理やり咲かせようとすれば、あなたはその美しさを破壊してしまうでしょう』

テリーは自信を失くしたようでした。

「天使は、がまん強くなって、ぴったりの人がやってくるまで待つように言っているんですね。自分だけですべてを実現するのは不可能だということですね」

天使は、さらに詳しく説明してくれました。

『マーカスとの関係は、長い間とてもうまくいくように見えます。でも、これがあなたの最後の関係かどうかは大切なことではありません。この関係は、あなたの自尊心を高める助けとなり、それが将来のあらゆる関係に役立つでしょう。確かにマーカスはソウルメイトの一人です。でも、私たちには、異なる目的で何人かのソウルメイトがいることを忘れてはいけません。彼の目的は、あなたが愛すべき存在だと教えることです。彼との関係に急いで飛び込もうとしている理由の一つは、あなたが切実に愛されたいと望んでおり、自分を愛してくれる人がいるかどうか不安だからです。マーカスはこの恐れを癒してくれるでしょう。ただし自然にまかせていればの話です。さもなければ、彼やほかの男性があなたを本当に心から愛してくれるとは信じられないでしょう。自分が相手を操って深い関係や結婚に踏み切らせていると常に疑うはずです。本当の自分がどんなに愛すべき存在か、決してわからないままです』

「天使は、私のマーカスとの関係が永久的なものでないと言っているのですか?」

テリーは尋ねました。

『私たちはそんなことは言っていません。将来は決まっていないのです。あなたがた二人の選択が、それを決めるのです。私たちは、将来を小さな箱に入れてしまうのではなく、この男性と一瞬一瞬を楽しむようにとお願いしているだけです。拘束は、二人の愛のエネルギーを弱めてしまいます。恋愛関係が落ち着くと、失われてしまった愛の魔法を再現するために、多くの人が別のパートナーを求めるのはこのせいなのです。二人の関係をコントロールしようとすれば、自分自身もとらわれたように感じるはずです。パートナーと共に過ごすあらゆる瞬間をただ楽しんでください。そうすれば、将来は自然にうまくいくでしょう』

テリーは天使の言葉が真実とわかり、涙ぐみました。自分がマーカスのことをソウルメイトだと懸命に思い込み、ずっと彼と共にいるべきだと思っていたのに気づいたからです。彼女は彼と一緒の時間に感謝してはいませんでした。彼女は今この瞬間を楽しみ、出会うすべての男性がソウルメイトだという空想は捨てる決意をして、私のもとを後にしました。

天使の処方箋

誰かをあなたのソウルメイトにしようとしたり、ソウルメイトの関係になろうとせっつくのはやめてください。自然の流れと天使たちにまかせてください。人生のソウルメイトに出会ったとき、何かしらのサインがあったことに、後で気づくかもしれません。でも、これまで出会ったたくさんのソウルメイトでない人についても、「特別な感情」があったことを覚えておきましょう。

ソウルメイトが多すぎる場合の処方箋

ソウルメイトにめぐりあえないことが問題ではない人もいます。彼らの問題は、ソウルメイトになりそうな人が複数いて、誰を選べばいいのかわからないことです。

何人かの恋人の中から決められないのは、その誰一人としてソウルメイトではないという意味です。どのパートナーも、あなたが理想的な愛に求める特質のどれかを持っています。

たとえば、あなたの肉体的欲求はショーンで満たされていますが、彼との会話はつまらなくて退屈です。あなたはネルソンとの知的で絶妙なやりとりが大好きですが、彼は肉体的に燃えさせてくれません。レナードは、バックパック旅行やテニスをするときはすばらしいパートナーですが、ベッドの中ではまあまあで、話し好きです。結局、あなたは三人とデートする羽目になってしまい、誰を選ぶべきかと考えたり、あるいは、どこかに自分の欲求すべてを満たす人がいるかもと思いめぐらしているのです。

見込みあるソウルメイトが目の前にいないよりも、ずっと害がないように思うかもしれませんが、たくさんの心が一人の人ともつれているときには、必ずいつかは誰かのハートが壊れるのです。もし関係する人たちが思いやりにあふれ、哀れみ深ければ、全員が痛みを感じるでしょう。もっとも悲惨な結果は、これらの候補者の一人と結婚し、彼が理想のソウルメイトとしてすべての特質を備えていないという理由で、関係がうまくいかなくなることです。

ソウルメイトになりそうな二人の間で悩んでいるとき、天使の処方箋は、望みに満たない人で妥協するべきではないと言っています。欲求をすべて満たせる一人のパートナーを探してください。天使は、なぜ人は自分の欲求を真に反映する人ではなく、まあまあのパートナーで妥協しようとするのかが理解できないと言います。がまんする必要はありません。なぜなら、神の子としての聖なる運命は、あなたが最善のものを持つ価値があることを意味するからです。

三十三歳のカールは、成功した若手建築家ですが、キャロライン、デボラ、スーリーという三人の女性とつきあっていました。

「僕は三人を全員愛しています。もしくは、愛せると思います。彼女たち一人ひとりに、本当に素敵なところがあるんです。三人ともすばらしいパートナーや母親になれると思います。キャロラインと一生を共にしたいと思うこともありますが、次の瞬間、いや、やっぱりスーリーだと思うんです。またときには、デボラが私の相手だと思ってしまいます。ただ、一人に決められないんです。どの相手が自分にぴったりなのか、どうすればわかるのでしょうか？」

私は深呼吸をして、心の中で三人の女性の名前を繰り返し、天使に彼女たちのガーディアン・エンジェルとつないでほしいとお願いしました。私の天使と彼らの天使が、すぐにたくさんの情報をくれました。私はそれをそのままカールに話しました。

『あなたの望むロマンスの相手としては、この中の誰もぴったりではありません。彼女たちそれぞれの性質を、まさに望んでいる男性にとってはぴったりですが、あなたには、これらの女性の持つ特質をあわせ持ったソウルメイトが必要です。キャロライン、デボラ、スーリーに悪いところがあるわけではありません。単に、あなたの求める特別な個性、外見、ゴールを持っていないというだけです。彼女たちの誰か一人と身を固めるように自分を強いても、問題の解決にはなりません。それは、苦痛と欲求不満へと導くだけです』

カールはため息をつきました。

「つまり、またソウルメイト探しを初めからやり直さなければならないのですか？」

『今は、この女性たちとおつきあいを続けることはお勧めしません。三人ともあなたに本気になっており、あなたと一緒にいて喜ばせるためなら自分を変えることもいとわないでしょう。でも、彼女たちには、あなたが恋愛に求めるもののすべてをもたらすことはできません。あなたは自分の時間も三人の時間も無駄にしてしまいます。それは最終的に大きな痛みをもたらすでしょう。

三人の女性たちから少し離れて、自然の中で一人で過ごしてください。それが、今のあなたに必要なことです。瞑想して、自分が人生を共にしたいと望む女性を想像してください。その女性が持ち合わせる三人の女性の特質について思い描くのです。さらに、将来のソウルメイトのガーディアン・エンジェルに手紙を書くようお勧めします。心配しないでください。ただ書くだけで、将来の恋人の天使に必ず届けることができます。天使たちに、あなたたち二人を引き合わせてくれるようにお願いしてください』

カールは、手紙を書くというアイディアに興味を持ったようでした。私はノートを用意して、将来のソウルメイトのガーディアン・エンジェルに手紙を書き、二人を引き合わせてくれるよう頼むように言いました。心の思いをすべて注ぎ込み、文法やつづりや形式にはとらわれないようにとつけ加えました。一番大切なのは誠実さだからです。次のような内容を、自分の言葉で書くように提案したのです。

将来のソウルメイトのガーディアン・エンジェル様

私が、ソウルメイトに出会い、見分けられるように助けてください。ソウルメイトにふさわしいパートナーになれるよう、そのために必要な健康や幸せを得られるように、どうぞ助けてください。二人がお互いを見つけられるようにお膳立てしてください。ぐずぐずせずにソウルメイトに出会えるように、明確な指示ではっきり導いてください。ソウルメイトに出会うまで、私が安らかで穏やかな気持ちでいられるように助けてください。そして、安らぎと愛に満たされていられるように助けてください。よろしくお願いします。

カールはこの手紙を書いたに違いありません。なぜなら最近、彼からよい知らせの手紙を受け取ったからです。彼は望む性質をすべてあわせ持ったすばらしい女性と結婚したそうです。今まで妥協しないでよかったと書いてありました。彼は現在、一歳になる赤ちゃんの父親です。

天使の
処方箋

可能性のある複数のソウルメイトの間で悩んでおり、その一人ひとりが理想的なソウルメイトの特質の一部分を持っていても、人生で一番重要な部分では妥協しないでください。このすべての特質をあわせ持つ一人を見つけるまで、探し続けましょう。

相手を変えようとすることへの処方箋

誰かを自分の理想のソウルメイトの型に当てはめようとして失敗し、結局相手を失うことになって、ひどく悲しい思いをしたことはありませんか？　恋人探しの過程で、ほとんどの人が一度や二度、そんな経験をします。

人は、愛すべき特質とそうではない特質の両方を兼ね備えた人に出会います。そして、その相手の本当の姿ではなく、その人について自分が空想したものとの恋に落ちるのです。大急ぎで関係へと飛び込んだ後で、相手をおだてたり、いじめたり、誘惑して、自分の理想のイメージに変えようとし始めます。

あなたは、パートナーがもっと頻繁にセックスしたいと思ってくれさえしたら、二人の関係はどんなに完璧になるだろうと思っているかもしれません。あるいは、彼が自らの優れた性質に気づいて、もう少し野心を持ってくれたら、すばらしい成功が待っているのにと思っていることでしょう。また、自分の深い愛で、ギャンブルや飲酒、裏切り、改造車のレーサーの仕事、麻薬などのよくない生活習慣をやめさせられたら、二人は肉体的にも精神的にも完璧なカップルになって、農場へ引っ越し、とうもろこしを栽培して子どもを育てられると信じています。そして、事態が何も変わらなかったり、変えようとするあなたの試みにパートナーが抵抗すれば、あなたはイライラし、落胆して、怒りや敵意や不安さえ抱くのです。

天使が言っているのですが、ここでの問題は、反抗的なパートナーのほうではなく、あなたのソウルメイトへの愛が条件つきのものだということです。つまり、相手へのあなたの愛には、相手が変わってあなたを喜ばすという条件がついているのです。しかし、自分を変えたいと思っている人はほとんどいません。彼らは、相手が自分を大きく変えようとしているとき、その人の愛は条件つきのものだと感じます。そうなると、感情的な痛み、離別、口論、パワーの闘いは避けられないでしょう。

また天使の指摘ですが、相手の人を変えようとするのは、自分やパートナーに対するひどい仕打ちになります。あなたは自分の時間を無駄にして、自分の欲求に合うパートナーと一緒にいる可能性を逃してしまうのです。さらに、現在のパートナーが無条件の愛を経験するチャンスも奪ってしまいます。相手を変えようという無駄な努力で二人とも傷つくのではなく、あなたのパートナーのありのままの姿を受け入れるか、別の道を進むほうがよいでしょう。

天使が悲しんでいるのは、すべての人間が温かで包括的な無条件の愛を求めながら、他人への愛には条件をつけてしまうことです。

四十二歳の離婚経験者テレサもそんな一人でした。彼女は、どうすればボーイフレンドのチャールズのたび重なる浮気をやめさせられるかが知りたくて、私のセッションにやってきました。テレサは、二人の関係による感情的苦しみに目を閉じていました。彼女は話をしながら、涙の跡の残る顔に髪の毛がかからないように、白髪まじりの髪を後ろに束ねようとしました。

「一緒にいると、チャールズは、私のことをとても特別で大切な存在として扱ってくれます。でも、彼は、いつも新しい女性と浮気をしては私を裏切っています。これまで数えきれません。問いただすと、彼はすぐに泣いて、私を愛しているのに、どうしてそんなことをしてしまうのかわからないと言うのです。そしてもう二度としないと誓います。でも、また何週間かすると、裏に電話番号が書かれた女性の名刺を持っていたり、財布にコンドームが入っていたり、帰宅したとき体に香水の香りがついていたりするんです。さらには、私が出るとすぐに切れてしまうような変な電話もあって、またただとわかります。前のガールフレンドとも同じ問題があったのだと思います。でも、私はチャールズを愛しているんです。このことさえなければ、私たちは完璧なカップルです。初めて彼に会ったときから、彼が自分にぴったりだとわかりました。裏切り行為さえやめてくれれば、彼はこれまで出会った男性の中で最高の人なのです。どうやったら彼に誠実でいてもらえるか、天使に聞いてもらえますか？」

私が答えようとするのをさえぎり、テレサはさらに話し続けました。

「私は全身全霊で彼を愛しています。彼とはぴったり気が合い、一緒にいて楽しめる初めての人なんです。彼の浮気を知ったとき、ショックで死にたいくらいでした。彼を愛していますが、ときどき、自分にこんな仕打ちをするのに腹が立って殺してしまいたくなります。そんなふうに思うべきじゃないとわかっているので、嫉妬や怒りを抱かないように努力していますが……。一体、私はどうしたらいいんでしょうか？」

やっとテレサは話すのをやめて、私のほうをまっすぐに見ました。天使の聖なる処方箋が聞きやすくなる半トランス状態に入っていくまで、私もしばらく彼女を見ていました。数秒もしないうちに、彼女の天使が右の耳元で話しかけてきました。

『親愛なるテレサ、あなたは自分に厳しすぎます。チャールズへの嫉妬心は正常なものです。彼は温かさや愛を与えてくれ、あなたのありのままを受け入れてくれました。

あなたの心はそれに対する感謝と愛でいっぱいです。彼の浮気に、怒りや嫉妬や恥ずかしさを抱く自分を責めないでください。自分にとって神聖であるつながりが、彼にとってはさほど大切ではないと知ったときの正常な反応なのです。でも、チャールズは、あなたにもほかの女性にも誠実でいられない人間だとはっきり示しているはずです。そのことをあなたは、受け入れられますか？』

テレサは答えました。

「いいえ……でも、どうすれば彼を変えられるか教えてくれますか？」

彼女は、天使のメッセージに明らかに驚いたようでした。彼女は、チャールズを自分だけとつきあうようにさせる方法を教えてもらえると思っていたのです。

天使は、彼女のソウルメイトに対する条件つきの愛について、はっきり指摘しました。

『あなたはチャールズを、今の姿からまったく別のものに変えようとしています。それは、彼が望んでいないものです。本当の愛は、ありのままの姿を受け入れることと覚えていてください。あなたを愛する人が、あなたの芸術への興味をあきらめさせるのに多くの時間を費やしたらどう感じるでしょうか？　ありのままの彼の姿を喜んで受け入れられなければ、あなたは別のソウルメイトを探さなければなりません』

テレサは、涙を流し、身悶えていました。

「一番の親友から真実を教えてもらった気がします。心の奥底では、チャールズが、二人の関係を私と同じようには感じていないとわかっていたんだと思います。とても辛いことなので、立ち直るにはもう少し時間が必要ですが、これ以上自分の必要なものを与えてはくれない関係に関わるべきではないとよくわかりました」

天使は、処方箋をこう締めくくりました。

『私たちは、あなたが真に望んでいるのが、自分と同じように愛を神聖なものと考え、あなたとだけ愛を分かち合うソウルメイトであるとわかっています。チャールズのよいところと、あなたの望む貞節を兼ね備えたような男性です。あなたに優しく接し、あなたとだけ一緒にいたいと思う人と出会えたら、あなたは幸せですか？』

「もちろんです」

テレサは答えました。

テレサは、一人の女性だけとの関係には興味がないというチャールズからのあらゆるサインに、慎重に目をそむけていました。彼は、彼女を愛していたかもしれませんが、それはまだセックス以上のものではありませんでした。テレサはそんなサインを無視していたせいで、地獄の苦しみを経験したのです。

天使の処方箋

相手を変える必要があれば、その人はあなたのソウルメイトではありません。人を変える努力は、常に時間の無駄となります。その人のありのままの姿を心から受け入れられないなら、その人はあなたの求めるソウルメイトではありません。

真剣な関係になるための処方箋

多くの人が、すばらしい関係を実現できないのは、愛する人を見つけられないからではありません。問題は、あなたの見つけた人が、真剣な関係になりたくないか、そうなれない状態にあることです。

彼らは、結婚はもちろんのこと、あなただけとつきあう約束さえできないのです。どんなに必死に探しても、あなたはいつも、既婚者や、自分とは違う性的志向者、刑務所に入るような人、さもなくば、結婚したりパートナーとなる可能性もないような人ばかり愛してしまうのです。

神や天使たちは、こんな状況にあなたが置かれているのではないかと心配しています。天使たちは、それらの道は無駄な苦しみに通じると知っています。あなたとの関係に真剣になれない相手に苦しみ、絶望しているとき、天使たちはずっとあなたのそばにいて、それを見ていなければなりません。さらに、あなたが、そんな将来性のない関係に時間やエネルギーを浪費し、天が送った真のロマンスのチャンスを見逃してしまうのを、手をこまねいて見ていなければならないのです。天使は、そばにいてくれない相手にあなたが苦しみ続けるのを望みません。彼らの処方箋は、有能なセラピストのように、パートナーの説得ではなく、なぜ自分が深い関係になれないような相手ばかり選ぶのかをじっくり考えるべきだと言います。自分が、深い関係になることやパートナーを失うことを恐れていないか、考えてみるようにアドバイスしています。

ブレンダは三十七歳で、今一番夢中になっている男性ステファンについて相談にきました。

彼女は何度も、彼をボーイフレンドと呼んでいました。ステファンは、ブレンダよりも二歳年上で、結婚経験はありません。しかし、ブレンダと出会う前に何人かのガールフレンドと交際し、同棲経験もありました。

ブレンダも、ステファンと出会う前は、ドルーという医学生と同棲していました。彼を情熱的に愛していましたが、彼に、大学を卒業し開業して軌道に乗るまでは結婚できないと言われたので別れました。それからブレンダは、ドルーの昔のルームメイトと恋に落ちました。彼はふだんはとても優しい青年でしたが、度を越した飲酒運転で刑務所に入ってしまいました。その後、既婚者の上司と長く不倫関係にありました。彼は妻と離婚して彼女と結婚すると誓っていましたが、いつもその約束を引き延ばす理由を見つけていました。ある日とうとう、彼は妻とは別れられないと告げ、ブレンダと別れたのです。そしてブレンダは、アーネストと熱烈な恋に落ちました。彼は独身で妻を探していたはずでしたが、半年後、実際には既婚者で、彼女にウソをついていたことが発覚したのです。次にやってきたのが今の恋人で、真剣な関係になることに怖気づいているステファンでした。彼女を愛していると言いながら、結婚にはまったく興味がなく、それを証明するように、女性との過去のつきあいは、短いものばかりでした。

ブレンダは、ステファンの言うことを真剣に受け取ろうとしませんでした。彼は運命の人で、後ろからちょっと押してもらえばいいだけ、と信じていたのです。

「私たちには共通点がたくさんあります。私は彼にとってぴったりの女性ですし、彼は私にぴったりの男性なんです。でもどうして、それを理解してくれず、真剣につきあえない男性とばかり恋に落ちるのでしょうか？」

天使はこう言いました。

『親愛なるブレンダ、真剣な関係になる準備がないと言った彼の言葉を信じてください。そして、あなたに心惹かれた男性が、すべてそうなのではないと理解してほしいのです。手に入らない男性に惹かれているのはあなたのほうです。あなたは心の一部分で愛と親密さを求めていますが、もう一部分では、安全な関係を求めています。つまり、あなたは相手に対して完全には心を開けず、ほかの人たちのように、傷つき、拒絶され、見捨てられることをひどく恐れて、リスクをとれずにいるのです』

これは本当かどうか、過去に本当の愛を失うことを恐れるような出来事があったかと、ブレンダに尋ねました。

ブレンダは、七歳のときに両親が長期にわたる過酷な争いの末に離婚したと打ち明けてくれました。ある日、父は目の前から消え、それ以来たまにしか会えませんでした。何年もたって大人になってから、父がブレンダに連絡できないように、母があらゆる策を練っていたとわかりました。それを知ったときには、悲しいことに父はすでに亡くなっていました。ブレンダは見捨てられたという気持ち、憂うつ、罪悪感を心から完全に消せないまま、今までずっと引きずっていたのです。

『本当の愛の関係への恐怖心を消せるように、この傷を癒す助けをしましょう。私たちがその仕事をしてあげます。あなたはただ、私たちが助けることを許してくれればいいのです。それに同意できますか？』

ブレンダは深い呼吸をしました。

「わかりました。やってみます。どうすればよいのですか？」

『両親に抱いている許せない気持ちを進んで手放してほしいのです。彼らに対するあなたの愛の苦しみをすべて手放してください。さらに、愛を与えるときに感じる傷つけられるかもしれないという恐怖感も手放しましょう。そして、愛されたときの恐怖も進んで手放してください。そこには、見捨てられ、拒絶される恐怖、愛すべき存在ではないと思われ、傷つく恐怖も含まれています。愛に関わるすべての苦痛を、安らぎと入れ替えましょう』

天使が話をし、浄化作業を行っている間、私はブレンダの姿勢がリラックスしてきて、呼吸がゆっくりとなり、深くなったのに気づきました。

「ずいぶん気持ちが軽くなった気がします」そう言ってから、一生懸命考えたようにこう言いました。「ステファンとうまくいくチャンスはやっぱりないんでしょうか？　彼の心は変えられないんですか？　だって私たちはお互いに本当にふさわしい相手なんです」

天使たちは次のように言って、彼女を安心させました。

『あなたを愛し、真剣な関係になれる別の男性が待っていて、彼は今の関係であなたが楽しんでいるものをすべて与えてくれると信じてください。あなたは個人的に拒絶されたわけでも、魅力が不足しているわけでもありません。ステファンが、結婚のような重大なものへ足を踏み入れるほどまだ大人になっていないだけです。彼の過去は、そのことを十分に示しているはずです。彼は今、精いっぱいの愛で、あなたを愛しています。それでもまだ、誠実で、サポートし、愛にあふれた夫となる人物からはかけ離れています。彼の準備ができるまでには長く待たねばならないでしょう。その間に、結婚や真剣な関係を望んでいる素敵な男性とソウルメイトになるチャンスを逃してしまいます。それが、あなたの本当に望むことですか？』

そうではないと、ブレンダは認めました。

彼女と私は、さらにしばらく話をし、セッションが終わったときには、彼女の物の見方は明瞭になり、ステファンとの関係を終わらせる強い決心をしていました。ブレンダは、自分の思いを正直に語ってくれた彼に感謝し、正直でなかったのは自分のほうだったと気づいたのです。

天使の処方箋

真剣なパートナーを見つける際の障害になっている恐れを進んで手放しましょう。そうすれば、あなたと同じように永遠に続く関係を望むソウルメイトと出会えるでしょう。

破滅的な愛に対する処方箋

ひとにぎりの悲劇的な人たちにとって、ソウルメイト探しはいつも悪夢に変わります。愛や幸福を見つけるどころか、いつもイライラや苦痛に満ちた関係となってしまいます。彼らは、気の合わない人や手に入れられない人、無関心で、虐待をし、破壊的で搾取するパートナーばかり選んでしまうのです。そして、セラピーに行くはめになったり、ひどい場合には、精神科や家庭内暴力の保護施設に入ります。彼らは自分のパートナーを責め、自分自身を責め、神を責め、どうして自分は愛の敗者なのか、どうして人並みの関係を見つけられないのかと悩んでいるのです。

天使はこのようなことが起こると、その人の運命というより、相手に対する好みに問題があると言っています。思いやりのあるすばらしいソウルメイトがいつも周りにいるのに、彼らは気づかずに、ただ顔を見ているだけなのです。そして、自分にとって危険な性質を持つ人のほうに引き寄せられ、ワクワクしています。

その結果、彼らは一番ふさわしくない危険なパートナーに心惹かれ、恋に落ちます。子どもを持つことが自分にとって一番大切なのに、子どもを望まない人に夢中になるというものから、虐待者や、危険で暴力的な恋人にひどく執着してしまうという深刻なケースまでいろいろあります。

ロマンスの天使はいつでもソウルメイトを求める祈りに答えようと努力していますが、まずは自分の好みを変えない限りは、理想的なパートナーを拒絶し続けるパターンのままだと言っています。

レネもそんな一人でした。彼女は小さな出版社の社長秘書でしたが、泣きながら私のところへやってきました。レネは、神や天使に、自分が夢見る愛にあふれた男性へと導いてくれるようにお願いしていました。でも、まさにその相手だと思う男性と出会うたびに、実は暴力をふるう人だったり、アルコール中毒が判明するのです。

彼女はむせびながら言いました。

「私はずっとソウルメイトを探してきました。でも出会うのは、負け犬のような人か虐待者ばかりです。ボーイフレンドたちは、身体的にも、言葉でも、私を虐待します。最初は素敵に見えるのに、暴力をふるい、酒を飲み、依存症で、ギャンブル癖のあることがだんだんわかってきて、それから私を裏切るようになるんです。振り返ってみると、つきあい始めの頃から、兆候はいくつもあったと思いますが、相手に対する強い思いから見えなくなっていました。一体、私のどこが悪いんでしょうか？　自分に優しく接してくれて、信頼でき、よい父親になれそうな男性に出会いたいだけなんです。なのにどうして、いつもひどい男性とばかり出会うのでしょうか？」

私はロマンスの天使からの答えを伝えました。

『私たちは、男性の選択について何度もあなたと衝突しています。私たちはいつも、あなたにとって完璧なパートナーとなる男性を送っていますが、あなたは見逃しています。あなたの男性の好みを変える手助けをしようとしていますが、それに抵抗しているのです。真のソウルメイトに出会うには、まずその態度を変えなければなりません』

レネは、自分はいつもたくましい男性や、強くて頑固で危険な香りのする男性にばかり引き寄せられると認めました。

「見ているだけで興奮し、セックスもすばらしいからです。でも、そんな男性はたいてい支配的で、虐待癖のある男性だと後になって判明するんですが……」

天使は言いました。

『私たちは、あなたとうまく折り合おうとしています。なぜなら、私たちがあなたのパートナーに望むものは、あなたの望みと少し違うからです』

レネは繊細なたましいの持ち主なので、もっと愛情を表現してくれる神経のこまやかな男性なら幸せになれると、天使にはずっとわかっていました。しかし、天使がふさわしいソウルメイトに出会えるようにお膳立てしても、レネには彼らの存在がまったく見えませんでした。彼女は、間違ったタイプの男性にばかり惹かれていて、ぴったり合うタイプの相手には見向きもしなかったのです。

レネは、天使が話したようなひらめきを受け取ったことがあると言いました。私は、直感によって天使から導きを受け取っているということだと説明しました。そして、天使が、アレンジしたいと思っている幸せな恋愛にめぐりあうには、まずはたくましい男性への欲望を改める必要があると伝えました。

天使は加えて言いました。

『あなたは厳格で、要求の高い父親から言葉での虐待を受けて育ちました。そして、彼が正しくて、自分はそうされて当然と信じ始めたんです。まもなく、父にされたように、自分のささいな欠点ばかり誇張するようになり、自分への扱いを正当化していました。そうして、同じようにあなたを虐待する人を引き寄せるようになったのです。やがて、虐待しない男性との関係を不快に感じ始め、虐待しない相手は、馬鹿か意気地なしに違いないと考えるようにまでなってしまいました。私たちがあなたにふさわしいソウルメイトを連れてくるたびに、あなたはその男性を見下しているのです』

私は彼女に助言しました。

「自分から進んで変えられるように、天使に助けをお願いしてください。天使は、現在のあなたが好きな男性のイメージを、自分から進んで手放そうとはしていないと言っています。ですから、何のお手伝いもできないのです。あなたが天使の行動を封じ込めています。理解できますか？」

「はい、わかります。でもセックスについてはどうなんでしょうか？　天使がどんな男性を勧めているのかはよくわかっています。経理のモシェのような男性です。彼は落ちついていて、家庭的です。みんなが、私たちはとてもいい組み合わせだと言っていて、彼からも何度かデートに誘われました。でも、私にはピンとこないんです。彼は私を興奮させてくれません。むしろ私は、マーケティング部のラルフィーと出かけたいのです。彼のほうが私のタイプです。いずれ苦い経験をして、彼にもまた虐待癖があって、アルコール中毒者だとわかるんでしょうが……。でも、モシェのような人と結婚したら、夫婦生活がつまらなくて自分を責め続けるはずです。うんざりするような男性のそばで、どうやって興奮できるんでしょうか？」

私はレネに、これは二者択一の問題ではないと言いました。天使は何も彼女から、満足のいくセックスを奪いたいとは思っておらず、そのジレンマに対する天からの処方箋がありました。彼女は、安全で、快適に人生を分かち合い、さらにとても刺激的なセックスも楽しめるような相手に出会えるのです。

「私の男性の好みがもっと健全なものになれば、そんな男性に胸をときめかせるようになるんですか？　彼らがドキドキさせてくれるんでしょうか？」

天使たちはレネに拍手を送りました。

『その通りです！　あなたがそんな男性に出会う準備ができたら、彼らは情熱をかき立て、その上、あなたに値するような愛に満ちた優しさで接してくれるでしょう。でも、それにはまず、自分が虐待されても仕方がないと信じている自己非難をやめるか、ずっと減らさなければなりません。そうして初めて、破滅的な関係を引き寄せることがなくなります。

それが肉体的だろうが、精神的だろうが、スピリチュアル的、知的なものだろうが、どんな形の苦しみを感じても、それに気づき、そういった思考にもっと敏感になってください。気分が悪いとき、自分がどんなことを考えているかに気づいてください。その考えを日記に書いて、次のように自分に尋ねましょう。

「この考えを、どんなポジティブな考えに置き換えられるだろうか？」

やがて、あなたは、自己嫌悪の思考に気づけるようになり、それを自分への愛に満ちた思考と置き換えられるようになるはずです。日記は長くは必要とはしませんが、初めのうちは、新しい愛の経験を得るための道具として用いてください』

さらに、私は加えて言いました。

「覚えていてください。天使たちは、あなたをコントロールしたいのではありません。あなたが自分の本当の意志を実現できるように助けたいのです。本当の意志とは、あなたがこれまで経験していたジェットコースターのような関係ではなく、穏やかな興奮をともなった、幸せで、長期にわたる仲睦まじい関係を築くということです。この意味がわかりますか？」

レネはうなずきました。

最後に彼女と話をしたときには、この聖なる処方箋を胸にしっかり刻んでいるようでした。彼女は虐待を加えるボーイフレンドと別れ、自分の思いを毎日、日記に書いていました。レネは、だんだん幸せと自由と快活さを感じ始め、これまでとは異なるタイプの男性に惹かれるようになったと報告してくれました。気分はずっとよくなり、男性との関係に飛び込んでいく必要をあまり感じなくなっていました。私がレネと話していると、レネの天使が、彼女はすでに本物のソウルメイトを引き寄せていると話すのが聞こえました。私はレネがもうすぐ、以前なら「退屈」だとレッテルを貼ったような男性と恋に落ちるだろうと感じたのです。

天使の処方箋

あなたは、自分に値すると信じているようなパートナーを引き寄せます。自分は虐待や軽蔑や無関心に値すると信じていれば、それがあなたの経験する関係になるでしょう。愛や尊敬や慈しみに値すると信じていれば、そんな愛を見つけられます。

chapter 5
結婚や親密な関係のための処方箋

恋愛を求めているとき、さまざまな拒絶や不幸や苦痛を経験します。しかし、結婚や長期の関係にトラブルが生じたら、その苦しみのほうがはるかに大きいことは容易に予想できるでしょう。すべてがうまくいっているときには、パートナーとの協力関係の喜びや満足感に匹敵するものはありませんが、いったんうまくいかなくなると、愛情ゆえにもたらされる激しい苦しみほどひどいものはないのです。誤解やいさかい、感情を傷つける行為、経済的なプレッシャーや不貞のようなパートナーシップへの外的な脅威は、人生の何よりも大きな苦痛をもたらします。

セラピストへの一番多い相談が、親密な関係の崩壊や離婚にともなう痛みや罪悪感です。それらは毎日のニュースにもなっており、自殺や殺人の主たる原因でもあります。関係に終止符を打つのはあまりにも苦痛を伴うものなので、人はたとえ悪夢のような関係でも、苦しみながらでさえそれを続けようとします。

夫婦関係について助けを求めると、天使がただちにやってくるのはそのためです。あなたのパートナーシップは、現在は落ち着いていますが、これから起こるかもしれないありがちな夫婦間の問題について、天使がどんな処方箋をくれるのかに興味があるかもしれません。ひょっとすると、あなたとパートナーの間にはいさかいがあり、それが関係を脅かすほど波立つ前に、問題を片づけておこうと思っているでしょう。また、天からの処方箋でしか修復できないような大きな結婚生活の危機に直面しているのかもしれません。倦怠感、不貞、性的問題、口論、その他のどんな問題に対しても、天使たちは実用的な解決法を持っているのです。

天使たちは何度も、すばらしいアドバイスを私のクライアントに与えて、その能力を示してきました。そのアドバイスで、修復不可能に見えたあらゆる結婚を救ってきたのです。天使たちは、結婚や約束を交わした関係を救うことに、多くの理由から深い関心を寄せています。

たとえば、最初にあなたたちを引き合わせた天使は、あなたとパートナーが、互いにイライラすることはあっても二人は癒しを目的として一緒にいるので、より強くなり、幸せになれると知っているのかもしれません。さらに、天使は、自分たちの口論で子どもにトラウマ（心的外傷）を与えている夫婦に、夫婦間の役割分担とコミュニケーションについて、よりよい方法を教えようと介入することもよくあります。

天使が最善を尽くしても、当事者の二人は共に関係から抜け出したいとは思わず、何も積極的に変えようとしない場合もあります。結婚が解消されれば、天使たちは移行をスムーズにし、本人たちや子ども、他の家族の辛さを取り去ろうとしてくれます。

私はどんな関係もスピリチュアルで癒されるものと信じていますが、二人が明らかにもはや一緒にいるべきではない例もたくさん見てきました。実際、離婚や別れによって、彼らの人生は大きく改善されたのです。私たちが聖なる導きに従っている限り、離婚をしても罪悪感を抱く必要はありません。それは失敗のサインではなく、学びと成長のチャンスなのです。もちろん、子どもが関わっていれば傷つける可能性があるので離婚はより深刻な問題となりますが、両親の争いから解放され、恵みを得ることになった子どももたくさん見てきました。

私の臨床経験、個人的体験、そして天使との経験から、すべての結婚や家族に一つのガイドラインがあるのではなく、それぞれ独自の規則に従っていることがわかりました。神や天使に関係への癒しや導きをお願いすれば、たとえ別れる結果になっても、すべては改善されるでしょう。「結婚を続けるべきか、やめるべきか？」と悩む人への天使からの処方箋は、あなたのパートナーのガーディアン・エンジェルに、その状況を癒してほしいとお願いすることです。でも、彼らに、どう癒してほしいかは特定しないように注意しています。それは神や天使にまかせてください。彼らには、どの方法があなたがた二人にとって一番幸せな結果をもたらすか、わかっているのです。

もしあなたの関係が常より多くの助けを必要としているなら、精神的な癒しを与えてくれる大天使ウリエル（巻末付録Aを参照してください）をあなたのそばに呼んでください。ウリエルは、傷ついた心と自尊心を癒してくれ、ゆがんだ先入観なくコミュニケーションできるようにしてくれるでしょう。さらに、彼は、問題のあるカップルを地上での適切な助けへと導いてくれます。つまり、熟練した結婚カウンセラーやサポートグループや愛にあふれた友人などに出会わせてくれるでしょう。

手放すための処方箋

二人の関係が終わったにもかかわらず、愛情への飢え、罪悪感、義務感から関係を続けるのは、自分と相手の双方にとってよくないのはわかっているはずです。でも、あなたの一部分は、その考えにとても傷つき、痛みを感じ、自分にとって大切だった愛が終わることに打ちひしがれています。本能的に、どんな犠牲をはらっても手放したくないと思っており、双方にもう何の思いも残っていないことさえ認めたくありません。あなたは、その関係にしがみつき続けるでしょう。おそらく、相手があなたに見切りをつけても、すべてのサインを否定し、自分が思うほど悪くないことを望み、何とか修復でき、再び元に戻れるよう願うのです。去ったものに必死にしがみつくことで、あなたがた二人はもっと苦しむことになります。怒りがつのり、傷つけ合い、取り返しのつかない言葉が飛び出すでしょう。

天使は、あなたがた双方が傷つくのを見たくはありません。二人にまだポジティブなものが残っているうちに、聖なる癒しの処方箋を与えようとします。でも、二人の間に愛があるにもかかわらず、その関係はもはや有益ではなく、満足できるものでないときもあります。こんなことが起こると、天使たちはその関係を手放し、二人の間のポジティブで愛にあふれるものを救うのに一番よい方法を示してくれます。

エリースは、インターネットによる生涯教育機関のディレクターでしたが、ここ数年間、不幸な結婚生活を送っていました。子どもたちは成長し、彼女自身はスピリチュアルな道にしっかり腰を落ち着け、より深い意味のある結婚生活を強く望んでいました。彼女はアカデミックな分野から自分がもっと満足できる分野、つまり人生の目標を達成する方法について人々にコーチすることへと方向を変えることにしました。しかし、工学部の教授である夫は、スピリチュアルな世界には興味がなく、エリースが仕事を変えれば収入が減ることに不賛成でした。さらに、妻に影響を与えた本を一冊も読もうとせず、彼女が興味のある講座にも一切参加しようとはしませんでした。必然的に二人の距離はだんだん離れていき、頻繁に激しい口論をするようになったのです。

エリースは私のところに相談に来る前に、そんな状況を解決するためにいろいろな方法を試していました。彼女は夫にカウンセリングを提案しましたが、拒否されました。二人とも同じくらい不幸だったので、エリースは離婚という提案もしてみましたが、夫はそれにも大反対でした。

ある夜、エリースは、私の講座に参加しました。そこで私は、天使たちが離婚や人間関係の崩壊をどう見ているかについて話しました。私たちの人生に訪れる人はみな、癒しの目的で来ると天使が話していると聴衆に伝えました。最終的には、一人ひとりがあなたの教師になり、天からのメッセージの伝達人になるのです。その人は、具体的な天使のメッセージをあなたに与え、忍耐のような苦労して手に入れたレッスンを教えてくれます。あるいは、あなたが自分の目的に近づけるようなチャンスを提供してくれます。これらの友人の中には、短い間だけあなたの人生にやってきて出ていく人もいれば、何年間もいる人もいます。

あなたが一人の人との仕事を終えると、目的が達成され、もはやその相手に引き寄せられなくなります。天使は、関係が終わったと思ったら、少し安らぎを得るために休むことが大切だと言っています。

『自分や相手に、よい、悪い、正しい、間違いというレッテルを貼るのはやめてください。レッテルは不正確なだけでなく、あなたにとっても相手にとっても辛い感情を引き起こすだけです。もし、友情から身を引くことで罪悪感を抱くなら、あなたは苦しみを感じるでしょう。結局、罪悪感はいつも罰せられることを求め、それが現実のものとなります。そうではなく、あなたがパートナーと分かち合ったよい時間に対して、感謝の気持ちと態度でいてください。心の中で、「私はあなたを許します。私は自分自身を許します。そして、執着せずにあなたを解放します」とパートナーに言いましょう。それから何が起こるかは聖なる導きにまかせてください』

不幸な関係を続けるべきかどうか考えている人に、天使からの次のような導きを与えてセッションを終えました。

「あなたのパートナーのガーディアン・エンジェルに話してください。そして、二人の関係の将来について説明してくれるように天使にお願いしてください。平和的に終止符を打つか、和解するかのどちらかになるように、相手のガーディアン・エンジェルに助けてもらいましょう」

数週間後、エリースは私に、このセッションの最中に自分が経験したことを話してくれました。

「私が主人のガーディアン・エンジェルにお願いしたヒーリングが、必ずしも結婚を続けるためのものでないことは、自分でもよくわかっていました。私は、何かもっと大きいものをお願いしていたのです。夫との関係における否定的なものや苦しみすべてを癒してもらうことです。

私には天使が見えず、自分自身に話しているような感じでしたが、天使の導きに従って、心の中で主人のガーディアン・エンジェルに話しました。私は自分の苦しみを分かち合い、聖なる解決法をお願いしました。ガーディアン・エンジェルに、この関係を続けることは、もはや私には受け入れられないと話し、スピリチュアルなパートナーシップを築きたいという決心を告げました。私は、自分の結婚生活に再び意味を見出せるか、それとも夫が私を解放してくれるよう望んだのです。そして結婚を続けるべきか、やめるべきかという考えを手放して、その状況への癒しを受け取ることに集中しました」

エリースは、どんな癒しになるかは考えもせずに、癒しを求めてただ祈り続けました。そして、夫のガーディアン・エンジェルに毎日話をしたのです。二ヵ月もしないうちに、奇跡が起きたと話してくれました。

「主人が、はっきりと、しかも優しく私に言ったんです。『頭では無理かもしれないが、私は心の中で君をずっと愛するだろう。今、君は私とは違う方向へ進んでいる。自分が君の方向へ一緒に進んだらどうなるかを真剣に考えてみた。それは私には正しくない道だとはっきりわかったよ。私たちは別れるときなのかもしれない』

私はびっくりしました。夫がこれほど心を開いて話してくれたのは初めてだったからです。カウンセラーにも頼らず、これほどの明解さと安らぎを得たことに、私はショックを受けました。まるで、私が彼のガーディアン・エンジェルと話した会話をすべて聞いていたとしか思えません。

それから私たちは、円満に別れました。今では結婚生活の末期よりも、はるかによい関係です。天使からのたくさんのガイダンスによって、私たちはよく考えて離婚という決着をつけました。私たちにお互いを自由にするだけの愛情があるとわかったので、子どもたちもこの離婚を立派に受けとめてくれました」

天使の処方箋

自分のガーディアン・エンジェル、あるいはパートナーのガーディアン・エンジェルにお願いしましょう。具体的な結果やヒーリングの形態にこだわらずに、ただヒーリングを求めてください。

「隣の芝生は青い」という思いに対する処方箋

一緒に過ごして数年もすると、どちらか、あるいは両方が、隣の芝生はもっと青いというわなに陥ります。つまり、まだめぐりあっていないパートナーのほうが、現在の相手よりもいいかもしれないと思うのです。私は、すでに約束した相手がいる人や既婚者が、本当のソウルメイトに出会い、今までの相手は違うとわかったと訴える相談にたくさんのってきました。彼らは次にどうするべきかのアドバイスをほしがり、心の中で、新しい恋人が自分の運命の相手で、その相手と一緒になるために今の相手を捨ててもよいという許可を、私からひそかに求めていました。

でも、そんな人たちはたいてい、出会ったばかりの人をバラ色のめがねで見て、自分の理想的なイメージをその相手に投影しているだけなのです。それはまさに、現在の相手に初めて会ったときにもしたことでした。その新しい相手と毎日暮らすようになれば、今ワクワクしているロマンチックな人物も、いずれは以前の相手と同じになってしまうでしょう。

結婚生活の長いアースラは、広告のコピーライターをしていますが、まさにそんな状況に陥っていました。彼女は、「自分の人生を完全に変えたすばらしい男性」と出会ったとき、現在のパートナーがこの理想的な相手と一緒になる邪魔をしていると思い始めました。

「新しい彼は、まるで私の天使のようです」

彼女は大げさにしゃべりたてました。

問題は、彼女の天使、つまり恋人であるマーケティング部のビクターも既婚者で、彼女と同じように幸せではなかったことでした。二人とも子どもがおり、現状に心地よさを感じていませんでした。まだ深い関係にこそなっていませんでしたが、頻繁に、人目につかないようにランチやディナーを重ね、アースラはこれ以上、ただの友人でいるのにはがまんできないと感じ始めていました。

アースラは、私にこう言いました。

「もうビクターのことを考えるのはやめようと努力しましたが、彼は私にとって本当に完璧なんです。間違いは犯したくありませんが、ビクターと一緒にならずに、愛のない結婚生活を続けるほうが間違っている気がします。私の夫はよい人なので、彼も自分のソウルメイトを見つけるべきです。彼を自由にしてあげるほうが、私たち二人にとってよいことなのではないでしょうか」

それから、アースラは、ここに来た理由である質問を天使にしました。

「ビクターは、私が将来をともにする人物ですか？　彼のために離婚するべきでしょうか？」

アースラは、家族のもとを去り、この新しい相手と結婚して、永遠に幸せに暮らす許可を神から得たがっていました。私はたいてい、クライアントが何を話してほしがっているかがとてもよくわかるので、聞きたくないことを伝えるのは決して楽しいことではありません。

アースラが話しているとき、私はすでに半トランス状態に入っており、天使たちはせわしく話しかけてきました。セッション中、私には意識を二つに分けることが要求されます。つまり、クライアントが現実世界で話していることと、彼女の天使がスピリチュアルな世界で話していることの両方に意識を向けるためです。

アースラが質問したとき、私は深呼吸して、天使が動き始めたのを感じました。まるで、天使はスピーカーを手にとり、私を通して直接アースラに話しているようでした。天使たちは次のように話しました。

『恐れや罪悪感ではなく、あなたの中にある愛によって決断ができるように助けましょう。あなたは、自分の欲求が現在の結婚で満たされていると思っていません。すばらしい愛を求めており、抱きしめられ、賞賛されるのを切望しています。私たちにはわかっています。

あなたは、この新しい男性と一緒のときに感じる無条件の愛の感覚を楽しんでいます。でも、愛の源は、他人ではなく内側にある自分のスピリットだと思い出すことが大切です。ソウルメイトの関係から恵みを受けて楽しむのに、必ずしも結婚する必要はありません。夫婦の契りのないほうがいい場合もあるのです。というのは、セックスが、すばらしいソウルメイトとの関係を複雑にしてしまったり、壊すことさえあるからです』

私はアースラに、心理学者として愛にあふれた方法ではっきり言いました。

「アースラ、これから言うことは、私が話すことです。そう言うように導かれました。どんな決断を下すとしても、まず自分が明瞭になって、確信しなくてはなりません。そして決断したら三日間待って、まだ同じように思うか確かめてください。既婚者との交際は、たいてい心の痛みをともないます。既婚男性で、妻のもとを去る人はほとんどいません。子どもがいれば、なおさらです。天使も私も、この新しい男性はあなたの大切な友人にして、ロマンチックな欲求は別の選択肢で満たすほうがいいだろうと考えています」

アースラは安心したようでした。きっと、倫理的にもスピリチュアル的にも正しくありたいと思っていたのでしょう。彼女は現在の結婚が不幸だったので、夫のもとを去るのが正しいと思っていましたが、双方の配偶者と子どもへの影響を心配していたのです。そして、もちろん、自分の新しい関係が将来的にどうなるのかも気にしていました。この解決法は、誰も傷つけずに、両方の一番よい部分を彼女に与えてくれるように思えました。

天使はこう説明しました。

『私たちは、自分の倫理観にそむかなければならない関係は勧めません。あなたが、自分自身と現在の結婚に真に向かい合えるようにお手伝いします』

この時点で、アースラは、座ったまま居心地悪そうにもじもじしました。それでも、天使からの処方箋が正しいと理解し、受け入れていました。彼女には、軽率な不倫や離婚で現在の結婚問題から逃げるのではなく、その問題と折り合いをつける強さがありました。自分が夫と一緒にいたいのか、ビクターと一緒にいたいのかはまだわかりませんでしたが、少なくとも、肉体関係なしにビクターを自分の人生に置いておく選択肢もあると知ったのです。

天使たちは決して道徳的な話はしませんが、倫理上の問題となると、常識的なことを話します。自分自身の規範を破った人は、辛い罪悪感を抱くだろうと言っています。アースラの場合も、不倫しそうだからといって彼女の手をぴしゃりとたたくことはありませんでした。単に、彼女やほかの人を苦しめない方法で、彼女の欲求が満たされる処方箋をくれたのです。

天使の処方箋

柵を飛び越えて、もっと緑色に見える隣の牧場のほうへ行く前に、自分の現在の人間関係において十分に折り合いをつけてください。

仕切りたがる人のための処方箋

自分の問題を解決したり、悪状況を改善するのにあまりにも一生懸命になりすぎ、物事をさらに悪化させる場合があります。状況を仕切りすぎるのは、車の急ハンドルのように危険です。物事は、まっすぐスムーズに進むのではなく、左右で大幅に向きを変えるものだからです。

いつも仕切る習慣を身につけてしまうと、それをやめるのは難しいかもしれません。たとえ、状況を変えてほしいと聖なる助けを頼んでも、自分で状況をよくしようと懸命に努力しすぎて、天使たちの邪魔をしてしまいます。天使に助けをお願いしたら、彼らの仕事の邪魔をしてはいけません。天使を、スポーツチームの一員にたとえてみましょう。チームメイトに助けてもらうには、まずあなたがボールを手渡す必要があるのです。人々は何度も助けをお願いしますが、状況の支配権を失うことを恐れて、自然に何かが起こるのを許していません。

パトリスは、十五年にわたる夫キースとの結婚生活に助けを求めてやってきました。

「私たちは口論ばかりしています。夫と息子はいつもけんかばかりしていて、私が仲直りさせようと間に入ると、今度は夫と私がけんかしてしまうんです」

虐待こそありませんでしたが、キースは息子に少し厳しすぎると彼女は言いました。

「キースは、ブラッドリーの成績が上がるようにやる気を起こさせたいだけだと言っています。でも私には、責めるのではなく、インスピレーションを与えるような別のやり方があるように思えてなりません。状況がよくなるようにお祈りもしましたが、効果はまったくないようです。私が心から望む安らかな家庭を作るには、一体どうしたらよいのでしょうか？」

天使たちは私を通して、彼女に言いました。

『距離を置いてください、パトリス。あなたは状況を仕切ろうとしてあまりにも関わりすぎています。私たちが介入し、二人を仲直りさせられるように、状況をゆだねなければなりません。そうすれば、調和と癒しがもたらされるでしょう』

天使たちは、パトリスが過剰に関わりすぎて、状況をさらに悪くしていると考えていました。キースは、妻が自分の判断を信頼していないと感じており、ブラッドリーは両親がうまくいっていないと思っていました。このような余分なストレスのせいで状況が悪化していたのです。パトリスの天使によれば、唯一の解決法は、彼女が距離を置くことでした。

「パトリス、天使はあなたを助けたいと言っています」

彼女は、半信半疑で、信じるのも怖いし、信じないのも怖いという表情で私を見ていました。彼女は、夫が息子の気持ちを押しつぶすのを恐れており、関わらずにはいられないのだと言いました。

パトリスは額にしわを寄せ、夫と息子のけんかに関わりすぎるのはやめようと闘っているようでした。再度、天使が話しました。

『パトリス、数回深呼吸をしてください』

それに従って深呼吸をすると、彼女は明らかにリラックスしたようでした。

天使は、息子が精神的に大丈夫であるとパトリスを安心させてくれ、彼女は天使のアドバイスを試してみることに同意しました。そのとき、もう一つの障害にぶつかりました。

「どうやって、私に距離が置けるんでしょうか？」と彼女は尋ねました。

その手順を尋ねていたのではなく、とても心配でならない状況からどうすれば精神的に抜けられるのか、その方法がまったくわからなかったのです。

パトリスの肩の上にいる大きな男性の天使が、その状況への対処法を視覚的なヒントで与えてくれました。まるで、理想的な家族の映るテレビ画面を、私の前で抱えているようでした。私は彼のジェスチャーと自分の透視によるイメージを合わせて、その指示を受け取りました。そして、その視覚的イメージを言葉に換えました。

「パトリス、その状況を手放すのを助けてほしいと天使にお願いしてください。そうすれば、あなたが距離を置きたいと思えるように助けてくれるでしょう」

パトリスは、天使が自分の精神的行き詰まりを理解してくれたのに感謝して、うなずいていました。そして、小さな声で、彼女は次のような言葉をささやきました。

「家族の状況を神にゆだねたいと思えるように、どうぞ私を助けてください」

私は、パトリスが身震いしたのに気づきました。それは、天使の介入がなされた明らかなサインでした。彼女の体はリラックスし、ゆっくりと深く呼吸していました。

「たった今、何かが起こりました」と彼女は言いました。

私はさらに続けて言いました。

「あなたのガーディアン・エンジェルが、自分の状況を思い描くように言っています。キースとブラッドリーとあなたが口論している様子を、心の中にはっきり思い描いてください」

天使は、私が話を正確に理解しているとうなずき、引き続き指示をよこしました。

「天使は、あなたの前に大きなバケツを置いています。そして、あなたが思い描いたイメージをそのバケツの中に入れるように言っています」

パトリスはこの指示に従いながら、一瞬まゆを寄せました。それから、突然微笑み、まるでものすごい重荷が取り除かれたようでした。

「効果があったみたいです」と、明らかに気分がよくなったように語りました。

数ヵ月後にパトリスに会うと、彼女は話すのが待ちきれないようでした。

「あなたと天使に言われた通りに、距離を置くことができました。その結果、どうなったと思いますか？　夫と息子が仲よくしだしたんです。最初は二人ともいぶかしがって、私がけんかの仲裁に入るのを待っているようでした。でも、私が何もしないので、二人はけんかのエネルギーをなくしてしまったんです。なぜなら、それ以来まったくけんかしていませんから。エンジェル・リーディングのセッションをたった一度受けただけで、家庭はとても平和になりました」

> **天使の処方箋**
>
> その状況を手放してください。もし手放すのが難しければ、仕切るのをやめたいと思えるように天使に助けを頼みましょう。

結婚生活における誤解のための処方箋

誤解は、他のどんな要因よりも、夫婦間の問題と崩壊の原因となります。相手の言動の誤った解釈や、間違った理解で、どれほど多くのけんかや別離が起こっているかを知っているのはセラピストだけです。二人が心の底にある感情や信念を一緒に探り合えば、必ず違いや誤解が見つかるでしょう。誤解が深刻になっていくと、本当の感情を分かち合うのがだんだん怖くなります。そして、同じ屋根の下に住みながらも、夫婦ではなくルームメイトのようになってしまいます。

私は長年にわたり、天使がとても深刻なコミュニケーション問題について解決するのをたくさん見てきました。聖なる処方箋は、疎遠になったカップルが、愛や恐れという傷つきやすい感情を分かち合えるように励ましてくれます。つまり、お互いが正直になれるように助けてくれるのです。『Expect Miracles』の著者である友人メアリーエレンの結婚も、そのようにして救われました。

メアリーエレンは、ハワードと結婚して二十年以上たっていました。八年ぐらい前から二人の興味がすれ違い、少しずつ距離ができ始めました。お金、子ども、セックス、将来の生活のような大切なことを話すたびに、だんだん不一致が多くなりました。そして、とうとう口論ばかりするようになり、二人とも精神的に傷ついていました。どちらも、相手は自分を愛しておらず、同じ家に住んでいても、名ばかりの結婚だと思うようになりました。そして、互いに黙りこくってしまったのです。

それからの六年間、メアリーエレンとハワードは、寝室を別にし、コミュニケーションもほとんどありませんでした。彼女は、これからもずっとこのままだと思っていました。そして、愛のあるコミュニケーションへの欲求が満たされない事実に目をつぶり、その欲求を詩やニューズレター、本の執筆に向けたのです。

メアリーエレンは、週末に開催された天使のリトリートに参加しました。そこで彼女は天使から愛と癒しのメッセージを受け取りました。リトリートから戻った翌日、彼女は、「愛だけを教えなさい」という言葉で目覚めました。そしてこう思ったのです。

「自分の家で愛にあふれた生活をしていないのに、ニューズレターでどうやって愛を教えられるというの？」

愛を教えることについて、天使たちは彼女に、誠実に生き、人に教えていることを自分で実践するようにと言いました。

彼女はさっそくハワードの職場に電話をして、彼に自分の本心を伝えました。自分がどんなに彼を愛していて、寂しく思っていたかを打ち明けたのです。その言葉を聞いたハワードは泣きだし、彼も彼女を愛しており、寂しかったと告げました。

メアリーエレンは、自分の結婚を癒してくれたのは天使のガイダンスだと話しています。

「私たちは、また夫婦に戻ることができ、ハワードは六年ぶりに同じ寝室に戻ってきました。彼はとても親切で、優しく、私たちはあらゆることについて話をしています。お互いに正直になりなさいという天使の処方箋に従い、私たち二人の心は完全に開かれました」

天使はこう言いました。

『真実は多くの方法で癒しを与えます。たとえば、あなたがパートナーの言葉や行動に困惑したり、怒っているなら、言いたいことをはっきり伝えてくれるようにパートナーにお願いしてください。同時に、自分がその言葉や行動でどんな影響を受けたかをパートナーに伝えましょう。傷ついたり、恐れがあるなら、すぐにその気持ちを認めてください。そんな気持ちを抑えていると、さらなる誤解や苦しみや混乱を招いてしまいます。

この瞬間、あなたにとって真実であるものをパートナーに言うことから始めてください。あなたにとっての真実を自分で言わなくてもわかってくれるとは思わないでください。分かち合いと思いやりによって、長い間たまっていた怒りを修復できるのです。よろしければ、あなたの言葉が自分の真実と一致するように、私たちに助けを求めてください。あなたが脱線するたびに、私たちが知らせてあげましょう』

天使の処方箋

パートナーとの関係における愛や恐れの感情を正直に話してください。

情熱が冷めることに関する処方箋

親密でロマンチックな関係が始まるとき、あなたとパートナーは、お互いへの情熱と、深い絆を分かち合っています。二人は強く惹きつけられており、いつも一緒にいたいと思い、かたときも相手の手を離そうとせず、スピリチュアルで、精神的な深いつながりを常に感じていたいと思っています。それぞれが心底、相手の望みや幸せを気にかけているのです。

でも、しばらくすると、そうならない方法を知らない限り、退屈や無関心、不満が起こり始めます。まるで二人とも燃え尽きたようになり、情熱は消え失せ、単なる習慣や経済的ニーズ、罪悪感、子どもの存在や義務感から一緒にいるようになるのです。

情熱がなくなっても一緒にいると、お互いに腹が立ち、相手をけなし、愛情表現などまったくなくなり、さまざまに攻撃するようになります。セックスは、あっても形式的なもので、もう何の刺激もありません。きっと双方とも恋人を作ろうとしているか、そうしたいと思っていることでしょう。

天使は、時間がたって情熱が失われるのは自然だと言っています。でも、情熱が失われたら、意図的にそのレベルを高めることができるのです。自分の心を明るくし、情熱を再びかき立てたいという欲求を抱くことが、行き詰まった関係への天使の処方箋です。秘訣は、情熱を高めたいと強く望むことです。

天使に二人の関係のエネルギーレベルを高めてほしいと、お願いすることもできます。天使たちはあなたの心に直接介入して、情熱を失わせている退屈や過度の甘えを取り除き、聖なる情熱であなたを満たしてくれます。さらに、あなたのエネルギーを高めてくれる明快なガイダンスをくれるでしょう。たとえば、屈辱感を与えたパートナーを許したり、二人の関係に新しい見方を与えてくれます。

ジャニーとリンダは初めて出会ってデートしたとき、恋に落ちました。彼女らの友人たちも、二人は一緒になる運命だったと言いました。ジャニーは三十七歳でリンダに出会う以前には、長期的なつきあいも公認の関係も経験していませんでした。リンダは四十歳で、四年前に離婚し、ジャニーと出会うまでは同性愛経験はありませんでした。二人は同棲し、互いへの忠誠心を示す指輪を身につけ、あらゆることが二人にとって驚くほど新鮮でした。お互いに深く愛し合っており、自分の愛情を情熱的に表現する努力をしていました。

二年後、私のセッションへやってきたとき、二人は別れる寸前でした。ジャニーは、ほかの人とデートしたいと思っており、リンダはそれに傷ついて困惑し、この関係を続けたいのかどうかもわからなくなっていました。二人とも、自分がどうするべきか、天使の意見をぜひ聞きたいと思っていたのです。

ジャニーの天使が、最初に話し始めました。彼女の中心的なガイドは、母方の亡くなった祖父でした。彼は社交的で、ベンチャービジネスで成功したまじめな男性でした。彼は私にこう言いました。

『ジャニーはいつも退屈する傾向にある。今、彼女は、何かワクワクすることがしたくてたまらないんだ』

ジャニーとリンダはその言葉に同意しました。それから彼は、ジャニーにメッセージを伝えました。

『おまえは、デートの場面を夢見ている。それがおまえに新しい興奮をもたらす万能薬だと思っているのだろうが、すぐにまた飽きてしまうよ。おまえとリンダは、とても順調だと思うけれど』

ジャニーは一生懸命冷静な態度でいようとしていましたが、とうとう涙をぬぐいました。

そのとき、リンダの天使があいづちを打ちました。

『私たちも、この関係は二人にとって多くのメリットがあると思っています。この関係に新たなロマンスをもたらして、少しでもうまくいくチャンスを与えてほしいと思います。二人とも家事や雑用にばかり気をとられ、退屈で活気のない毎日を過ごしているのが見えます。特に、リンダの関心は、請求書の支払いだけです。最近、二人で夜に外出したのはいつですか？　二人の関係を新しい局面へと発展させることができますか？　つまり、関係を再び始め直すのです。私たちが見たところでは、答えは「はい」でしょう。この関係には、まだかなりの愛があり、もう少し努力をすれば、あなたがたはまた愛の炎を燃やせるはずです』

天使の助けを借りて、リンダとジャニーは関係を新しくやり直す計画を立てました。毎週水曜と土曜の夜をデートと決めて、リンダとジャニーが順に責任を持ってデートのプランを立てました。デートは手の込んだものでなくてよく、ピクニックや散歩、映画で十分だったのです。ジャニーはずっと、二人が初めて出会ったナイトクラブでまたライブを聴きたいと思っていたので、二人で月に一度、コンサートに行くことにしました。ジャニーは、リンダに誠実でいると誓い、リンダは、興味の範囲を日々の雑事以外に広げる約束をしました。

半年後、私はジャニーとリンダからメールを受け取りました。そこには、互いの情熱に再び火がついたと書いてありました。

「以前とは違うんです。私たちは愛し合っていますが、大人の落ちついた愛です。つきあい始めた頃の衝動的な恋よりもずっと心地いいです。二人とも、自分が関係に求めているものを得るには、かなりの努力がいると天使に教えてもらう必要があったのでしょう」

〈同性愛者、そして異性愛者の中にも、天使が同性愛について何と言っているか尋ねる人がいます。なぜなら、同性愛者の関係に否定的な意見を持つ人や宗教グループがあるからです。それについて天使は、まったく中立的立場にあると話すと、彼らはとても驚きます。天使は、異性愛と同性愛の関係を区別せず、後者に否定的な判断を決してしません。幸せな二人がいて、誰一人傷ついていないかぎり、天使たちは、二人が愛にあふれ、誓い合ったスピリチュアルな関係にあることに幸せを感じるのです）

天使の処方箋

もう一度情熱をよみがえらせましょう。もともと二人を結びつけた感情に、火をつける努力をしてください。

せっかちに対する処方箋

とてもほしいものがあると、それを得ようとあまりにもがんばりすぎ、ついにはすべてをだめにしている人がたくさんいます。目標に狙いをつけて、できるだけ早くそれを手に入れようと、全注意とエネルギーを注いでいるのです。子どものとき、あなたは子犬がほしいと両親にしつこくせがみ、うんざりさせた経験があるかもしれません。大人になってからは、あせって結婚し、誤ったパートナーに誓いを立てるはめになったかもしれません。

恋人やパートナーからほしいものを得るのにせっかちになっていると、その結果、二人の隙間はますます広がります。あなたが押せば押すほど、彼女はさらに遠ざかっていくでしょう。あなたが感情的になるほど、彼は冷静になります。欲求が満たされないので腹を立てれば、相手は自分が与えたくないものを要求されるので、あなたを拒絶するようになります。

それとは反対に、天使たちは決して急がず、せっかちにはなりません。彼らは、どんな出来事にも最適のリズムと理想的なタイミングがあるのを知っており、その瞬間がやってくるまで喜んで待っています。それは神のタイミングと呼ばれますが、出来事にシンクロニシティーを起こすのも天使の仕事の一部なのです。ある出来事が起こってほしいと思ったら、それを無理やり起こそうとするのではなく、忍耐強くして注意を払い、物事がそれ自体の自然でゆっくりしたやり方で現れてくるようにすれば、ゴールに向かってもっとうまく前進できるでしょう。これは特に、結婚生活に当てはまります。

天使はまさにそんなアドバイスを、グレガーの相談にしました。

最初、グレガーは、結婚生活で直面した問題を体裁よくごまかしていました。彼は、「妻とはうまくいっているし、結婚は大体が良好です」と静かに語りました。

でも、グレガーの天使は、私にまったく違う映像を見せて、結婚生活は緊張状態にあると告げました。グレガーははっと息をのみ、天使はごまかせないと悟ったのです。

「この数週間、妻とはかなり口論しています。どうしてそうなるのかわかりません。二人とも、生活も仕事も十分楽しんでいますから。副業として在宅ビジネスを始めると決めてからは、好きなことができるのでとてもワクワクしています。一年以内に二人とも今の仕事をやめて家での仕事に専念したいと思っているんです。おそらく、このことで緊張感を感じているのかもしれません」

グレガーの天使はごまかされませんでした。彼らは大きな声で、はっきり言いました。

『二人の間の違いは、子どもを望むかどうかです。あなたは子どもを望み、奥さんは望んでいません』

天使はグレガーの信頼を裏切ったのではなく、真実が表面に出てくるように助けたのです。

グレガーはうなずき、自分が本当はどう感じているか説明しました。

「その通りです。そのことで、ずっと緊張感がありました。結婚して七年もたつので、私はそろそろ子どもがほしいと思い始めたんです。本当に心からほしいと思っています。でも、妻はそう思っておらず、これからもほしいかどうかわからないと言っています。このことが私たち夫婦の間で問題になっています」

天使は彼に処方箋を与えました。

『今は、子どもをもうける時期ではありません。あなたがたはキャリアを変える真っただ中にいるので、余計な経済的ストレスはないほうがいいでしょう。子どもを持つには、準備が必要です。大体二年半くらいすれば、新しい仕事が軌道にのり、二人とも子どもを持つ準備ができるでしょう』

私は、グレガーの反応を見ていました。彼は、自分の経済状況が安定する時期と、二人とも子どもをほしいと思うときがやってくるという情報に、興味をそそられたようでした。そして、小さなメモ帳に急いでメモしていました。

彼はかなりリラックスした様子になり、子どもを持つのに最適な時期について、夫婦で話し合って決めようという気持ちになりました。その余裕ある態度が夫婦関係によい影響を与えたのか、しだいに口論もなくなっていきました。しばらくの間、二人は新たなビジネスを楽しみ、全エネルギーを注いだのです。

天使の処方箋

リラックスして、物事がどうなるかを見ていましょう。せっかちに無理にやろうとすると、かえって遠くへ逃げてしまいます。

何かにとらわれ動きがとれないときの処方箋

ほとんどの関係に次のような時期が訪れます。つまり、二人とも一緒にいたい気持ちはありますが、お互いの欠点、短所、暗い面があまりにもよくわかりすぎて、いっそ別れて新しいパートナーを見つけたほうが幸せになれるのではと思うのです。

これは、ずっと解決されずにいる夫婦間の対立や怒りや憎しみに満ちた言葉でかなり傷つけ合い、互いに引き裂かれてしまったときに訪れます。その結果、「彼とは住めない。でも、彼なしには生きられない」といういまわしい状況に陥り、自分を傷つける人との不幸な関係から抜け出せない苦しみを味わいます。そこにとどまりたくはありませんが、去ることも辛いのです。パートナーの一方だけがそう考えているのはまれなことです。一方が不幸なら、もう一方もそう感じています。セラピーでするように、互いの気持ちを述べ合う機会がなければ、双方が、相手とは暮らせないけれど相手なしには生きられないと考えているのは自分だけ、と信じています。このことを私はセラピーを通じて発見しました。

四十五歳の経営者ルーシーは、結婚生活に身動きのできなさを感じ始め、天使のアドバイスを求めてやってきました。彼女は、自分たち夫婦があまりにも多大な苦痛を味わっており、十二年間続いた結婚生活はもう救いようがないのでは、と心配していました。

「問題はたくさんあります。私と夫のチャンドラーは再婚同士なんです」

二人とも、先の結婚から子どもたち全員の養育権を引き取りました。チャンドラーとルーシーは結婚後、二人の子どもに恵まれ、すべては理想的に思えました。チャンドラーの別れた妻アリーとの問題が勃発するまでは……。

「アリーは、自分の子が私たちと一緒に暮らすのに嫉妬していました。子どもを渡したのは、彼女自身の選択だったのにです。彼女はいつもわざとウソをついて、私たちの生活を悲惨にしました。なのに、夫は、彼女に毅然と立ち向かうのを恐れていました。彼女が子どもたちの気を引こうとして、あらゆる事実を歪曲したからです。私は、彼女と夫にとても腹が立ちました。今ではもう、子どもたちは家を出ていきましたが、そのときの痛みはまだ消えていません。夫と私にはたくさんの問題がありましたが、この前妻のことでは、夫を許せないんです」

ルーシーは怒りで目と口を固く閉じ、握りこぶしを作っていました。

「私は、自分がとるべき正しい道について導きがほしいのです。今は、自分で動きがとれず、どうすべきかわかりません。離婚も考えましたが、まだふんぎりがつきません。私は夫を愛していますが、同時に嫌いでもあるんです。おそらく、彼に失望させられたあらゆることを許せたら、私は安らぎを見つけ、再び彼を愛せるのかもしれません。今は夫の中に、かつて自分が愛した男性の姿を見つけられないんです」

彼女がそう話したとき、私は内心笑みを浮かべました。ルーシーが「許す」という言葉を使ったからでした。なぜなら、その言葉は、天使が重要視している癒しに不可欠な要素だからです。『許すことは、出来事に関係した苦しみを手放すことを意味します。行為を許す必要はなく、人を許せばいいだけです。許す理由は、自分自身を癒すためで、それがあなたに期待されていることだからではありません』

私はルーシーに、天使のメッセージを伝えました。

「確かに、あなたは自分の天使から正確にガイダンスを受け取っています。今あなたがチャンドラーに見ているのは、彼の足りない点と欠点ばかりです。あなたにはとても大きな声の天使がついていて、彼らははっきりしているので、一緒に仕事をするのはとても楽しいです」

ルーシーは、自分が天使の処方箋を正確に聞いていたとわかり、にっこり微笑みました。

天使は話し続けました。

『許しは、この時点のあなたにとってとても大切です。チャンドラーの行為や欠点を許す必要はありません。ただ人間として彼を許せばよいのです。彼は今、落ち着かない状況にいます。なぜなら、あなたが不幸だとわかっており、そのせいで彼自身もひどい気分になっているからです。彼はあなたの感情に責任はありませんが、それについて責任をとろうとしています。

もし許可してくれるなら、私たちはあなたが彼と前妻を許せるように助けましょう。私たちは、あなたが彼らを許したいと思えるように助けることができます。その仕事を私たちに依頼してください』

私を通じて天使は、多くの理由からこの結婚が続くことを望むと、ルーシーにはっきりと告げました。一つ目の理由は、ルーシーとチャンドラーの間にはまだ愛があるからです。二つ目は、離婚が二人をお互いの人生の目的やスピリチュアルな道からはずしてしまうことになるからです。最後の理由は、離婚が子どもたちに精神的苦しみを与え、大人になったときに深刻でマイナスの影響を与えるからでした。それでも、天使たちは肩をすくめて言いました。

『私たちは、あなたがたに強制はできません。それに、私たちの意図をあなたがたに行使したいとも思っていません。あなたがたに少なくとも試みてほしいとお願いしているだけです』

ルーシーは、考えてからうなずきました。私は、天使の言ったことが彼女自身やりたいことと一致していたとわかりました。ルーシーは、天使の処方箋を受け入れることにし、こう告白しました。

「私は、夫との結婚を大切にしたいと思います。自分が背負ってきたすべての重荷を手放すには、神とイエス・キリストと天使たちの助けが必要なのだとわかりました。この重荷のせいで、お互いのことも、ほかのありとあらゆることについてもうんざりしていたんだと思います」

天使の処方箋

その言葉や行為ではなく、その人物を許すことで自分自身を癒してください。

親密さの欠如に関する処方箋

どんなカップルにも、お互い決して超えられない溝があると感じた経験があるはずです。あなたとパートナーがすぐに援助を求める方法について知っていれば、その溝を埋めることができ、以前の親密さに戻れます。その方法がわからなければ、溝は広がっていき、関係はもっとよそよそしくなって、二人は違う方向へ流されていくでしょう。

悲しいことですが、離れていくのは相手のほうだと感じるのは、人の自己中心的思考のせいです。天使は、あなたが二人の関係から自分を切り離すような行動をしたり、そんな言葉を発したりしない限り、決して親密なつながりは失われないと言っています。それにキャロラインは気づきました。

二十年間にわたる結婚生活の後、キャロラインは、夫とはもうお互いにわかり合えないと訴えました。

「二人とも変わってしまったんです。彼よりも私のほうがもっと変わったのかもしれませんが。もう共通するものは何もありません。抱き合うこともキスすることもめったにありませんし、セックスに関してはまったくありません。他人のようなものなんです。彼と一緒に年をとっていくなんて想像できません」

数週間前、キャロラインの雇用主が会社の移転を発表しました。キャロラインは地元にもほかに就職口があるので会社についていく必要はありませんでしたが、独身に戻りたいと願っていたので、この会社の移転を夫と別居するチャンスに使えると考えていたのです。

「子どもたちはもう大きくなりましたから、新しい状況に適応できると思います。私は、とにかく新しくやり直したいんです。新しい場所で、新しい生活を」と、まるで私からの祝福を求めるように言いました。「私は仕事で、自分ともっと共通点のある面白い人にたくさん出会っています。ときには家に帰るのがいやになるくらいなんです。今の夫に感じているような経済的安定と法律的取り決めによるつながりではなく、ソウルメイトであありパートナーである人が必要なんです」

私は、キャロライン自身と彼女の結婚のエネルギーの状態を細かく調べてから告げました。

「あなたの言うことは正しいです。天使は、あなたの結婚生活のエネルギーが、とても低い状態になっていると教えてくれました。さらに、会社の移転があなたの感情を揺り動かし、エネルギーをいっそう奪っているようです。こんなストレスの多い変化が起きている大変なときに、結婚についての大切な決断を下したいと思っているんですか？」

キャロラインは、会社の配置転換を受け入れなければ、自分が弱気になってしまうのが怖いと言いました。彼女は、やるなら今だという態度を見せたのです。私にはそれが恐怖感に由来するもので、神からの真の処方箋からきているものではないとわかりました。天使からの導きはいつも、せっかちにならないように忠告し、望むものがちょうどよい神のタイミングでもたらされるまで待つように注意します。その上、キャロラインの決意は、まだぐらついていました。彼女は天使の導きをお願いしました。

キャロラインの頭上にいる大きな女性の天使が、私の心の眼に、ある映像を見せました。その天使は身長百八十センチほどで、そのまなざしと笑顔でとてもたくさんの愛を放っていました。その映像の中で、彼女の父親は彼女の行動にとても高い基準を設け、その基準を満たしていないと、いつも注意ばかりしていました。キャロラインは、自分がいたらないから父親に嫌われているると感じていました。そして、自分を嫌いになり始め、他人もきっと同じだろうと思ったのです。彼女はいつも自分の部屋に閉じこもり、本を読んだり、書き物をしていました。とても恥ずかしがり屋で、一人ぼっちでいることが多く、ほかの子と一緒にいると心休まらない気がしました。

私は、キャロラインが信じられないほどひどい孤独に苦しんでいるとわかりました。彼女はこれまでの人生で、知らず知らずのうちに他人から距離をとり、自分は友情や仲間を持つに値しない人間だと思っていたのです。たとえ友達ができても、自分のことをよく知り、自分が愛情を受けるに値しない人間だとわかれば、最後には拒絶されるだろうと思っていました。それでも私たちみんなのように、彼女は愛や他人とのつながりを切望していたのです。

キャロラインがハロルドと結婚したとき、自分の孤独はようやく終わったと思いました。でも、しばらくして、彼女は二人の間にあるよそよそしさに気づきました。以前のようには話すこともなく、それぞれが自室で多くの時間を過ごすようになっていたのです。キャロラインは博士論文に取り組み、夫は事務書類の処理に専念していました。彼女は、子どもの頃の孤独を再び感じるようになりました。

子どもを授かったとき、一筋の希望の光がさしました。子どもが生まれたら、気分は改善されるだろうと思ったのです。彼女は息子二人と娘を一人産み、母親でいることが心地よくてなりませんでした。子どもたちととても密な関係を築き、自分がやっと愛され、受け入れられたと思えたのです。でも、今また子どもたちが成長し、ハロルドと二人きりになるのを恐れていました。それが二人の間の距離感と、彼女自身の孤独感を強めるだろうとわかっていたからです。

彼女の天使は、私を通して伝えました。

『自分の孤独を外側の環境からもたらされたものとして正当化すれば、状況はもっと悪化するだけです。覚えていてください。私たちはあなたが心の中で優しさを求めているのを知っています。あなたは、それを自分の中に見つけようとせず、外の世界で探し求めています。でも、自分の中に見つけられなければ、他人の中にも見つけられません。もしあなたが立ち止まり、自分の内側に存在することに気づいて感謝すれば、すぐに外側の世界でも発見できるでしょう。自分の中に芽生えた花に注意を向けるほど、あらゆる人間関係が深まり、成長するのです』

夫や他人が自分から去ることはないと心から理解でき、キャロラインの体が震えたのを私は見ました。彼女は、自分自身から逃げていたのです。自分には好きになってもらう資格がなく、最後には拒絶されるだろうと思っていたので、結婚してまもなく自分から夫を遠ざけていたと告白しました。彼女は、夫がそのうち自分から離れていくと確信していたのです。拒絶されるという強い思いが、一番恐れていたものを現実のものにしてしまい、その結果、キャロラインはいつも孤独を感じ、愛されていないと思うことになりました。

天使は彼女を慰めました。

『あなた自身と結婚のエネルギーレベルは、自分を好きになるにつれて上昇していきます。私たちは、あなたの中に価値があり、魅力あるものを探してほしいのです。そうすれば、他人の中にもそれを見つけられるでしょう。ご主人に対する自分の愛も探してみてください。それを見つけたら、彼のあなたへの愛にも気づけるようになるでしょう。自分の部屋を出て、彼の部屋へ行き、一緒に過ごしてください。それで起こる変化に驚くはずです。彼はこの何年間も、あなたがそうしてくれるのを待っていたのです。あなたは人生に、より大きな目的意識を感じられるでしょう』

キャロラインはティッシュペーパーに手を伸ばし、涙に濡れた目頭を押さえました。

「おっしゃる通りです。離婚なんてしたくありません。ただ夫を、もう少し近くに感じたいだけなんです。助言していただいたことをやってみようと思います」

一ヵ月後、私はキャロラインと話しました。その変化は驚くべきものでした。彼女は自分の部屋に隠れるのをやめ、台所や居間や寝室などあらゆる場所で、夫に話しかけたのです。夫は優しく応じてくれ、部屋に閉じこもって書類整理することもなくなりました。

「最初は、主人が自分を拒絶するのを待っていました。でも、自分が魅力的で、好感が持てる人間なんだと信じるよう努力したら、これまで自分にあることさえ知らなかったポジティブな点を発見したんです。そうしたら何が起きたと思いますか？　彼がまだ私のことを好きだとわかったんです。私は、自分が忘れていた夫のすばらしい性質にも気づきました。今では、二人ともずっとリラックスして、幸せです。一緒に過ごす時間を本当に楽しんでいます。こんなふうになるなんて奇跡みたいです」

一年後、私のワークショップにキャロラインとご主人が参加していました。私は最初、彼女に気づきませんでした。なぜなら、彼女からものすごい幸福感が放たれていたからです。さらに、新たに得た安らぎのおかげで、体重も減っていました。二人がワークショップの最中ずっと手を握っているのを見て、私はうれしく思いました。自分を好きになり、自分から夫に手を伸ばしなさいという天使の処方箋が、二人の結婚に再び愛をもたらしてくれたのです。

天使の処方箋

自分自身のよいところと愛すべきものに再び気づいてください。そうすれば再び、パートナーのよいところと愛すべきものにも気づけるでしょう。

不倫に対する処方箋

信じていた自分のパートナーの浮気がわかるほど辛いことはありません。あなたはだまされ、裏切られたように感じ、自分に悪いところがあったに違いないと思うはずです。怒りと苦しみのレベルは、リヒタースケール（地震の規模を表す十段階のめもり）では測れないほどでしょう。あなたの人生と幸せにとって非常に大切なものが、修復不可能なほど破壊されてしまった衝撃を経験するのです。

浮気の苦しみはたいてい双方が感じるもので、だましていた人も同じように苦しみます。パートナーや両親や子どもを傷つけたという激しい後悔の念に苦しみ、自分の行為に対する激しい罪悪感と、性的欲求に身をまかせた恥ずかしさにさいなまれます。

ヨランダとホセは結婚して七年ですが、すべてがうまくいっているように見えました。ところが、ある日、ヨランダは奇妙なことに気づいたのです。その一つは、ホセが残業を始めたにもかかわらず、その分が給料明細に記載されていないことでした。さらに、たいていはひどくお腹をすかせて帰ってくるのに、残業から戻っても夕食をほしがらないのです。これまで自分で服など買ったこともない彼が、自分で新しい下着を買ったのも妙でした。ヨランダは浮気を疑いましたが、その可能性を認める覚悟がまだできていませんでした。

ある土曜日の午後、ヨランダは、子機の電話線がバスルームに引き込まれているのに気づきました。閉じたドアの外で耳をそばだててみると、ホセが小声で話しているのが聞こえました。

「でも君のことを愛しているんだよ、ベイビー」と、ホセは言っていました。ヨランダはすぐに親機に走り、そっと受話器を持ち上げると、ちょうどホセと女性が恋人同士のいさかいでもめているのが耳に入ったのです。彼女の心はとても深く傷つきました。

ヨランダは逆上し、数日間ホセと顔を合わせることさえできませんでした。ヨランダが面と向かって尋ねると、彼はその場で浮気を認めました。そして涙を流し、許しをこい、もう終わったと誓ったのです。ヨランダはホセを信じたいと思いましたが、あまりにも傷ついて混乱し、どう考えればいいのかわからなくなっていました。そして、答えと導きを得るため、エンジェル・リーディングにやってきたのです。

ヨランダの天使は、このセッションをテープに録音するよう指示しました。

『彼女は繰り返し聞かなければ、私たちが本当に言っていることが耳に入らないでしょう』

これは、このセッションが、おそらくとても感情的なものになるという私への警告でもあったのです。私はティッシュペーパーの箱を用意して、テープレコーダーのスイッチを入れました。

『まず、この状況を、私たちの視点から見てもらいたいと思います』と天使は言いました。

たくさんの存在が、ヨランダにいろいろなメッセージを伝えていました。その中には、彼女がとても身近に感じているイエス・キリストもいて、彼女のすぐ後ろに立ち、その顔からは愛が放たれていました。さらに、ヨランダの母方の祖母も見えました。彼女はとても意志が強く、愛にあふれたスピリチュアルな人でした。このグループは、一つの統一した声で私に話しかけてきましたが、ときどきイエス・キリストとヨランダの祖母が一人で話すこともありました。

天使は、ホセが彼女をとても愛していて、離婚するつもりも、だますつもりもまったくなかったと説明しました。その状況を正当化することも非難することもせず、天使は静かに、ホセの浮気は二つの要因の副産物だと説明しました。それは、彼の揺れていた自尊心とつまずきかけた結婚生活でした。

『あなたは自分が、この状況にどれほどの決定権を持つか知る必要があります。あなたの結婚を、ホセや相手の女性が完全に支配しているとは思わないでください。あなたにも、この結婚の将来を決める上で大切な役割があるのです』

ヨランダは、自分にこの状況をコントロールする力があるとは知りませんでした。天使は言いました。

『あなたは、ホセがもう二度と裏切らないという保証を望んでいますが、私たちにはそれを与えられません。でも、もしあなたがこの結婚を無傷のままにしたいと望み、大きな幸せと価値をくれる結びつきにしたいと願っているなら、二人とも人生で変えなければならないものがあります。それはホセだけではなく、ヨランダ、あなたもです。内なる人生をよく調べて、変えなければ、外側の人生は何も変わらないでしょう』

「私の変える部分というのが理解できません」とヨランダが口を挟みました。「私は何を変えなければならないんですか？」

天使は、明確な言葉で答えてくれました。

『私たちの見方では、あなたの結婚には楽しみがまったくなく、心配ばかりです。ヨランダ、あなたの心配事が二つ見えます。一つ目は、家事について心配し、いつでもすべてがきれいに整頓されているかどうかばかり考えています。二つ目は、お金が十分あるか心配しています。ホセとの関係はこの二つの心配を中心に回っており、あなたたちの会話のほとんどが、このことについてです。

ホセは、あなたのお金の心配を共有しているので、二人の会話はお金のことばかりになってい

ます。でも、お金に関して、ホセは自分を不甲斐なく感じているのをご存知でしたか。この不甲

斐ないという感情は、彼が自分を十分に愛せない理由になっています。彼の浮気は、セックスの

ためというより、自分が有能だと感じたいためだったのです。彼は、彼女と一緒のときは一度も

お金の心配をしませんでした』

ヨランダは目を閉じて、涙を流していました。

「ああ、助かりました。そのほうがずっとがまんできます。夫が私のことをもう愛していないか、

お金の問題を私のせいにしているかだろうと思っていました」

天使はさらに言いました。

『二人は深くつながっているので、結婚は続いていくのが私たちには見えています。二人が知性

からではなく、心でお互いに話し始めるなら、すばらしい成長ができるでしょう。家のことにつ

いてはあまり心配はいりません。もっと人間的な部分について考える必要があります。笑ったり

愛する時間をもっと作ってください。そうすれば、もっとよいパートナーとなり、将来的にはよ

い母親になれるでしょう。お金の心配をやめ、十分あるとホセに知らせてください。そうすれば、

ホセを脱線させるようなプレッシャーを取り去れます。私たちを信頼し、自分は飢えることなく、

ずっと屋根のあるところに住んでいられると信じてください。ホセと相手の女性と自分のことを

許してあげるのです。あなたが結婚をもう一度信じられるように、私たちが助けましょう』

ヨランダの周りに、二人の赤ちゃんのスピリットが見えました。透視で見えた誕生前の子どもたちで、風船のように母親にくっついて生まれる機会を手に入れようと競争していました。子どもたちのスピリットは、誕生の可能性がなければ現れてきません。子どもたちのことをヨランダに話すと、子どもを二人持つのがずっと夢だったと語りました。

およそ一年後、ヨランダとホセは、再び私を訪ねてきました。二人は手に手をとり、若者のような大げさな愛情表現をしていました。ホセはヨランダのお腹をなでて、子どもができたとうれしそうに報告してくれました。二人の天使たちは、ヨランダの変化への努力と、ホセの彼女への愛のおかげで、交際していたときの信頼関係を取り戻し、浮気のダメージを癒せたと話してくれました。天使は、ホセが誠実になり、ヨランダは家やお金について前よりも大らかになったことも教えてくれました。

天使の処方箋

あなたのパートナーを許してください。もし一緒に歩み続けたいと思うのであれば、自分の中で変えなければならない部分に注意してください。

お金についての口論への処方箋

ホセとヨランダの話にあるように、お金についての対立は親密な間柄にとって破壊的なものです。一番の緊張感や議論をもたらすのがお金であると、多くの調査で明らかになっています。それは、すべての悪の根源と言われていますが、もっと正確に言えば、結婚生活のあらゆる口論のもとかもしれません。

多くの人が、お金はスピリチュアルとは正反対のものと考えるように教えられていますが、神や天使は、誰にもお金で苦しんでほしくないと思っています。彼らはお金を道具と考えており、正しい方法で使われれば、人々に地上で聖なる使命を実現する力を与えられると考えています。逆に言えば、人は経済的に苦しんでいたり、現実に困窮していると、生きていくのに精一杯で、スピリチュアルなことには注意を集中できないと、天使はわかっているのです。

同時に天は、カップルが幸せの源としてお金を使うのではなく、それをめぐってけんかすることに悲しみを感じています。レイモンドとセルマは結婚して半年でしたが、すでに二年も同棲していました。二人とも、サンフランシスコのベイエリアにある大企業で管理職についていました。彼は保険会社で、彼女はコンピュータ会社で働いていました。彼らはきちんとした服装をし、高学歴で、子どものいない典型的共働き夫婦でした。

しかし、天使は、私をたじろがせるようなイメージを見せました。二人が家で、興奮状態で口論し、叫び合い、物を投げているのが見えたのです。

「天使は、あなたたちがよくお金のことでけんかをしていると言っていますが……」

私が言うと、二人はうなずきました。

「セルマのせいです」レイモンドがうっかり口を滑らしました。「彼女は、私たちが稼いだお金をすべて、必要もないものに使ってしまうんです。たとえば、彼女が今着ている洋服を見てください。このスーツは千ドルもします。靴は、三百ドルもしました。宝石については口にしたくもありません。私が株で資産を作ろうとしているというのに」

「つまり、あなたは株でもうけようって言うのね」セルマが怒って口を挟みました。「無駄だと思うわ。どうしてほかの人のように401Kと持ち家だけにできないの？」

「おまえがカードを限度額いっぱい使うから、利子を払うだけで精一杯なんだろう！」と、レイモンドは怒鳴りました。

この話はいっこうにらちがあかないと思い、とりあえず私は二人を落ち着かせました。良識ある見解を得るために、天使たちにやってきてもらうときでした。

『どちらも相手の話に耳を傾けていない』

天使が私の耳元でささやきました。私は、直感的に天使の言葉の意味がわかりました。レイモンドとセルマは、お互いの話に耳を傾けるのではなく、怒りという壁の後ろに隠れていたのです。天使は、このカップルを助ける方法を示してくれました。

これが天使の処方箋です。

『二人とも、相手が悪いと批判しています。でも、どちらにも非難されるいわれはないので、そんな態度はやめてください。あなたがたのお金の扱い方が異なるだけです。それだけのことなのです。唯一の誤りは、今までこの話題について、心を開いて話さなかったことです。相手の目から状況を見てみてください』

レイモンドとセルマは、理解できずポカンとして私を見ました。明らかに二人は、あまりにも自分の見方に固執していたので、天使の言う意味がわからなかったのです。とうとうレイモンドが尋ねました。

「どうやったらセルマの目で物事を見られますか？　不可能じゃないでしょうか？」

「あなたがたは天使に助けを頼みました。そのためには、まず自分たちが信頼し、協力することが必要です」

そう私が言うと、二人はしきりにうなずきました。私は心理セラピストの訓練中に学んだ手法を用いることにしました。彼らは、「最高のクライアント」になるために競い合っているように見えました。

「レイモンド、少しの間、自分がセルマだと思ってみてください。そして、セルマの観点からお金について話してみてもらえますか？」

レイモンドはにっこりし、それはたやすいことと思ったようでした。

「私はセルマです。私は、自分と夫が稼いだお金を一銭残らず、セント・ジョン・ニット店で使うのが大好きです。もちろん、クレジットカードが限度額を超えても、ノードストロームデパートの靴を全部買い占めないと気がすみません」

私はレイモンドの肩に手を置いて、深呼吸するように言いました。セルマのほうを見ると、自己防衛するかのように腕組みをし、レイモンドをにらみつけていました。心の中で、私は天使にもっと助けを送ってくれるようにお祈りしました。

「やりにくいと感じたり、馬鹿げたことと思うでしょうが、もう一度やってみましょう。レイモンド、自分がセルマだと思って、お金について話してみてください」

私は、この方法がうまくいくと天使たちに保証してもらい、そう言いました。

レイモンドは、神経質に咳払いをし、肩と首の筋肉をリラックスさせるように少し動かしました。セルマが是認するように微笑むと、彼は目に見えてくつろいだようでした。

「私の名前はセルマです。私はフォーチュン五百社の一つで中間管理職についています」彼は話しながら、急速に役に入り込みました。「私の部署のほとんどが男性なので、ときどき、自分は昇進できるのかと不安になります。私は、ビジネスとコンピュータ工学のすばらしい教育を受けていますが、それでも会社は、男性のほうを上級管理職に昇進させると思います。上司から真剣に考えてほしいので、私は自分の望む地位にふさわしい服装を心がけています。上級管理職の女性は現在、たった二人で、彼女らは完璧な服装をしています。私は、彼女らから自分のすべき服装を学んでいます。さもなければ、秘書からの成り上がりと見られ、相手にされないでしょう」

レイモンドとセルマは物思いにふけり、しばらく黙っていましたが、とうとうレイモンドがセルマに言いました。

「君は、洋服を投資だと考えていたのかい？」

「そうだとずっとあなたに言ってきたでしょう」

彼女はきつい口調で言ってから、すぐに謝りました。

「あなたは、私が好きでこんな服装をしていると思っているの？」

彼女はニットスーツの縁を指でつまんで尋ねました。

「私はジーンズとTシャツのほうがずっと好きなの。でも、成功するのにふさわしい洋服を着なければ、私は一生このままよ」

「天使はあなたがたに、相手の観点に立って物を見るよう求めています」と、私は口を挟みました。「セルマ、次にあなたがレイモンドになったつもりで、お金について話してもらえますか？」

「わかりました」彼女は真剣に答えました。「私はレイモンドです。私は小さな信託資金を相続しましたが、銀行の利子は株のもうけに比べればゼロに等しい状態です。私の父も彼女の父親も、株でひと財産作りました。株に投資しないのは父親をがっかりさせているような気がしてなりません。できれば、毎月の経費から余分なものはすべて削って、株を買いたいと思っています。毎朝、新聞を読んで、投資すべきだった株が高値になっているのを見てはイライラしています。セルマが洋服と靴に使っている余分な二千ドルを株に投資すれば、簡単に倍になるはずなんです。うまくやれれば、二人とも十年以内に快適な引退をして、利子と残りの財産で暮らせるでしょう」

レイモンドがセルマを演じたときのように、彼女が自分の口から飛び出た言葉に面食らっているのがわかりました。彼女は、レイモンドのほうを見て言いました。

「ごめんなさい、レイ。あなたのことを誤解していたわ」

天使が、再び話をしました。

『今日から、相手の見解に注意深く耳を傾けて、すべての怒りの言葉や行動をやわらげ、お金へのお互いの姿勢を話し合ってください。この話題について話を始める前に、祈りを捧げるとよいでしょう。それぞれが異なった銀行にお金を預けて、収入の一部は共同の預金口座に預けるように提案します。そうすると、自分の支出と貯蓄については自分だけが責任を持つことになります。そして、投資には二人の固定収入の一部をあてるようにしてください』

二人はしっかりと抱き合い、レイモンドは繰り返しこう言いました。

「セルマ、きっと二人でうまくやれるよ」

天使の処方箋

パートナーの観点から物事を見ることで、相手のお金への考え方を理解するように努力してください。そうして初めて、お金の問題は解決できるでしょう。

セックスの衝突に関する処方箋

お金の次に夫婦間の不一致の主たる原因はセックスです。人は、セックスのためだけに親密な関係を結ぶわけではありませんが、セックスは大切な部分となります。互いに性的欲求が異なっていると、二人ともイライラし、だまされたように感じます。

たとえば、一方は違うテクニックや体位を試してみたいと思うのに、相手は気が進まないとか、嫌悪感があれば、二人とも怒りや惨めさを感じ、互いに相手のせいにして破局へとつき進むでしょう。

あるいは、一方の性欲がかなり強く、今よりも頻繁なセックスを望んでいる場合があります。セラピストは、こういった問題を「性の不一致」と呼んでいます。一般的に、男性の性欲が女性よりも強いと言われますが、これは必ずしも本当ではありません。私はその逆も見てきました。そんな場合は、男性の欲求の低さに女性のほうが不満でイライラします。パートナーのどちらがセックスに飢えていようと、性の不一致は誤解や惨めさや怒りを生み、関係全体をだめにしてしまいます。

シャンタルは、現在同棲中のボーイフレンド、フェリペとの関係をエンジェル・リーディングしてほしいとやってきました。

「私は、彼が結婚すべき男性かどうか知りたいんです」

フェリペは彼女に二度も結婚を申し込んでいましたが、そのたびにシャンタルは言葉を濁し、時間をかせいでいました。

「実はセックスのせいなんです」と彼女は恥ずかしそうに告白しました。

シャンタルは、フェリペの性欲が自分よりもずっと強いと話しました。

「私は、週に二、三回で満足なんです。でも、彼は毎日、ときには一晩に二回、三回ということもあるのです。私は彼を愛していますが、もうボロボロになりそうです。私が拒絶すると、激しい口論になり、最初からあきらめて応じる以上に時間とエネルギーを消耗します。天使がこの関係をどう思っているか知りたいのです」

天使の言葉を、私はシャンタルに伝えました。

『この二人には愛があります。その愛の表現が問題になっているのです。私たちの見解では、フェリペは自分の愛の深さを、言葉ではなく行動で表しています。その結果、シャンタルへの彼のメッセージが、かえって問題を引き起こしてしまいました。彼は、自分の愛と情熱を肉体的な愛の行為で示したかったのです。フェリペは、情熱的な男性です。これらの感情を内側に閉じ込めておくことは、彼をいらだたせます。フェリペにとってセックスは表現の手段で、愛するシャンタルに自分のメッセージを伝える方法なのです』

シャンタルとフェリペの性欲の違いは、お互いへの愛を伝え合う方法の違いだったのです。

フェリペは、自分が愛情と考えている行為（セックス）を通して、自分の愛を表現しようとしていました。そして、拒絶されると自分の愛がはねつけられたように感じ、心を閉ざすのです。同様にシャンタルは、フェリペをどれほど愛しているかを言葉にすることで、愛を表現しようとしていました。これで彼の欲求を満足させられないと、彼女は自分がふさわしくないと感じて、精神的プレッシャーを感じてしまうのです。

私はこのことをすべてシャンタルに伝えました。彼女は腕組みし、難しい顔で座っていました。

「つまり、私が彼と結婚して、セックスを要求されるたびにがまんすべきだというんですか？」

天使は言いました。

『私たちには、あなたの望むように、結婚して子どもが生まれるのが見えています。でも、急いで結婚に飛び込まないでください。それは、あなたにも相手にとっても、さらには子どもにも、よいことではありません』

シャンタルは、もどかしさを感じていました。

「それなら、フェリペと結婚すべきでないということですか？」

『そうです、今はそうすべきではありません。そうしないほうがいいでしょう。二人とも、第三者を交えてじっくり話す必要があります。アドバイスをくれる第三者は、あなたがたの愛を、お互いに理解し合える言葉に換えてくれる人にしてください。今のままでは、あなたがたの言葉による愛の表現はフェリペの耳には聞こえず、彼の肉体による愛の表現は、あなたの目には見えません。あなたがたは、違う言語を話しているからです。ですから、結婚という契約を結ぶ前に、あなたたちには通訳が必要なのです』

「フェリペが、カウンセリングに行くかどうかわかりません。自分たちだけで話し合うことはできないのですか」とシャンタルは尋ねました。

『この件に関しては、あなたが緊急と感じていたので、第三者のカウンセラーをすすめたのです。このような会話は、ゆくゆくは自分たちだけでできるものですが、カウンセリングでするほうがずっと効果が上がるでしょう』

私は半トランス状態から少し戻ってきて、言いました。

「天使は、あなたたちがカウンセラーと会うことを強くすすめています。恋愛関係専門の資格を持つカウンセラーを三人紹介しましょう。三人とも、スピリチュアリティを取り入れた心理セラピーを行っています」

数ヵ月後、私はカウンセラーの一人から連絡を受けました。彼女はシャンタルとフェリペの二人に個別に会っており、さらに定期的に二人一緒のカウンセリングも行っていて、二人が性の不一致への対処法をうまく学んでいると教えてくれました。

カップルの中には、それぞれのコミュニケーションの違いを乗り越える方法を試行錯誤しながら学ぶ人たちもいます。フェリペとシャンタルの場合は、カウンセリングを通して、互いが相手の独特な愛の表現を理解し、認めることの重要性を学びました。自分の愛が認められたと感じたとき、フェリペは、シャンタルの愛をセックスで確認する必要がなくなっていきました。同時に、シャンタルは、セックスに対するプレッシャーが減るにつれて、欲求を感じられるようになりました。まもなく彼女は、フェリペへの自分の愛をセックスで表現したいと考えるようになったのです。とうとう二人は、双方が満足できるパターンを手に入れました。のちに、シャンタルは、すべてがこのままうまくいけば、あと一年ほどで結婚するつもりだと話してくれました。

天使の処方箋

自分の異なった愛の表現方法と、どうして自分がそれを選んでいるのかを話し合うことで、相手の愛の言葉について学びましょう。お互いへの愛を二人が共に理解できる言葉に換えられるように努力してください。

スピリチュアルに調和していない関係への処方箋

一九九〇年頃、私の心理セラピーでのカップルの怒りや口論の主たるテーマは、お金、セックス、子育てでした。でもその状況は、ここ十年で大きく変わりました。現代社会でスピリチュアルなルネサンスが起こり、恋愛関係における問題の一般的な原因は、性の相違ではなく、スピリチュアルの相違になったのです。

問題は、スピリチュアル志向の人が、そうではない人と結婚したり、一緒に暮らすことで起こります。

この場合、スピリチュアルな考え方をしている人は、自分の本当の興味について相手に話せないと感じています。その話を持ち出そうとすると、疑いや軽蔑の目を向けられるので、結局、自分一人で勉強会や講演会、ワークショップに出かけるようになるのです。家に戻っても、けんかをしたくないので、黙っていなければなりません。スピリチュアルではないパートナーとは考えも気づきも分かち合うことはできず、相手とは違うという孤独感や拒絶感が生まれてくるでしょう。

その状況は、スピリチュアルでないパートナーのほうも同じです。保守的な宗教で育った人は、神秘学やスピリチュアリティを恐れていて、信用しないようにという教育を受けたかもしれません。それは、悪魔に近い、暗くて邪悪なものとされたからです。たとえ、スピリチュアルに偏見がないとしても、次のような恐れがあるかもしれません。つまり、「自分のパートナーがカルト宗教に関わっていたらどうしよう？　洗脳されたら？　自尊心がとても高くなって離婚したいと言いだしたらどうしよう？」といったようなものです。

私はそんなカップルを、スピリチュアルに調和していない関係と呼んでいます。このような関係にいると、惨めでイライラしてくるでしょう。あなたとパートナーの間にある興味や理解の隔たりは、ほとんど超えがたく思えるはずです。きっと離婚を考えていて、現在のパートナーと別れ、もっとスピリチュアルに考えられる人と一緒になるべきではないかと思っているでしょう。私はこんな状況の人と月に何百人も会っています。

その一人であるスーは、母親を亡くしてから、天使やスピリチュアルな現象に興味を持つようになりました。キリスト教の伝統的な家庭に育ったので、彼女はずっと保守的でした。死後の世界や哲学的話題についてはあまり考えたこともありませんでした。スーはいつも、日々の果たすべき務めに心をとらわれすぎて、天国や来世など精神世界の事柄について考えることなどなかったのです。

ところが、突然、母親を病気で亡くして、スーは絶望感に陥りました。そんなある夜、彼女は眠りから突然覚め、ベッドの足もとの青白い光に気づいたのです。光の真ん中には、なんと母親が立っていました。スーは目をこすり、夢を見ているのではないかと思いましたが、それは確かに本物の母親でした。母親はテレパシーでスーに話しかけ、安らぎと穏やかさを伝えてくれました。それは一瞬にして彼女の悲しみを癒してくれました。母親のスピリットが消えた後、スーは眠っている夫のダンのほうを見ましたが、すやすやと寝ていました。

翌朝、スーは朝食のときに、昨夜のことを夫に話したいと思いました。でも、ダンはそういうことを馬鹿にする人だったので、何と言うか心配でした。勇気を出してスーは、死後の世界について切りだしました。するとダンは、ぎょっとした目をして、手にしていた新聞を置き、こう言ったのです。

「いいかい、スー。人は死ぬと、いなくなるんだ。こんなことを言うのはかわいそうだけれど、人生は甘く短いもので、やがては終わるものなんだよ」

彼は立ち上がり、スーのほうに歩み寄って、彼女の肩に両手を回して言いました。

「お母さんのことなら、カウンセリングに行ったほうがいい。お母さんが亡くなって、君がどんなにさびしがっているかはわかっているからね」

ダンが台所のテーブルから歩き去ったとき、スーは見捨てられたように感じました。彼女はまだ、自分が目にしたものについて考えていました。それは本物のように見え、とうてい夢とは思えませんでした。

こういった経験について書いた本があるかもしれない、と彼女は身支度しながら考えました。

一時間後、死後の世界に関する本を三冊買いました。スーは、臨死体験者や亡くなった愛する人のスピリットを見たという人たちの話を読み、大きななぐさめを得ました。でも、そんな本を読んでいるのがわかれば軽蔑されるだけだと思い、ダンには見つからないように隠しました。さらに、精神世界のさまざまな講座が開催されている地元の書店も見つけました。

唯一の問題は、何年もずっと身近にいた夫に、自分の興味や経験を話せないことでした。彼女は、まるで二重生活をしていて、夫の背後でこそこそと精神世界の講座に通っていることに罪悪感を抱きました。そして、離婚することが答えだろうかと悩み始めたのです。

とうとうスーは、勇気をふるって私のところへやってきました。

天使は言いました。

『私たち全員が神の子であり、それゆえ本当はスピリチュアルなのですから、あなたのパートナーもスピリチュアルな人間だと考えてください。「彼は私ほどスピリチュアルではない」という差別するような考え方はやめましょう。スピリチュアルな興味があろうとなかろうと、あなたの夫は、あなたと同じくらいスピリチュアルなのです。あなたがその性質を彼の中に見出せれば、彼も自分でそれを確認できるようになるでしょう』

「これまで夫のことをスピリチュアルだと思ったことはありませんでした」スーは、しばらくじっと考えていました。「でも、私が学んできたことにすべて当てはまります。私たちは、みんなスピリチュアルな存在なんです」

天使は彼女に言いました。

『二人の関係を天にゆだねてください。自分が批判したり、苦しんでいるのに気づいたら、それを手放せるよう神にお願いしてください。あなたが手放して、神や私たちに助けることを許してくれなければ、私たちは手出しできません。でも、自分の愛の生活を天に預ける意思を持てれば、扉が開き、神の光が照らされるでしょう。あなたがたの関係は、思いもしない奇跡的なやり方で癒されるか、円満な方法で終わり、あなたの気持ちの準備ができたときに新たな人間関係が始まるはずです』

彼女は心配そうに見えました。

「私はこの状況を手放したいと思っています。でも、どうすればいいのでしょうか?」

天使は、次のような聖なる処方箋を与えてくれました。あなたもこれを試してみるとよいでしょう。

『自分の利き手のほうに二人の関係を持っていると想像してください。これはあなたが手放す手です。三つ数えたら、手を開き、天使があなたがたの関係を光のほうへ運んでいると思い描いてください。そこで治療が行われます。次のように神にお願いして、悩みのない安堵感を持ってください。

「今、私はすべてをあなたに託します。どうぞこの状況を引き継いでください。そうすれば心の重荷をおろせます。私は、正しいことは何かと考え、どうすべきか決断することに疲れ果てています」

状況は、すでに癒されていると知ってください。そうすれば、あなたはまもなくその証拠を経験できるでしょう。奇跡が起こるのを期待するのです』

スーは、このアドバイスを胸に刻みました。彼女はスピリチュアルな面で異なる夫婦関係を悲観するのではなく、その状況への思いや感情の癒しに取り組んで、天使が自分の人生にスピリチュアルな調和をもたらしてくれると信じました。

最終的に彼女は、夫と円満に別れることになりましたが、その後、スピリチュアルな考え方の男性と出会い、今二人は結婚を考えています。

天使の処方箋

あなたのスピリチュアルでないパートナーもスピリチュアルな存在であると理解してください。差別するような思考は持たないでください。おそらく、相手はやがてスピリチュアリティを発見するでしょう。さもなければ、あなたがたは別々の道を進むことになります。それは将来、一緒にスピリチュアルな道を歩める人に出会えるチャンスを与えてくれるでしょう。

厄介な先妻や先夫に対処するための処方箋

今日、結婚生活のいさかいの多くは、前の結婚の人間関係が原因となっています。たくさんの人が離婚や再婚を繰り返しているので、混合家族（複数の家族が混ざった新しい家族）は、いまや誰もが経験するものです。結婚の典型的なストレスや緊張感に加えて、継父母や連れ子や異母兄弟姉妹からなる家族には、前の配偶者やパートナーとの養育権や訪問権などにまつわる特有なストレスがあります。

三十三歳のクリステンは、再婚によって起こった問題の解決に努力していました。彼女とカークは、出会って恋に落ちたとき、お互い別の人と結婚していました。クリステンは、夫が隠れてコカインを吸っているのを見つけ、その治療を拒否されて以来ずっと惨めな気分でいました。一方、カークは、彼はもっと子どもがほしかったのに、妻がほしがらないのを不幸に感じていました。クリステンもカークも、しばらく家庭に愛情を感じていませんでした。ですから、出会ったときは二人とも愛情に飢えていて、誘惑に負けやすい状態にあったのです。二人はほとんど必然的に恋に落ち、すぐに恋人関係になりました。

そして、二人とも現在の配偶者と別れて、一緒になる決心をしました。クリステンの離婚はすぐに決着しましたが、カークの妻は離婚届けになかなかサインしませんでした。

「私たちは、お互いにとても愛し合っています。正直言って、こんな安らかな気持ちは今まで誰とも経験したことがありません」とクリステンは言いました。でも、次の瞬間、彼女の笑みは一転し、顔をしかめました。「私たちの一番の問題は、彼の前妻の敵意です。いつも自分の九歳の娘に、父親と私に敵意を持つように仕向けているんです。彼女は四六時中、時間かまわず電話をしてきて、私とカークに叫びちらします。娘を迎えにくるたびに、我が家に上がり込んで、私にけんかをふっかけもします。そのことが、カークと娘の関係だけにでなく、私たちにも悪影響を及ぼしているんです。私たちにはスピリチュアルな導きが必要です。彼女のせいで私たちみんなが壊れてしまう前に、いったいどうしたら解決できるでしょうか?」

私は深呼吸をし、クリステンのために天使からのメッセージを求めました。天使は、この状況の平和的な解決法について教えてくれました。

『カークの前妻のガーディアン・エンジェルに手紙を書くことで、癒しのプロセスを早められます。彼らに、平和な解決法を見つけてほしいとお願いしてください。そうすれば、彼女の耳元でささやいて、自分の子どものために、神の愛のスピリットで行動する大切さを思い出させてくれるでしょう』

クリステンはこの処方箋を熱心にメモしていました。

「わかりました。やってみます」

天使は、クリステンへの聖なる処方箋を伝え続けました。

『カークの前妻に対し、愛に満ちた見方をすることが大切です。彼女はネガティブに振る舞うと思えば、彼女にネガティブなエネルギーを送ることになります。それが彼女のネガティブな行動を現実のものとしてしまうでしょう』

クリステンは、とても驚いたように目を見開いて、私を見ました。

「確かに理にかなっています。私は、彼の前妻を許す必要があると強く感じていました。きっと天使の声が聞こえていたんだと思います」

クリステンへの処方箋は、似たような多くの事例で天使が与えているものでした。このもっとも大切な点は、相手が前の恋人であろうと、前の配偶者であろうと、前の親類であろうと、昔の関係者に対して愛に満ちた見方をするということです。彼らを責めたり、許さなければ、彼らの私たちに対する敵意をいっそう強めるような害のある感情が生まれてしまいます。天使には、カークの前妻がクリステンのネガティブなエネルギーや推測を感じていて、それが彼女にいっそうネガティブな行動をさせているのが見えたのです。

一年後、クリステンが再びセッションに現れたとき、今度は、カークとの間に生まれる赤ちゃんのためにエンジェル・リーディングしてほしいと言いました。前妻へのクリステンの態度が変わったことで、家の中のかなりのストレスが消え去り、それがカークの子どもにとっても離婚に適応する助けとなりました。天使は、クリステンの赤ちゃんが、そんな愛に満ちた家庭に生まれてこられて喜んでいると言いました。

天使の処方箋

他人には愛に満ちた考えを持ってください。さらなる問題や頭痛の種となって戻ってくるネガティブなエネルギーは、送り出さないようにしましょう。

chapter 6
子ども、家族、愛する人たちのための処方箋

天使は、個人的な悩みや恋愛関係の解決方法について気づきに満ちたアドバイスをくれるだけではありません。彼らは、子どもたち、両親、兄弟姉妹、愛する人との問題にも効果的な処方箋を与えてくれます。兄弟間の競争、混合家族（再婚などで、夫婦と互いの連れ子たちが混ざった家庭）の問題、夫婦げんか、親子げんか……などにも処方箋があります。ときどき、家族のぶつかり合いは避けられないように思われます。でも、天使の助けで、家族全員が安らぎに満ちたふれあいを楽しめるのです。

誰にでも一番身近な人たちとのコミュニケーションを難しく感じることがあるでしょう。そんなお互いの誤解は、つぼみのうちに摘み取ってしまわなければ、時間とともに悪化して家族内に亀裂が生じます。幸い、天使からの提案に耳を傾け、注意をしていれば、誠実で愛に満ちた家族関係の築き方を教えてもらえます。天使の私たち人間への一番の願いは、安らぎです。すべての

人間同士のふれあいに光を照らすことが、彼らの大きな喜びなのです。

引きこもった子どものための処方箋

心身ともに健康で、幸せだった子どもが突然引きこもり、よそよそしくなると、両親はとても悪いことが起きているのではと思い、恐れに立ちすくんでしまうでしょう。この恐怖感が状況をいっそう悪化させ、子どもをさらに惨めで孤独にさせます。

天使は、両親のポジティブな期待が、子どもにポジティブな結果を生むと言っています。一方、心配は、現実に問題を生むネガティブな祈りのようなものです。子どもは大人の心配を敏感に感じとり、それに対してネガティブに反応するのです。なぜなら、両親は何かを恐れていると知って、怖くなるからです。

イローナは、十五歳になる長女の娘キムを心配していました。キムはいつも陽気で幸せそうな子だったのに、どうして最近はむっつりし、よそよそしくなってしまったのか、もしや、性行為や妊娠、薬物などのせいではないだろうかと悪いことばかり想像していました。

「キムは、私が話そうとするたびに追いはらおうとします。数ヵ月前まで、私たちはとても仲がよかったんです。今では、話しかけてもめったに答えてくれず、ほとんど部屋にこもってばかりです。天使は、キムが私を突然嫌いになったのは、どんな理由だと言っていますか？　キムは薬物をやっているんでしょうか？　彼女がどうしてこんなに変わり、よそよそしくなったのかがどうしても知りたいんです」

天使は次のように答えました。

『キムと仲がよかった頃、あなたがキムのことをどう見ていたか思い出してください。彼女を尊重し、彼女にも同じようにしてもらいたいと期待していたはずです。互いの尊敬と友情を期待していたので、それがあなたの受け取る結果となったのです。こう考えてみてください。あなたは、自分を好いている人の周りで、態度が変わりはしませんか？　誰かがあなたを尊重していると感じられると、それがあなたの中にある最善のものを引き出しはしませんか？』

「もちろんです」

『逆に言えば、自分を気に入らないと思う人の周りでは、決まり悪そうに振る舞っていませんか？』

「ええ、そうだと思います」

『キムは、単にあなたの期待に反応しているだけです。思春期を迎えて、もっと一人で過ごす時間とプライバシーが必要になったのを、あなたが自分に反抗していると受け取っているだけなのです。そして、彼女への見方と接し方を変えてしまいました。あなたの抱くネガティブな予測が、彼女をさらに自分の中へと追いやり、その状況がだんだんひどくなっているだけなのです』

イローナは、まゆをつりあげました。

「つまり、キムにそんな行動をさせているのは私だというんですか？」

『すべての人は自分の延長で、あなたのポジティブあるいはネガティブな期待に影響されるのです。恐れを感じ、自分を非難する人の周りにいるのとポジティブな人の周りにいるのとで、あなたが態度を変えるように、キムもそうしているのです。

あなたがキムともっと親密な関係になりたいと望んでいるのは知っています。キムと話したり、キムのことを考えるたびに、あなたの望む関係を心に描き、感じてください。二人で映画や買い物に行ったり、話をして、すばらしい母娘の友情を楽しむ様子を想像するのです。ネガティブな期待が出てきたら、その考えをつかまえて訂正するように私たちに頼んでください。そうすれば、あなたの考えは、恐れではなく自分の望みと一致したものとなるでしょう』

「それならできる気がします」

二週間後、私は再び彼女とセッションをしました。

「最初は、キムにわざと冷たくされても、楽観的にしているのは難しいことでした。でも、私は助けを求めて祈りました。それが私に強さをくれたんです。娘をとても愛しているので、あきらめたくはありませんでした。以前と同じように、娘と仲よくしている様子をがんばって想像するようにしました。それがキムにポジティブな影響を与えたようで、少しずつ状況はよくなっている気がします」

その会話からおよそ一ヵ月後、イローナが興奮した様子で電話してきました。彼女は息を切らしながら言いました。

「私が今どこに行ってきたかわかりますか？　キムと映画に行って、とても楽しい時間を過ごしたんです。それは私の想像通りのものでした。彼女は態度を変えてくれ、また私のことを好きになってくれたようです。部屋にこもるのもやめ、今ではとてもうまくいっています」

子どもが引きこもっている場合は、何か深刻な問題に関係しているかもしれないことがあると警告しておきます。薬物中毒を疑うなら、ただちに専門家の助けを借りてください。でも、前述のような場合には、親の期待に対する子どもの反応が原因だったのです。

天使の処方箋

子どもには、ポジティブな態度とポジティブな期待で接してください。ポジティブなエネルギーによって、子どもはあなたをより近くに感じるようになり、ポジティブに反応するでしょう。

子どもの引っ越しに関する処方箋

遠くの町への引っ越しは、子どもにとっては衝撃的なことです。慣れ親しんだ環境や友人たちと離れ離れになる悲しみは、とても辛いものです。それに加えて、新しい学校やクラスメイト、新しい町に適応できるだろうかという不安は、大人になってからもトラウマとなって苦しみを与えるかもしれません。

天使は、子どもにとって大きな引っ越しへの適応は難しいとわかっています。しかし、引っ越しは、どんな家族にとっても避けられないものであると理解しています。ですから天使たちは、両親に処方箋を与え、子どもの適応と成長を助ける方法を教えてくれます。

天使は、この処方箋を三人の子を持つ四十四歳の未亡人ベティに与えました。

二年前に不慮の事故で夫を亡くしてから、七歳、九歳、十一歳の子たちは、父親のいない生活にゆっくりと適応していきました。やがて、ベティは別の町でのオフィスマネジャーの仕事を引き受けました。新しい仕事は給料もよく、福利厚生にも恵まれていたので、ベティと子どもたちの生活はずっと楽になるはずでした。最初、ベティはワクワクしていましたが、やがて現実に直面したのです。自分たちが生まれ育った町や友人たちから四百キロも離れたところへ引っ越すのを知り、子どもたちが突然泣きだしたのです。ベティは辛くなり、罪悪感を抱きました。それが私のところへ相談に訪れた理由でした。

彼女は天使の導きをお願いしました。

「私は、家族みんなにとって最高の決断をしたと感じています。でも、子どもたちを無理やり引っ越しさせ、彼らの心に傷を与えるのではないかと心配なのです。子どもたちは、父親の死でずいぶん大変な思いをしてきました。なのに今また私は、友人や慣れ親しんだものと別れさせようとしているんです」

私は美しい天使のグループがベティを取り囲んでいるのが見えました。その中には、亡くなった彼女のご主人エドもいました。彼らは私に、ベティと子どもたちの近い将来の映像を見せてくれ、その中で子どもたちは幸せそうに微笑んでいました。

天使たちはベティを安心させました。

『子どもたちは、引っ越しても大丈夫です。でも、適応するまでのしばらくは、あなたが余分に注意を向けることが必要です。友人から引き離された子どもたちは、あなたにより多くの愛情を期待するでしょう。これは転換期をうまく乗り切るために大切なことなので、子どもたちと一緒に遊ぶ時間をもっと作るようにしてください』

ベティは微笑んで言いました。

「エドは、いつも子どもと遊んでくれました。おかげで、子どもたちも私も気持ちが落ち着きました。私はときどき忙しすぎて、子どもと遊ぶのを忘れてしまいます。最近はいつも、子どもたちを追い払うか、テレビでも見ていなさいと言っていました」彼女は首をうなだれて、静かに言いました。「子どもたちともっと一緒に過ごす必要があるんですね」

天使は罪悪感を抱かせようとしているわけではないと、私はベティに言いました。彼らは、子どもたちが適応できるように処方箋を与えてくれたのです。天使は、ベティがもっと子どもと時間を過ごせば、安全で愛されていると感じ、元気になるだろうと強調しました。そうすれば、子どもたちはその感情を持って学校へ行き、その幸せな様子が新しい友達を引き寄せて、喪失感や混乱した気持ちや前の町への郷愁もすぐに乗り越えられるでしょう。

天使の処方箋

子どもたちが、友人を作り、新しい環境に適応するまで、一緒の時間と愛をたくさん与えてください。彼らは学校の友人たちを失ったので、いつもより多くの愛情が必要なのです。

多動性傾向のある子どものための処方箋

過去数年間、注意欠陥多動性障害（ＡＤＨＤ。以前は注意欠陥障害、あるいはＡＤＤとして知られていた）と診断される子どもの数は急増しています。これらの子どもたちは、過剰なエネルギーを持ち、おもちゃやゲーム、考えていることをあっという間に次から次へと変え、のべつまくなしにしゃべり続け、周りの人を混乱させます。ＡＤＨＤの子どもの両親は、我が子とコミュニケーションできないことにイライラし、途方にくれてしまいます。また、飛び回る子どもに追いつこうとして心身ともに疲れ果てるのです。

アメリカの学校の中には、全校生徒の二十パーセントがＡＤＨＤと診断されているところもあります。さらに気がかりなのは、その数が増え続けていることです。ＡＤＨＤに対する医師の治療は通常、リタリン（うつ病や子どもの過敏症治療に用いられる薬）投与です。二十一世紀に入るまでには、八百万人もの生徒がリタリンを処方されると推測した研究者もいます。

これからお話しするのは、一人の少年についてですが、彼の母親のマリアは、それとは違う問題で私のところに相談に来ました。でも、天使は、彼女の質問には答えず、私に彼女と一緒に住んでいる少年の映像を見せたのです。背が高く、細身で、銀ぶちめがねをかけた茶色い髪の少年のことを話すと、マリアは驚いて、それは息子のリカード、愛称リッキーだと言いました。

リッキーの天使が私を通してマリアに話したとき、私には天使の強烈なエネルギーが感じられました。彼らは大声で、よくしゃべり、マリアに自分たちのメッセージを伝えようと必死でした。

「息子さんは、特別に神経過敏なエネルギーがありませんか？　過剰なエネルギーがありませんか？　天使はそういったものを私に見せているのですが……」

マリアは、ソファにあったぬいぐるみの熊を手に取り、胸にぎゅっと抱きしめました。

「ええ、その通りです。学校の精神科医に多動性と診断され、リタリンを処方されました。私は、その薬が息子に及ぼす影響を心配しています。でも、ほかにどうすればいいかわかりません」

天使はこう言いました。

『リッキーには、大きな野心があります。たとえ、外からはそう見えなくても、内側では自分の将来について深く考えています。どうか、彼の芸術的才能を花開かせてください。これは、私たちがどうしても伝えたい強いメッセージです。彼には芸術活動がはけ口として必要です。過剰なエネルギーの表現手段として、絵を描き、スケッチし、楽器を演奏するように励ましてください。彼は将来、指導者や経営者となるべき人物です。息子さんについて心配することは何もありません』

マリアは、リッキーが音楽に興味と才能を持ち、ピアノを弾くのも好きだと話しました。そんなリッキーが創造的表現に打ち込めるよう励まし、彼が楽しめそうな活動がほかにあれば導いてもらえるようにお祈りすると言いました。天使は、リッキーが自分のエネルギーをこのような活動に傾ければ、家でも学校でも穏やかになり、もっと集中できるだろうと告げました。

『リッキーのエネルギーレベルを薬物で抑えようとするのではなく、彼が自分の心に集中できる方法を見つけてあげてください。私たちは、音楽や芸術のような創造的な探求にはけ口を見出して心の中の嵐を静めることができた例をたくさん見てきました。あなたのお子さんが本当に興味を持っているものに関わらせてください。それがみんなのためになることです』

長身の男性のスピリットが、リッキーの隣に見えました。

「亡くなったご親戚で、背が高くてやせた男性が彼の隣にいます。この方は、リッキーの曽祖父ですか？」と私は尋ねました。

「そういう気がします」とマリアは答えました。

私は、自分に見え、聞こえたことについて説明を続けました。

「リッキーの曾祖父は、口を開けて歯のないのを見せていますよ」

マリアはうれしそうに、甲高い声をあげました。

「祖父には歯がなかったんです。それは祖父に間違いありません！」

「あなたのお祖父ちゃんと息子さんは非常に親密です。ですから、あなたの息子さんは男性的な影響を強く受けているのでしょう。彼は、リッキーが、あなたにも、天使にも、自分自身にも、常に耳を傾けているわけではないと言っています。事実、リッキーの耳は、まるでロウでふさがれているみたいです。お祖父ちゃんは、リッキーに空想させなさいと言っています。そうすれば自分で問題を解決できるそうです。彼のことは心配いりません。すべてはうまくいくはずです。彼は神の手の中にいますから」

マリアは微笑み、安心したように、ほっとため息をつきました。

「私も、彼は神の手の中にいると感じていました」

一年後、マリアとリッキーは私のワークショップに参加しました。私は、彼が穏やかで大人びているのにびっくりしました。マリアは私をわきに連れていき、リッキーを音楽と写真の教室に入れたと教えてくれました。彼は、芸術的活動に打ち込むようになって数ヵ月もしないうちに、完全にリタリンの服用をやめたそうです。学校の成績もかなりよくなってきたということでした。

天使のリッキーへの処方は、ＮＦＧＣＣ（才能と創造性に恵まれた子どものための教育財団）が提案しているものと同じでした。

「たくさんの優れた才能ある子どもたちが、誤ってＡＤＨＤのラベルを貼られており、親の多くが我が子にずば抜けた才能があるかもしれないことに気づいていません」と財団の人は言います。
彼らによると、天賦の才を持つ子には、主としてリッキーやＡＤＨＤと診断された子どもが示すような特徴があるそうです。つまり、環境に対する過敏さ、過剰なエネルギー、心の働きがとても速くて飽きやすかったり、すぐに気が散ったり、自分の創造的アイディアを使えないとイライラしたり、興味のあるものに集中していないときには、ただ黙って座っていられないというような特徴です。

天使の処方箋
ＡＤＨＤと診断された子どもは、たいていは多動的ですが、自分のエネルギーの創造的はけ口を見つければ落ち着くことができます。

怒れる子どもに対する処方箋

両親は、いつも幸せそうで優しかった子どもが突然怒ったり、暴力的になるとショックを受けます。家族の親密さは、子どものたび重なる爆発への緊張感で壊され、家の中の愛にあふれた雰囲気は、ものすごい叫び声、ドアをぴしゃりと閉める音、物が投げつけられる恐怖で損なわれていきます。そして、家族全員が傷つきます。両親は自分を責め、兄弟姉妹は精神的虐待にさらされます。学校やクラスメイトにさえ影響があるでしょう。この状態が改善されなければ、両親はおびえ、互いに責任をなすりつけ、ついには離婚してしまうかもしれません。

天使の聖なる処方箋では、子どもたちの過度の怒りは運動で解消させるように言っています。特に、ヨガや太極拳のような東洋のものをすすめています。なぜなら、これらは体だけでなく、心の集中の仕方も教えてくれるからです。これが、娘の振る舞いに真剣に悩んでいたディアナに与えられた処方箋でした。

ディアナの十歳の娘テリーは、学校で問題を起こし、家でも怒りを爆発させるようになっていました。

「テリーの先生は、娘がいつでも注目の的になろうとし、自分の思い通りにならないとイライラしてほかの子に殴りかかったり、ひどい言葉を浴びせると言うのです。学校側はこれ以上、娘とは関わり合いたくないようでした。それについて娘と話そうとすると、彼女は私にも同じ態度をとります。ときには、はっきりした理由もないのに、怒りを爆発させることもあります。夫は、私が甘やかしたせいだと言いますが、私は夫が娘に厳しすぎたからだと思っています。私たちはこのことで、常にけんかをするようになりました。優しくて愛情深かった娘に、一体何が起きたんでしょうか？　彼女の怒りはどこからきていて、どうすれば娘が怒りを抑えられるように助けられるのか、天使に教えてほしいのです」

クレアボイアンスで見ると、テリーがものすごい速さで次から次へと行動を変えているのが見えました。天使は、テリーを本当に理解できるように、彼女の思考と感情の中へと私を連れていってくれました。一分間のリズムを刻むメトロノームよりも速く、彼女の思考がさまざまなテーマの間を行ったり来たりしているのがわかりました。テリーの感情は激しく揺れ動き、耳を傾けて集中する能力を完全に失っていました。

次に見えたのは、テリーが武道の練習をしている姿でした。ハリウッド映画のような暴力的なものとは違い、テリーはヨガのポーズをしていました。彼女が静かに両腕両脚を伸ばし、自分の姿勢と筋肉を意のままにしているのがわかりました。私は、彼女の心が、以前とまったく違うのを感じました。テリーは集中しており、とても静かで、落ち着いていました。私はディアナにこう言いました。

「天使は、あなたの娘さんにはかなりのエネルギーがあり、余分にあるのは怒りだけではないと告げています。彼女には、自分の全エネルギーを注げる運動が必要なんです。太極拳などの東洋の運動がよいでしょう」

天使は加えて言いました。

『あなたの娘さんは、とても強くエネルギッシュです。私たちは、彼女のエネルギーが封じ込められ、やる気をなくすのを見たくありません。彼女は、自分のエネルギーに快適さを感じるべきなのです。なぜなら、彼女は大人になって、パワフルな指導者になる人物だからです。チーム競技よりも東洋のスポーツをおすすめします。そうすれば、自分の心やエネルギーを集中させる方法について学べるでしょう。競うスポーツは、彼女の攻撃性をいっそうあおりたてるだけです』

ディアナは、元気を取り戻しました。

「実は、テリーを太極拳教室に入れようと思ったことがあるんです。同じことを言われたので、本当に驚きました」

明らかに、天使は、同じメッセージをディアナに届けようとしていたのです。でも、どういうわけか、彼女はその導きに従っていなかったのでしょう。

ディアナは、すぐに娘を太極拳教室に入れる決心をしました。二週間後、彼女は私に電話をよこし、テリーが驚くほど変わったと報告してくれました。

「娘のそばにいてこんなに楽しいのは、彼女の幼い頃以来です。先生たちも娘がほかの生徒たちとうまくやるようになり、宿題やテストの成績も明らかによくなったと言っていました。テリー自身、ずっと気分がよくなったようで、勉強にも自信が出てきたみたいです。天使たちに、本当に感謝しています」とうれしそうに語りました。

天使の処方箋

怒っている子どものはけ口には、肉体的な運動をすすめてください。特に、ヨガや太極拳、合気道のような東洋のスポーツが、体や心を集中する助けとなるでしょう。

十代の麻薬常用者のための処方箋

たくさんの家族が、十代の子どもの麻薬やタバコやアルコールの問題で悩んでいます。十代の子どもによるこれらの有害な薬物使用は、いまや桁はずれの数になっているのです。当然のことですが、両親は薬物依存が成績や就職にマイナス影響を与え、薬物を用いて車を運転したり、ギャング集団や盗みなどの命を脅かす行為や犯罪に関わるのを恐れています。

でも、ほとんどの親が理解していないのが、子どもが麻薬中毒になった原因です。天使は一般的に、薬物乱用は、空虚感や恐れから起きると言っています。ロレッタが息子のマリファナ使用の相談にきたときにも、天使たちはそう語りました。

最初のセッションで、主婦で三人の子の母であるロレッタは、こう告白しました。

「息子のレスターがとても心配なんです。マリファナをかなり吸っているので、中毒になるのではないでしょうか？」

私は数回レスターの名前を繰り返しました。人の名前を何度も繰り返して言うのが、目の前にいるクライアント以外の情報を得るのに一番有効な方法だからです。レスターに波長を合わせると、彼の天使が話すのが聞こえました。

『彼は、あまりにも自分に厳しすぎ、心の中で自分のことをたたきのめしています』

私はこのメッセージをロレッタに伝えて、さらにこうつけ加えました。

「『彼は腹を立てています』と天使は言っています」

私は、レスターの天使が、右の耳元で大きな声で言うのが聞こえました。

「天使は、レスターが自分自身への感情から逃れようとして、マリファナを吸っていると言っており、しばらくは彼に思いやりを持つように頼んでいます。天使は、彼の中毒についても一緒に取り組んでいます」

ロレッタは、天使がマリファナの使用を非難し、すぐに行動を起こすように言うと思っていたので、びっくりしました。

天使は、中毒になる人は神の愛を求めているのだと説明しました。内側が空っぽに感じ、自分は愛されておらず、愛されるに値しないと信じてもいるのです。そして、自分の望む神の愛を、外側に探し始めます。薬物によって神とつながることを望み、愛されているという満足感を得ようとして過食し、お酒を飲み、麻薬を使い、ギャンブルをし、浪費し、マリファナを吸うのです。

天使は言いました。

『彼は、空虚感を恐れているので、自分の習慣を手放すのが怖いのです。息子さんにマリファナをやめるように言うのは、彼にとってもっとも大切なものをあきらめるように言うようなものです。彼は、父親との問題を抱えています。彼はいじめられたと感じていて、今では自分自身をいじめています。私たちは彼に哀れみを抱いています。彼は自分の愛し方がわからず、これらの感情を隠しているのです。この問題は、あなたのせいで起きていることではありません』

「でも、私に一体何ができるのでしょうか？」ロレッタは嘆願しました。「このままでいけば、もっと危険な麻薬に手を出してしまうのではないかと心配なんです」

天使は処方箋をくれました。

『都会のストレスから離れるのがよいでしょう。牧場や自然の中にいれば、自分や人生に対する不健全な見方を手放す助けとなります』

ロレッタの脳裏に何かひらめいたようでした。

「弟が牧場を持っていて、レスターはそこに行くのが大好きなんです。この夏、彼をそこに行かせる計画を立てていました」

私は天使が、牧場での暮らしがレスターの心を癒す助けになるだろうと言っている、と伝えました。天使の処方箋に耳を傾けて、従う準備のできている人に会うたびに、私はいつもワクワクします。

「あなたはすでに、息子さんの癒しの聖なる処方箋を受け取っていたんですね。天使たちは、彼のためにただ祈り続けるように言っています」と話して、彼女に自信を取り戻させました。

それから天使は私に、その処方箋に従うことでもたらされる幸せな結末を、ロレッタと息子の背後に虹をかけたイメージにして教えてくれました。さらに、彼女に心配はいらないと伝えるため、「心配」という言葉に×印をつけて見せたのです。

一年後、ロレッタはレスターを連れて私に会いにきました。彼は叔父の牧場にいる間、マリファナをやめましたが、家に戻ると友人たちにマリファナをすすめられて、また吸いたい誘惑に駆られていました。このことをレスターは母親に告白し、どうすればいいかと尋ねました。二人で話していくうちにレスターは、天使が教えてくれた空虚感と同じ感覚について話しだしたのです。それでロレッタは、二人でリーディングに行こうと考え、レスターも同意しました。

天使は言いました。

『レスター、今感じている空虚感を消し去って愛と満足感を経験する唯一の方法は、あなたが神と一つであると気づくことです。これはいろいろな方法で可能です。瞑想すること、自然の中に一人でいること、愛にあふれた宗教的空間にいること、私たちに助けを頼むこと、などです。あなたがお願いすれば、私たちはあなたの心、感情、細胞に入り込んで、あなたが求めるもの、つまり深く愛されているという幸福感でいっぱいにしましょう。

神の愛は、いたるところに存在しています。なぜなら、創造主は、同時にどこにでも存在できるからです。すべてのものの中に、神の愛があります。あなたは、その神の愛を感じるための静かな時間を作らなければなりません。騒々しい日々の中では、私たちの存在に気づけないのです。

お母さんに屋外で過ごすことが必要だと強く言ったのは、そういう理由からです。

「人は庭にいるとき、地上のどんな場所よりも神の近くにいる」

そんなことわざの通りなのです』

レスターは、叔父の牧場ですばらしいポジティブなエネルギーをたくさん感じたと話してくれました。そこでは、もう麻薬がほしいとは思わなかったと言いました。母親は、叔父の牧場にレスターが住んでもいいか手紙で聞いてみようと提案しました。その瞬間、レスターの表情がパッと明るくなりました。

現在、彼は牧場に住み、夏の間は母親と過ごしています。自然の中で過ごすことが、レスターの空虚感の癒しに天使が選んだ処方箋だったのです。

私は、麻薬に手をそめた子を持つ親と話すとき、その子のために神に祈ることが大切だと強調しています。科学的な研究でも、他人から祈ってもらった人は、そうでない人よりも、手術や病気からの回復率が高いとされています。

天使の処方箋

瞑想や自然の中で過ごすこと、自分の心にとって大切な活動、サポートしてくれる宗教的環境のほうへと子どもを導けるように、天使に助けをお願いしましょう。

親子の対立に関する処方箋

子どもたちが成長して家を出る準備ができると、将来について何が最良の道か互いに話し合うことになります。たいていの場合、最善に感じるものが親と子でまったく異なっています。賢明な親は、天使のアドバイスに耳を傾けて、その対立を平和的に解決し、愛とサポートで子どもたちが人生を始められるようにします。

でも、すぐには円満な解決法を見つけられない親子もいます。彼らは互いに衝突し、火花をちらせて、愛があるべき場所に恨みを生じさせてしまいます。このような場合、私たちが許可さえすれば、天使たちはすぐに介入して、その対立を癒す提案をしたいと願っているのです。

十九歳の大学生アリサは、専攻について悩んでいました。彼女は美術が大好きで、プロのアーティストになりたいと思っていました。でも、父親はそれに大反対で、ビジネススクールに行くべきだと主張していたのです。そうしなければ、学費も払わないと宣言しました。

「私は本当に美術を専攻したいと思っています。でも両親は、いざというときに当てになるものが必要だと言います。両親が学費を払っているので、私には発言権がありません。父は、実用的だからと、私にビジネスの学位をとらせようとしています。美術を学びたいと言うたびに、父はかんしゃくを起こすんです」

アリサは、父の考えに屈服したことで支払ったひどい代償について告白しました。大学一年目の二学期、彼女はお酒ばかり飲んだせいで九キロ以上太り、さらには複数の男性と虐待的関係に陥りました。両親との関係は大学に入る前から険悪でしたが、今では家に帰るたびに戦争のようでした。

アリサは天使にアドバイスを求めました。

天使は私に言いました。

『この状況は、大きな成長へのチャンスです。それは父親に心を開き、正直になることへの長年の恐れを打ち破れるからです。父親は、彼女が思うよりも進歩したたましいの人なので、これについて話し合うことに心を開いています』

私は天使のアドバイスをアリサに話し、この問題について、これまで父親とどんな話し合いをしてきたのか尋ねました。

話を聞くうちに、私は天使の意味していたことがわかりました。彼女の父親への話し方は、フェンシングの試合のようなもので、怒りながら要求を父親に突きつけ、彼が自分の立場を守ろうとすると今度は完全に沈黙して引きこもる、というパターンの繰り返しでした。

天使と私はアリサに、親しい友人やメンターと話すように父親とも接してください、とお願いしました。私を通して、天使たちは言いました。

『父親に妥協案を出してみてください。これはあなたにとってもよい提案のはずです。今のスケジュールに、美術のクラスを加えて、ビジネスのクラスを一つか二つ後回しにしたいと言うのです』

天使たちは両方を専攻するように提案しました。

これを彼女に告げると、その解決法の簡単さに驚いたようでした。彼女と父親は、芸術かビジネスか、という二者択一で考えていたからです。

アリサは家に帰り、父親と冷静な話し合いを持ちました。両親は、アーティストにとってビジネスの知識がどんなに役立つかを主張し、彼女はその逆を主張しました。結局、父親は、今のスケジュールに美術のクラスを二つ入れ、ビジネスのクラスを二つやめることに同意したのです。次に連絡してきたとき、アリサは久しぶりに幸せな気分になり、将来に対してずっと積極的になれたと語ってくれました。体重もぐんと減り、家族とのけんかもなくなったそうです。

天使の処方箋

親たちは、あなたが考えている以上に進化していると期待してみてください。妥協案を提示すれば、きっとうまくいくでしょう。

大人の兄弟姉妹間の対立に関する処方箋

兄弟姉妹間での対立は避けられません。親も人間で、子どもたち全員に与える時間やエネルギーやお金には限りがあります。どんな子でも、親からの注意や資源をほしがっており、それがほかの兄弟に与えられるのを見てしまったことがあるに違いありません。その結果起こる緊張、嫉妬、敵意は、必ずしも子ども時代では終わらない怒りの爆発、憤り、競争心をもたらします。解決されなければ、大人になってからも、けんかばかりし、相手をけなしたり、ひどい扱いをし続けるでしょう。

ファーリの妹のネディは、いつもファーリをけなしていました。ファーリは店の経営者で、三人姉妹の長女でした。父親は幼い頃に亡くなり、それからすぐに母親が働きに出たので、子どもと過ごす時間はほとんどありませんでした。次女のネディは、いつも長女のファーリに腹を立て、母親が一番下の妹に注意を向けていることにも怒っていました。ネディは子どもの頃からずっとファーリをこきおろし、大人になってそれぞれが結婚した今でも、家族が集まるたびにそうしていたのです。

ファーリはぷりぷりしながら話しました。

「ネディはいつも私を侮辱します。ついこの間も、夫婦生活が下手なので、いつか夫に逃げられるだろうと言ったんです。ひどいと文句を言うと、冗談なのに、私は繊細すぎると言いました。でも、彼女の冗談は、私をひどく逆撫でします。どうすれば彼女の行動を止められるのかわかりません」

天使は、一番効果的な解決法をファーリに教えました。

『争いを解決するために、相手のガーディアン・エンジェルに話しかけてください。心の中でその人の天使と話をするか、手紙を書くのです。心の内を天使に打ち明けて、争いの解決を助けてくれるようにお願いしましょう。天使は、必ず、平和という望みをかなえてくれます。天使に助けを頼んだら、自分の感覚やひらめき、夢やビジョンにいつも以上に注意してください。これが、妹さんと愛に満ちた和解ができるよう、導きを受け取る方法です』

ファーリは、やってみようと思いました。

でも、妹のガーディアン・エンジェルとうまく連絡がつくだろうか、彼らにネディの態度を本当に変えられるのだろうかと疑っているようでした。

私はこう説明しました。

「他人のガーディアン・エンジェルと話をするのに、霊能力者である必要はありません。天使の答えが聞こえたり、感じたりはしないかもしれませんが、彼らがあなたの願いを聞いたということはわかるはずです。なぜなら、すぐにその状況に安らぎがもたらされるからです。今、ここで目を閉じてみてください。深呼吸して、妹さんのガーディアン・エンジェルにメッセージを送りたいと思ってください。そして、心の中で天使に、あなたが平和な解決を望んでいると話すのです」

ファーリが私の指示に従ったのがわかりました。彼女は目を開いて、微笑みました。

「ずっと気分がよくなりました。ネディと普通の姉妹のようになれる希望がわいてきました」

二週間後、ファーリからメールが来ました。彼女は妹と夕食に行ったそうです。ネディはばつが悪そうにレストランにやってきて、ファーリが口を開く前にこう言ったそうです。

「今、セラピストに会っているの。私が姉さんに対してあまりよい妹でなかったとわかったわ。父さんの死に腹を立て、母さんがいつも家のことを姉さんと話しているのに嫉妬していたんだと思う。それが間違っていたって、今ようやくわかったの。もう一度最初からやり直して、本当の姉妹になるには遅すぎるかしら？」

ネディがファーリの許しをこうたとき、二人ともわっと涙を流し、すぐに仲直りしました。

ファーリは、妹の変化を、ほとんど奇跡以外の何ものでもないと言っています。妹のガーディアン・エンジェルが、彼女に話してくれたに違いありません。さもなければ説明はできないでしょう。

他人のガーディアン・エンジェルと話すことは、あなたが傷つけるようなことを言ったり、傷つける行為をしてしまって後悔したときにも効果的です。相手のガーディアン・エンジェルに頼んで介入してもらい、傷つけた人があなたの過ちを許してくれるようにお願いしましょう。天使たちは、自分の過ちを正し、それを繰り返さないように学ぼうとしているのを喜んで助けてくれます。

天使の
処方箋

兄弟姉妹のガーディアン・エンジェルと話しましょう。天使たちに、二人の争いを終わらせるように頼んでください。

年老いた両親のための処方箋

医学の進歩により、人はだんだん長生きになっています。その結果、多くの人が、年老いた親をどう世話するかという問題に直面しています。大人になった子どもは、父母と同居するか、老人ホームに入れるかにとても悩みます。前者を選べば、配偶者やパートナーが困惑し、二人の生活が壊されるかもしれません。後者を選べば、耐えられないほどの罪悪感に悩まされることでしょう。

シドニーは、パートナーのアントニオとささやかなワイン輸入業を営んでいますが、母親の健康の衰えをとても心配しており、それが恋人との争いの原因にもなっていました。

「母の視力が衰えてきて、もう自分のことが一人でできない状況なんです。家の中で家具や壁にぶつかったりして、いくつものかすり傷や青あざを作っています。いつ何時また転んで、腰の骨を折るんじゃないかと心配なんですが、どうしていいかわかりません。ただ頭の中で堂々めぐりしているだけです。自分のところに連れてくることも考えましたが、パートナーのアントニオはそれを喜んでいません。事実、このことで私たちはけんかばかりしています。これまで一度も、けんかなんてしたことがなかったんです。でも、母を老人ホームに入れたら、きっと母を殺すことになるでしょう。兄弟は頼りにならないので、すべてが私の肩にかかっているんです。天使はどうすればいいと言っていますか？」

天使は、シドニーが質問を言い終える前に話し始めました。

『あなたは感情的な問題を解決するために、知性を使おうとしています。私たちには、罪悪感と不安で格闘しているのが見え、あなたが感情的になるのも十分理解できます。愛する母親に関することは何でも感情的なものとなってしまうのでしょう。みんなにとって最善の解決法は、知性では見つけられません。あなたは、自分の感情に尋ねて決めることが必要なのです』

このことを私は、シドニーに伝えました。

「私は、頭の中だけで考えていたんですね。でも、私は会社の経営面を担当していて、アントニオはワインを選んでいます。私は考えることでしか、問題への取り組み方を知らないんです。一体どうすればよいのでしょうか？」

天使は言いました。

『私たちが言いたいのは次のようなことです。あなたは、現在の選択肢のどれもが気に入りません。母を家に呼べば、パートナーがどう反応するかを心配しています。母がアントニオと一緒にいて気詰まりを感じたり、あなたのところへ押しかけたように感じるのを心配しています。でも、老人ホームに入れれば、まったくその逆に、母が息子に愛されていないと感じて、その憂うつと寂しさから弱ってしまうかもしれないと思っています。

私たちはほかの選択肢もあると言っているのです。あなたが許せば、そこへと導きましょう。母親に合った家を見つけられるように、私たちがお手伝いしましょう。いろいろな老人ホームを訪問して、決心するのに自分の感情を使うのです。それぞれの場所で、自分のお腹がどんな感じかを意識してください。お腹は、神とあなたをつないでいる場所です。自分の心に注意を向けてください。そうすれば、どの住まいが、あなたと母親とパートナーにとって安らぎとなる場所になるかがわかるはずです』

天使の提案で、私はシドニーに、母親が自分の家に住んでいるところを想像してみるように言いました。彼は目を閉じ、しかめっ面をして、お腹のところに手をあてました。

「お腹はどんな感じですか?」

「母親とパートナーがお互いに冷淡で、よそよそしい感じがします。そのせいで、私たちの仲は悪くなり、全員がとても落ち着かない感じです」

「では、お母さんが老人ホームに住んでいると想像してください。ただし、食事やほかのサービスが提供されるむしろアパートのような場所です。今度は、お腹はどんな感じですか?」

「私が母を頻繁に訪ねている限り、母はとても幸せそうです。母は自由ですが、ちゃんと見守られているので、私たちは二人とも本当に安心です」

自分の感情に導いてもらって、シドニーとアントニオは、自分たちの住む町の老人ホームを訪問してまわりました。そして、とうとう、二人とも波動がいいと思う場所を見つけたのです。母親にも見てもらおうと連れていくと、なんとそこの住人に母の少女時代の友人がいるとわかり、二人とも驚いてしまいました。母はとても喜び、今ではそこに引っ越すのをとても楽しみにしています。

天使の処方箋

高齢の両親についての決断に直面しているなら、可能な解決法をすべて想像してみてください。自分の体と感情をバロメーターとして使い、みんなにとって最適な解決法を探しましょう。

chapter 7 キャリア、ビジネス、財政に関する処方箋

多くの人は、日々のほとんどの時間を仕事に費やし、仕事を家族や恋愛や健康よりも重視しています。でも、キャリアは、そのすべてに深い影響を及ぼします。お金の心配で人は夜遅くまで眠れず、愛する人とも口論になります。仕事で昇進したいという野心が、同僚を競争相手に変え、ストレスが病を引き起こします。自分の事業がすさまじい競争に巻き込まれると、人は生計の手段と自尊心が失われるのを恐れます。

多くの人にとって、仕事は自分のアイデンティティです。初めて出会った人に最初に尋ねるのはたいてい、「お仕事は何ですか？」という質問です。その質問は、しばしば友情への発展を促すか、その可能性を奪ってしまいます。仕事を楽しんでいようがいまいが、人は自分自身を仕事に投資しているのです。起業することになれば、自分の希望、夢、将来、余分な時間、個人の資産などすべてをそそぎ込むでしょう。

天使は、個人的な生活や愛の生活のためだけに処方箋を与えているのではありません。彼らは、ビジネス、キャリア、財政的問題にも解決法を与えたいと思っています。天は、どうすれば、有意義なやり方で生計を立てられるようになるかをアドバイスすることもできます。さらに、神は、倒産しそうな事業をめざましい成功に変える方法も教えてくれます。すでに亡き愛する人で、ビジネスやお金の専門家だった人たちも、あなたにアドバイスを与え、相談にのってくれるでしょう。

自分にぴったりのキャリアを見つけるための処方箋

調査によると、ぴったりの仕事を選び、正しいキャリアを選択することが、人生を本当に満足できるものに思える重要な決め手となっています。誤った選択は、自分を悲惨な状況に閉じ込め、体や心、家族や資産にも悪影響を及ぼします。あなたに合わない仕事は健康や結婚を破壊し、ふさわしい仕事は満足した楽しい人生を築いてくれるのです。

悲しいことに、あまりにも多くの人が、自分の本当の興味とは関係のない、報われず、将来性もなく、満足感を得られそうもない仕事であくせく働いています。彼らは毎晩、単調でつまらない仕事から帰ってきて、お金を稼ぐためにまた空っぽで意味のない一日を過ごしたと感じているのです。もっとよい仕事を探していますが、そんなものが果たして存在するのか、自分にそれを見つけられるのか、もし見つけたとしてもそれが価値のあるものなのかさえわかりません。

こんな考え方を非現実的に思っている人もいます。彼らは仕事を探すとき、個人的な満足感を優先させるのが賢いこととは思っていません。家族への責任、借金の返済、生計を立てることなどが先にくるべきだと思っているのです。

「そりゃあ、自分が楽しめる仕事につけるくらい運がよければいいでしょう。でも、そんな幸運を手に入れるのを期待しているわけにはいきませんよ。なんといっても、私には三人も子どもがいて、育てる責任がありますからね」と嘲笑します。

でも、神やガーディアン・エンジェルは、あなたが十分な賃金を得、スピリチュアルに満足できる仕事をする資格があると言っているだけでなく、それを得られるように手助けしたいと申し出ているのです。人間はみな、特別な才能と情熱を与えられています。それは、あなたの得意なことであり、楽しめるので、お金が得られようと得られまいと、とにかくそれがしたいと思うようなものです。たとえば、並外れた計算能力、バイオリンを弾く才能、他人を安心させる才能、外科医の繊細な指、肉体的耐久性と機敏さ、社会奉仕への熱望、安定した性格かもしれません。

神はこれらの才能をあなたに、使ってほしいと思って与えたのです。そして、それを使うために必要なことなら何でもしてくれるでしょう。あなたに必要なのは、地図がなくても、自分と神を信頼し、その道に足を踏み出すことです。これは神の望むことなので、天使たちがあなたを目的地に到着できるように案内してくれると信じてください。

聖なるガイダンスは、予期せぬ電話、偶然の出来事、雑誌で読んだ記事、昼食中にふと耳にした会話、魅力的な講座の情報、スーパーマーケットでばったり旧友に会う、というような形でやってくるかもしれません。最終的に、あなたも家族も路頭に迷うことなく、自分がなすべきキャリアや仕事へと導かれるでしょう。

ギリアンはビジネススクール卒ですが、キャリアの方向性で危機に直面していました。

彼女は、大きなデータ処理会社の中間管理職でしたが、その仕事にあきあきしていました。ギリアンは前にも同じような気持ちになって、仕事を変えたことが何度かありました。そして、レコード会社、テニスラケットの製造会社、総合健康管理機関、全国規模の家庭用品メーカーなどで働きました。そのたびに、新しい職場と同僚が自分の士気を高めてくれると信じていました。でも、しばらくすると、なぜかまた失望し、うんざりしてしまうのです。

ギリアンは嘆いて言いました。

「明らかに、自分の何かが間違っているんでしょう。いつも新しい仕事が幸せにしてくれると思うのですが、数ヵ月もすると惨めな気分になります。天使は私にふさわしいキャリアを見つけてくれますか？　今のようなやり方を続けていくわけにはいきませんから」

天使はアドバイスしてくれました。

『あなたは、自分が幸せや安らぎを得られるからではなく、収入で仕事を選んでいます』

彼女は眉を寄せて言いました。

「もちろんですとも。私はマネジャー職にはうんざりしています。こんな仕事とはきっぱり手を切り、まったく違うことをしたいと思っています。でも、ＭＢＡを取るのにかなりの時間を投資していますし、学生ローンを返却するお金も必要です。それに最近、新しいアパートの三年の賃貸契約もしましたし、母親の入院費用も必要です。ですから、給料のいいマネジャー職を変えられないんです」

『今、この瞬間を生きてください』と天使は強く言いました。『「どうやってこれが支払えるだろうか？」「これをする資格があるだろうか？」という心配はやめてください。あなたの唯一の義務は、もっと満足できる仕事を探して、自分の心とたましいをはぐくむことです。そうすれば、自分の人生のあらゆるものに与えるエネルギーや熱意がもっと増えるでしょう。

「どうやって？」という思いを神にゆだねてください。神があなたを一歩一歩導いてくれます。そして正しい瞬間に、必要なドアが開かれるでしょう。ただ信頼してください。

成功が保証されていると確信できるまで、待つのはやめてください。あなたがステップAを実践するまで、神はステップBが何であるかは教えてくれません。満足できる将来を求めているなら、行く先にどんな障害があろうと、神の助けで導かれると信じてください』

ギリアンは答えました。

「私は進んで何でも試してみるつもりです。でも、どんな仕事が好きなのかまったくわかりません。前にも自分の将来について思い描こうとしましたが、だめでした。これについて天使は助けてくれますか？」

ギリアンの天使は、彼女が木々や植物や花々に囲まれ、喜びにあふれているイメージを私に見せてくれました。

『もう一度仕事を探してください。そのとき、自分は屋外で自然の天使に囲まれているときが一番幸せだということを覚えていてください。自然はあなたの心の中でとても特別な位置を占めています。その逆で、長時間、屋内に閉じ込められていると、惨めになります。お金のために苦しまなくてはならないと信じないでください。なぜなら、あなたは、とても愛している木々や植物、花々の中で生涯にわたり、とても楽しく仕事のできる人なのです』

初めてギリアンの顔が明るくなりました。

「すばらしい考えです。今晩、どんな可能性があるか、早速インターネットで探してみます」

数週間後、ギリアンが電話してきました。

「ちょっと困っているんです。可能性のあるすばらしい仕事をいくつか見つけたんですが、どうやって決めればいいかわかりません。アドバイスをもらえませんか？」

天使はすぐに返答してくれました。

『どのキャリアが、あなたの興味と欲求に一番合っているかわかるように手伝ってほしいとお願いしてください。声に出しても、心の中で言っても、手紙に書いてもよいでしょう。私たちからの答えが、大きな声で、はっきりと、具体的に聞こえるようにお願いしてください。あるいは、寝る前に、夢の中であなたの人生の目的について鮮明なイメージが与えられるように頼んでください』

「答えがやってきたとき、どうやってわかりますか？　私は霊能力者ではありません」

私は以前、クライアントに何度も言ったことを繰り返しました。

「ふさわしいキャリアについての天使のガイダンスは、予期せぬ強い感覚、鮮明な夢、突然の映像、頭の中で言い回しや名前が聞こえるという形でやってきます。そのメッセージをはっきり理解できたかどうかがわからなければ、自分の解釈が正しいと証明するサインを天使にお願いできます。尋ねれば、あなたが天使からの提案をはっきりと正確に受け取ったという確証を、天使は必ず与えてくれるでしょう」

さらに、ギリアンに次のように説明しました。

「よいキャリアの可能性がいくつかあって、どれを選ぶべきかはっきりした答えが得られない場合には、完璧な仕事はたった一つしかないという幻想にとらわれるべきではありません。さもないと、何とか解決しようとしておかしくなってしまうでしょう。それぞれの人にソウルメイトがたった一人ではないように、私たちにはたくさんのキャリアの可能性があり、その一つひとつがすばらしい満足感を与えてくれます。その人の選んだ仕事が、自分の興味とスキルを心ゆくまで使う機会を与えてくれる限り、人生のあらゆるところで深い満足感と成功を経験できるでしょう」

ギリアンは、これらすべてを心に刻み、職探しを続けると約束しました。

次にギリアンに会ったとき、彼女は駆け寄ってきて私を強く抱きしめてくれました。

「天使たちが言ったことは本当でした。私は今、国立公園局（国立公園を管理する役所）に勤めています。整備部門の管理責任者として、一日中、自然の中を車でまわっています。人生でこれほど幸せだったことは一度もありません」

天使たちは、あなたの興味や情熱に一致する領域で仕事を探してほしいと願っています。屋外にいるのが好きなギリアンのような人にとって、オフィスの仕事は刑務所にいるようなものです。創造的な人にとって、単調な仕事は悲惨な運命のようなものでしょう。視覚に訴えるものが好きな人にとって、一日中数字ばかり扱うのは拷問です。人を助けるのが好きな人にとって、狭い仕切りの中でコンピュータで作業するのはわびしく、意味を感じられないでしょう。ギリアンは、自然の中で過ごす仕事を見つけてからは、これまで想像もしなかったほどの満足感と幸福を感じています。

天使の処方箋

自分の才能と興味に一致する満足のいく仕事を探してください。理想とする仕事への道が、一歩一歩開かれると信じましょう。

キャリアのタイミングに関する処方箋

もっとよい仕事がほしいとか、今の仕事をやめて、まったく新しい職業につきたいと願い、ガイダンスをもらえるようにお祈りしても、すぐには答えを受け取れないかもしれません。連絡した会社はどこも採用してくれず、あなたを正しい方向へと導いてくれる不思議な偶然なども何一つ起こらないのです。次にどうすべきかという明確なガイダンスもやってきません。そうなると、あなたは天使を疑い始めるでしょう。天使は本当にいるのかと思い、自分が助けを頼んだらすぐに飛んでくるべきなのに、どうして新しい仕事へ導いてくれるものが何も現れないのかと思い始めるのです。

天使は、キャリアを変えようとするときには辛抱するようにと注意しています。天使は、あなたが自分の選んだ分野で働きたいと強く望んでいるのを十分知っています。でも、その職を時期尚早な段階で始めたり、キャリアを変えたら、挫折してひどく苦しむかもしれないことも知っているのです。夢の仕事が実現しないのは、可能性がないからではなく、とんとん拍子にいくように物事を調整する時間を天使に与えていないからなのです。

さらに、天使たちは、次のようなこともあると言っています。つまり、キャリアの変化に必要な準備が、自分の中でまだできていないのです。まずは、新しい仕事のために講習を受けたり、現在の同僚との関係をよくしておく必要があるかもしれません。

キャリアのことで助けを祈っているなら、しかるべき時がくるまで、宇宙はドアを閉じていると覚えていてください。これは神のタイミングと呼ばれます。それはシンクロニシティーが起こるように、神や天使が物事を調整する方法で、そこでは物事が自然に起きるように、たくさんの出来事や人々が調和して動きます。

天使がカーラに伝えた教えもこれでした。カーラは三十歳くらいの女性で、私は彼女が公認会計士だということ以外はあまりよく知りませんでした。彼女が私の前に座ったとき、天使は鮮明な映像を見せてくれました。それは、カーラがキリンになっているイメージで、木々の中で首を伸ばして葉を食べようとしていました。これは、彼女が何か新しいものに到達しつつあることを象徴的に示していました。天使は、彼女が現在、成長の時期にあるのをはっきり示したのです。

「天使は、あなたが今、ものすごい成長期にあると言っています。あなたは自分を大きくし、限度いっぱい引き伸ばそうとしている最中です」

カーラは、それは当たっていると認めました。私はカーラのガーディアン・エンジェルが、彼女が人間として成長するためにまじめに努力していることに拍手しているのが見えました。私はこのイメージをカーラに話し、彼女の天使が次のように言っていると伝えました。

『あなたは、いつも別の観点や幅広い見地に立って物事を見るようにしています。あなたには、そうする勇気があります。違う方法で物事を見るのを恐れる人もいますが、天使は新しい光の中で物事を見ようとするあなたの意欲を褒め称えています』

カーラは答えました。

「そのように褒めていただくのはありがたいのですが、私が彼らを必要としているとき、天使たちは一体どこにいるんでしょうか？　私は仕事でとても惨めな状態にいます。私の人生も大混乱しています。夫とは別居したばかりで、きっと離婚することになるでしょう。私は両親のところへ戻り、自分の全人生を振り返って再評価している最中です。特に、これからの二、三十年、どんな仕事をしようかと考えています。人生における新しい方向性と、あなたの言うような満足感を得られる仕事を探しているんです。自分の才能が発揮でき、世の中のためになるような新しい仕事に導いてほしいと天使にお願いしましたが、何の答えもくれませんでした。もう数ヵ月たちますが、何も起こっていません。本当に天使などいるのかと思い始めたところです。それとも、私は何か間違ったことをしているのでしょうか？」

天使は答えました。

『いいえ、カーラ。あなたは何も間違っていません。でも、あまりにもこの変化を急《せ》いて乗り切り、将来へと進もうとしています。物事には、神の手によって導かれるタイミングというものがあります。現在の仕事をやめることに関しては、まだその時期がきていません。私たちは、あなたが自分に対しても、私たちに対しても、外側の環境に対しても、天に対しても、もう少し辛抱強くなるよう望んでいます。あなたからキャリアやほかのことでの変化を頼まれたとき、私たちはすぐにどんな条件が必要なのかを確かめました。ビルの改築は、ある一定の順序で段階的に進めなければ、構造がもろく不安定になり、壊れやすくなってしまいます。新しい生活や新しいキャリアの再構成もそれと同じなのです。
あなたにとって、新しい生活の構築はまだ完全に終わっていません。それどころか、前の生活を終えるのに必要なことにも十分に時間をかけていません。今はまだ、キャリアや仕事を大きく変えるのによい時期ではないのです。あなたはどちらについても公平に判断できず、前進と成長を助けるどころか、邪魔をしてしまうでしょう。
私たちは、あなたの本当の願いを知っており、最善の方法で新しい環境を準備しようと働いています。数ヵ月以内には、新しい自分と、次にする仕事のもっとよいイメージがつかめるはずです。そのときまで、心を開き、一番興味のあることについて調べたり、学び続けてください。あなたに強い興味がある限り、勉強する内容が現在の生活に役立つものである必要はありません。これらのことを学ぶ喜びが、新しいキャリアの指針となるでしょう』
カーラは、天使たちが本当に耳を傾けており、自分には少し忍耐力が必要と再確認して、明るい気持ちで家に帰りました。自分の人生と離婚と不幸なキャリアの選択から学ぶべきレッスンは何かと考え、現在の状態が好転するのを心配せずに待つよう励まされたと話していました。

天使の処方箋

望んでいる新しい仕事やキャリアがすぐにやってこなくても、絶望しないでください。物事を正しく組み合わせて成功させるには、時間がかかります。物事の背後には、神のタイミングが存在するのです。

仕事が嫌いな場合の処方箋

あなたがたの中には、ひどく嫌いな仕事でも、やめることを考えもしない人がいます。そんな人にとって、達成感や満足感、楽しさなどについて悩むのは子どもじみたことかもしれません。おそらく、清教徒の倫理観から、生計を立てるのは困難で苦しいことだとか、それが神の意図だという誤った印象を持っているかもしれません。「そうでなければ、どうしてそれを『働く』と呼ぶのですか?」という質問がその考え方をよく表しています。

でも、神はあなたを苦しませるつもりはない、と天使は言っています。苦しみに満ちた重荷のような仕事は、神が人間に対して計画したものではありません。天使は、あなたが幸せになり、満足できる仕事を見つけてほしいと思っています。それは、世の中の役に立つために、自分の持てる真の才能と興味を使うことのできるものです。そのゴールを目指している限り、神や天使たちはあらゆる方法であなたをサポートするでしょう。

天使と私はこのことを、独身でソーシャルワーカーの男性クラレンスに説明しようとしました。私はこれまで、彼ほど気力の衰えたクライアントに会ったことがありませんでした。まるで彼のたましいが絶え果てているかのように、声にも力がありませんでした。クラレンスがひどい無力感に苦しんでいるのは、霊能力者でなくてもわかりました。その原因の大半が彼の仕事にあるようでした。ソーシャルワーカーは、不安定で感情的になっている家族に数多く接しなければならないからです。でも、クラレンスは無力感を超えて、まるで歩く死人のようであり、天使が私に見せてくれたあらゆることが、それを裏づけていました。

私は、彼にどれほど疲れて見えるか話しました。クラレンスは、自分を弁護するように答えました。

「私にどうしろというんですか？　私はソーシャルワーカーなんですよ。この職業では仕方ないことなんです」

私は、仕事を変えようとしたことがあるかと尋ねました。彼はすぐにけん制してきました。

「今の仕事をやめて、ほかの仕事をするということですか？　もちろん、考えたことはありますよ。そうしない人がいると思いますか？　夢を見るのは素敵ですが、現実を見てください。自分の仕事を好きな人なんて誰もいません。働くというのはそういうことではないんです。給料をもらい、三度の食事と健康保険を得て、老後の資金を準備することです。もちろん、私は自分の仕事に耐えられません。ほとんどの人が同じように感じているんじゃないですか？　私一人ではないはずです。私は生活費を稼がなくちゃならないんです。養わなくちゃならない病弱の母もいますし」

クラレンスの否定的な態度は、最初、私の気持ちをかき乱しました。そして、どうすればこの不幸な男性にわかってもらえるか、天使にガイダンスをお願いしました。ただちに、天使のエネルギーが私の心を静めてくれました。

私はクラレンスに言いました。

「クラレンス、実際のところ、仕事を楽しいと思っている人も多いんです。彼らはその日一日に心躍らせながら目覚め、仕事に行くのが待ちきれないくらいです。仕事中毒の人のことではありません。むしろ、大好きな仕事を見つけて、それをすることでエネルギーがわいてくると感じる人たちのことを話しているのです」

天使は愛情いっぱいにクラレンスに向き合いました。

『あなたは仕事が苦しいものと考えています。それは神が、自分の子どもたちのために意図したことではありません。あなたは仕事で苦しむ両親の姿を見てきました。それ以来、仕事についてネガティブな考えを持っています。でも、両親は、スピリチュアルな成長のためにすすんでその仕事を選択したのです。両親にとっては価値があり、満足できる仕事だったはずです。あなたに対してあふれるほどの愛を注いでくれませんでしたか？　もし仕事がそんなにむなしいだけなら、それほど愛情深くはいられなかったでしょう』

クラレンスは、その質問に悩んでいるようでした。そして、「わかりません……。わかりません」と繰り返しました。私は、彼が天使の言うことをいまだ否定しているとわかりました。

『あなたの友達で、好きな仕事をして、その仕事を誇りに思い、仕事が満足感をくれると言っている人はいませんか？　私たちがあなたに望むのは、そういうことなのです。喜びと愛と満足感こそが、仕事が与えるべきものと信じる勇気を持ってください。そして、そこにあなたがたどりつけるように、私たちに助けさせてください』

クラレンスは、まだ納得していないようでした。私には、彼が天使の処方箋を無視するだろうという悪い予感がしました。悲しいことに、その予感は当たったのです。私は友人から、彼が天使のたわごとにすぎなかったと言っていたと聞きました。結局、彼はその仕事を続け、何一つ変えようとしませんでした。そして数年後、脳卒中で亡くなったのです。

もしクラレンスが、仕事を重荷ではなく、天使と同じように見ることができたなら、もし満足の源として職業を考えることができたなら、彼は自分を救うことができ、満足し、意味のある人生をあと何年も送ることができたでしょう。

天使の処方箋

仕事を楽しんでいる友人を自分の周りに見つけてください。仕事はつまらなく、苦しいものであるべきではないと学びましょう。友人の例に従い、あなたが満足できるような仕事を探してください。

仕事のストレスのための処方箋

ストレス、特に仕事に関係するストレスは、今日、人の死の大きな原因の一つです。ストレスは、脳卒中、心臓発作、消化器系の病気、肺の合併症を引き起こし、毎年何百万人もの人が亡くなっています。仕事のストレスが、離婚や子どもの虐待、アルコール依存症、麻薬中毒、自殺、精神の病などの要因となることもよくあります。社会的にも、個人的にも、仕事のストレスの代償は計り知れないほど大きいものなのです。

今日では、人員削減で、一人の従業員に二、三人分の仕事が割り当てられ、仕事のストレスはいっそうひどくなっています。多くの人が、朝起きてから眠りにつくまで次から次へと作業をこなしており、まるでトレッドミルの上を走るように感じていても不思議ではありません。彼らのストレスのもとは、退屈、虐待的な雇用主、騒々しい職場環境、長時間の通勤、同僚との緊迫感、家庭との両立、仕事のスケジュール、経済的負担などです。

天使は、ストレスのマイナス影響について私たちよりもよく知っており、ストレスのレベルを下げる手助けをしたいと思っています。ガーディアン・エンジェルはあなたがストレスを感じているのに気づくと、耳元でストレス管理の方法をささやきます。そうすると突然、屋外で過ごしたいという衝動にかられたり、美術館に行ったり、野球をしたいと思ったり、新しいコメディー映画のDVDをレンタルして笑いたいと思ったり、お昼に公園まで散歩したいと思ったり、くつろげて緊張感をゆるめることをしたいと思うかもしれません。

これらのメッセージが天からきていると気づかなければ、単なるなまけ心からきたものと思って無視してしまうでしょう。でも、天使の声に従う勇気を持ち、彼らのアドバイスに心を向ければ、あなたはずっと感じてきたストレスから解放されるだけでなく、職場での生産性や創造性をいちじるしく高められるのです。

四十七歳になるソフィアは地元デパートの役員秘書ですが、私とのセッションを予約するために電話してきて、私に会いにくる時間がないと切実に訴えました。

「私には助けが必要なんです。今の仕事がひどく重荷で、おかしくなりそうです」

ソフィアは、地区支配人の秘書として、資料をまとめデータを打ち込む仕事が大好きだったと言いました。

「でも、会社が買収されたんです。三分の一の社員が解雇され、残った社員がその仕事を引き継がなければならなくなりました」

彼女は、さらに二人の上司に仕えることになったのです。上司が三人に増え、彼女の仕事量は三倍になりました。

「それだけでなく、それぞれの上司が、私が別の上司の急を要する仕事をしていても、すぐにそれをやめて自分の頼んだことをするように言うんです。結局、ほとんど毎日、家に仕事を持ち帰らざるをえません」

事態をいっそう悪化させたのは、ソフィアの夫が、彼女との時間がないのを不満に思っていることでした。彼は仕事をやめてほしがっていたのです。ソフィアは、やめれば、同じくらいの給料をもらえる仕事はほかに見つからないと思っていました。

「このことで私たちは、いつもけんかしています。でも、ほかにどうすればいいんでしょうか？あらゆることをきちんとしようとして、ものすごいストレスを感じています。そのせいか、だんだん、人に対してつっけんどんになり、いつも愚痴ばかり言うようになりました。あとで言わなければよかったと思うようなことが、つい口に出てしまうんです。自分が落ち込んでいるのに気づくこともよくあります。自分には能力がないので、これ以上努力しても無駄なんじゃないかとも思い始めました。ときには死んでしまいたくなります。会社が吸収合併されて以来、気分がいいことなんて一度もありません」

天使は彼女に言いました。

『楽しむことは必要なことで、贅沢ではありません。八方美人になりたいというあなたの願いには拍手を送ります。それは、あなたの愛に満ちた性質からきているものです。でも、限界まで自分を酷使するなら、自分自身や家族を大事に思っていないことになります。私たちは、あなたに次のことをしてほしいと思っています。職場にいる間は、自分の責任を果たしてください。可能なら、同僚に助けを求め、その助けを受け入れてください。そして、一日の終わりには、仕事を職場に置いて家へ帰りましょう』

「でも、家に仕事を持ち帰らないと、今の仕事量はとうていこなせません」

ソフィアは訴えました。

『そうすることで、あなたは、過重労働の会社の方針を助長させ、職場での欲求不満を増加させています。現在のひどいスケジュールを隠していれば、会社はあなたに助けが必要とは気づかないでしょう。昼間は職場でまじめに働き、夜には家に帰って休息し、楽しまなければならないのです。どんな結果になろうとも、そうしてください。最初の上司が、あなたにアシスタントを雇って助けてくれるでしょう。彼は、あなたに自分の個人秘書になってもらえると喜ぶはずです。私たちを信じてください』

私はつけ加えました。

「あなたの天使は、休憩時間をとって休む必要があると言っています。ストレスが常にあるのは問題です。一日か二日休暇をとって、本当に休めますか？　これが答えだと、天使は言っています」

ソフィアは、休暇を海辺でとろうと夫と話していたところだと言いました。私は、なるべく早いうちにそれを実現するようにアドバイスしました。

私は、ストレスを感じている人に、天使が休みをとるようすすめるのを何度も見てきました。

休暇をとるように提案することもあれば、単に、週に一度子どもから離れて、素敵なレストランに行ったり、コンサートに行く提案をすることもあります。たいていの場合天使は、そんな休みを海や湖、山の中や森林など、屋外でとるようにすすめます。自然とつながることが人を神とのつながりに戻してくれ、疲れたたましいに心の慰めを与えてくれると知っているのです。

ソフィアの場合、彼女の天使はスポーツも提案しました。私を通してソフィアがジョギングしている映像を見せて、規則的にスポーツを始めるように伝えました。

「天使は、あなたの父親は、四十八歳で心臓発作で亡くなったと言っています」

私がそう言うと、ソフィアはうなずいて、それを認めました。

『その年齢に近づいてきたら、心臓と心臓血管系に注意を払うことが大切です。仕事でかなりストレスがあり、あなた自身も心臓のことを心配しているからです。運動することで、健康についての不安を減らすことができ、不安が少なくなれば、病気のリスクは減るでしょう』

さらに、天使がくれた事前対策となる処方箋には次のようなものがありました。仕事を変えること、キャリアを変えるために学校へ通うこと、通勤には自動車の相乗りをするか、通勤時間短縮のため職場の近くへ引っ越すこと、カフェイン、アルコール、ニコチンをやめるか量を減らすこと、職場からあわてて帰宅しないですむように、子どもやベビーシッターや配偶者と時間調整し直すこと、仕事の一部を人にお願いすること、などです。

天使の処方箋

休息はぜいたくではなく、必要なものです。休み時間をとって、ストレスを手放しましょう。自然の中へ出かけていき、愉快な活動をしてくつろいでください。

いやな仕事を改善するための処方箋

もちろん、もっと青々した草原を探して、満足できない仕事をすべてやめる必要はありません。家族や経済的責任から、やめられない場合もあるでしょう。天使は今の職場状況を変えて、自分の望みに近づけるにはどうすればいいか知ることが、あなたにとって一番いいかもしれないと言っています。問題が搾取的な上司でも、意地の悪い同僚でも、耐えられない騒音でも、先の見えない仕事でも、経営難でも、ストレスの多い環境でも、退屈な仕事でも、自分の倫理観に反する企業のやり方でも、大して違いはありません。天使は、あなたががまんして、物事をよりよくしようと前向きに努力すれば、現状を変え、自分の庭をもっと青々した草地にできると言っています。

今日、とても多くの人が、キャリアを変えようとしています。私はそんな相談にのっていますが、現在の職場状況をいかに改善できるかを考えもせず、すぐにどこか別の場所で仕事を見つけようとする人が多いようです。

二十代の設備マネジャーのトリナもそうでした。

トリナはペンキ塗料製造会社で働いていました。その会社は、法律に従って環境を守るよりも、科せられた罰金を払うほうが利益が出ると考えていました。トリナは会社のやり方に非常に罪の意識を感じており、自分の会社について人に話すのさえ恥ずかしく思っていました。大学在学中にリクルートされ、そのときは自分が勤める会社がどんなところかを理解していませんでした。

数年たった今では自分の仕事がひどく嫌いで、やめることばかり考えるようになったのです。

トリナは、引け目を感じなくていい仕事をどうすれば見つけられるか、アドバイスをほしがっていました。

「環境に害を与えている会社からは給料をもらいたくありません。自分のしていることが心地よく感じられるように、信念に沿うような仕事に変えたいのです。でも、私は夫の面倒を見なければなりせん。夫は交通事故にあって、今は車椅子なんです。次の仕事が決まるまで、今の仕事はやめられません」

トリナはほぼ一年にわたって仕事を探していましたが、うまくいきませんでした。彼女は職業紹介所、ネットワーキング、インターネットのチャットルームなどを利用し、履歴書を何通もメールで送りました。彼女は嘆くように言いました。

「何一つうまくいきませんでした。結局、がまんできない職場に閉じ込められたままです。日々、自分のことがますます嫌いになっています。祈りもしましたが、何も起こりませんでした。何かアドバイスをいただけますか？」

すぐにトリナの天使は、私に話しかけてきました。あまりにも速く伝えてきたので、何年も経験ある私でもついていくのが大変なくらいでした。

私はトリナに、天使が処方箋をくれるけれども、身がまえて聞くようにアドバイスしました。なぜなら、それは彼女の期待するものではなかったからです。

『現在の仕事と置き換えられるものは、何一つありません。なぜなら、そこをやめるべきではないからです。理由があって、あなたはその場所に連れてこられました。あなたには、そこで果たすべき大切な仕事があるのです。ですから、環境汚染のようなスピリチュアル的にも倫理的にも間違っていることを正す努力もせず、ただその場を立ち去り、自分に安らぎと満足感を与えてくれる別の職場への導きを期待することはできません。その状況の解決に取り組んで、そこでの自分の仕事を完結させなければならないのです』

天使は、トリナが設備マネジャーの立場を利用して、環境的に安全なやり方のほうが長期的にはさらに費用効果が高いと上司たちに提案するように言いました。最初、トリナはその考えに尻ごみし、自分の仕事はそんなに重要ではないし、無力な自分には会社の方針は変えられない、それに専門家ではないので、誰も自分の言うことに注目しないだろうと主張しました。

もちろん天使は、それに対する答えも持っていました。

『会社側に、排出管理システムをアップグレードすることで財政的利益が見込め、それで現在支出している罰金を減額できると示すのです。あなたの報告書が職場で認められるように、私たちが正しい情報を提供します。あなたに必要なのは、この計画を実現しようという献身的態度だけです。残りの部分は、すべて私たちが行います』

トリナは天使が言ったことにうなずき、こう言いました。

「実は、私もそう思っていたんです。事態をよくするために何もせず、ただ会社をやめるのはよくないのではないかと……。あなたと天使がどうするべきか教えてくれるなら、やってみようと思います。どうせ私には、失うものなどありませんから」

天使たちは繰り返し、全行程を一歩一歩導くと念を押しました。彼女が第一歩を踏み出せば、会社のお偉方たちを説得するのに必要なものはすべてがそろうと保証してくれたのです。

トリナはまだ疑っているようでしたが、その夜、インターネットで過去十年間に会社が支払った罰金を調べることから始めようと決心しました。

「ときどき電話でアドバイスをもらえるなら、やってみます」

そう彼女が言ったので、もちろん、私はすぐにうなずきました。

不思議なことに、彼女は一度も連絡してきませんでした。私は彼女はどうしたのか、天使が与えた課題に行き詰まっているのではないかと考えていました。

何ヵ月もたったある夜、私は雪で全便欠航した空港に閉じ込められ、そこでばったり彼女と会ったのです。飲み物を買って、テーブルを探そうと振り返ると、すぐ後ろにトリナが立っていました。彼女は輝きを放っており、熱くなって私に話し始めました。

「セッションの後、驚くようなことが起こったんです。どこから始めればいいのか聞こうと、あなたに電話するつもりでいました。でも、とりあえず、インターネットのメーリングリストに一つ質問を投げかけてみたんです。そしたらなんと情報が殺到し始め、たくさんの人が関連するウェブサイトのアドレスや、雑誌記事のコピーを送ってくれたんです。まるで、大学院で環境保護法の講義を受けているようでした。やる気を失いそうになったり、次に何をすればいいかわからなくなるたびに、正確な情報や励ましのメールが送られてきました。いつも私を助けてくれる目に見えない調査員とコーチがいるようでした。きっと本当にいたんだと思います。もちろん、天使たちのことですが。

まもなく、会社が毎年どれだけのお金を罰金に費やしており、新しい排出処理技術を用いて環境保護基準内にとどまれば、どれだけ減額できるかを段階的に示す確固とした事実や数字など必要なものをすべて入手しました。この提案書を持って会議室へ入っていったとき、膝はブルブル震えていました。座っている社長のほうを見ると、とても怖くなって逃げ出したくなりました。

そのとき、あなたとのセッションで天使が言ってくれたことを思い出したんです。それまですっかり忘れていました。天使たちは、提案書を提出しさえすれば、残りはやってくれると言いました。私はすぐに落ち着きを取り戻し、すべては天使たちの手中にあるとわかったんです。それに、どうせこの仕事は好きではありませんでしたし。

私は全員に報告書のコピーを渡して、説明を始めました。毎年、数百万ドルの経費を節約できるだけなく、善意と無料の宣伝で何百万ドルも生み出せるだろうと指摘して、話を終えました。その後、無表情か反対のさげすみの表情を予測しながら、みんなを見回しました。でも、社長と監査役は互いに顔を見合わせて、うなずいていたんです。おそらく、天使たちが彼らの耳元でささやいたのだと思います。なぜなら、私が提案したほとんどのことを、実際に実行しようとしていますから！」

トリナは新規事業の責任者に任命され、昇給もしました。現在、彼女は仕事が楽しくて、やめたいなんて少しも思っていません。

天使の処方箋

神は、いやな仕事を改善して、自らを助けようとしている人を助けます。自分が幸せではない仕事をやめる前に、じっくり眺めてみて、少しの努力で状況を変えられないか考えてみましょう。

同僚と対立した場合の処方箋

うまくいかない同僚や上司と働くことほど、楽しい仕事を悪夢に変えてしまうものはありません。

対立や争いがまったくないとしても、職場は十分に厄介な場所です。あなたがどんなに努力しても、どういうわけか互いに火花を散らすようになったり、あなたを嫌う人がいるかもしれません。一日中口出しするうるさい人がいると、ストレスや緊張を感じ、仕事に対する深刻な不満が募っていきます。その状況がさらに悪くなると、家庭にまで影響し、結婚生活にもストレスや緊張を与えるでしょう。

幸いにして、そんな職場での対立を解消してくれる天使の処方箋があります。ラースはそれを見つけました。

ラースは職場でうまくいっておらず、エンジェル・セラピーにやってきました。四年生を担当する教師のラースは、新しい校長アニタが自分の人生を惨めにしていると訴えました。

「どうしてなのかさっぱりわかりませんが、アニタは私に恨みがあるようです。彼女は、私のやることなすことすべてに強く反発します。会議でも、みんなの前で私をやりこめるんです。たとえ私が彼女を避けても、きっと探し出すに違いありません。彼女は自宅にまで電話してきて、私が職場でミスをしたと怒鳴りつけるんです。もうこれ以上耐えられません。もう少しでおかしくなりそうです。でも、終身在職権（訳注・定年まで教員の身分を保証されること）をまだ持たないので、彼女にたてつくのは怖いんです」

彼には、これまでこんな経験はないと言いました。前の校長とはうまくいっており、ほかの教師や生徒ともうまくいっていたのです。現校長との対立は、説明のつかないものでした。

「この女性は、初めて会った瞬間から、私のことを嫌っていたような気がします」

ラースはそう言って、天使に導きを求めました。

私は、校長の天使にコンタクトをとるために、アニタという名前を何度も繰り返しました。そして、感情を高ぶらせ、ラースと言い争う女性の映像が見えました。アニタの向こうにいるのは、彼女のガーディアン・エンジェルで亡くなった父親だとすぐにわかりました。さらに、年とった女性も見え、それはアニタの母方の祖母でした。彼女は私に、アニタが校長になった最初の数ヵ月間、孫娘を一生懸命サポートしたと告げました。

二人の天使は、ラースに言いました。

『アニタは、子どもの養育権がからんだ辛い離婚に耐えている最中です。夫がほかの女性のもとへ行ってしまい、悲嘆にくれており、あなたの存在そのものが彼女に痛みを与えています。なぜなら、あなたは外見も仕草も夫にそっくりだからです。これはまったくの八つ当たりで、アニタは夫に感じている激しい苦悩をあなたに爆発させているだけなのです』

ラースは驚き、少し疑っているようでした。それは、予想だにしていなかったことでした。彼は、新しい校長の私生活のうわさを耳にしたことがなく、離婚について何も知らなかったのです。しかし、後日、天使の話したことがすべて真実だったとわかりました。

『この種の投影は、見知らぬ二人が初めて出会ったときに起こる自然な嫌悪感の原因です。私たちは何度も、同じようなことが起こるのを見てきました。なぜ起こるかは明らかです。許すことを学ぶ助けをしてくれる人を、あなたは引き寄せるからです。アニタは、夫を許すために、あなたに引き寄せられているのです。ですから、ちょっと辛抱して、これを苦境ではなく、すばらしい癒しのチャンスと考えてください。アニタのことを思い、アニタを見るとき、この女性を助けようという意図を持つことが大切です。その状況を悪化させるような恐れや拒絶感を抱くのではなく、彼女に愛の思いを送ってください。「アニタ、あなたを愛しています。あなたを許します」と思うのです。そうすれば、状況はあなたの想像を超える方法で解決されるでしょう』

「つまり、彼女からの責め苦を愛せというのですね」

ラースは苦笑いしながら尋ねました。まだ疑いは残っていましたが、希望をもたらす可能性があれば何でもしようと決心しました。そして、事態のその後を私に連絡をすると約束してくれました。

そして、二ヵ月後、彼は次のように報告しました。

「まず、アニタに愛の思いを送れるように、自分に強《し》いなければなりませんでした。私は頑固なんでしょう。最初何の結果も表れなくても、それを続けていましたから。でも、相変わらずアニタからひどい扱いを受けているにもかかわらず、前よりは気分的に楽になったのに気づきました。

それから奇跡のようなことが起きたんです。

アニタと私は、オフィスで長時間、話をしました。最初は居心地よくありませんでしたが、熱心に耳を傾け、彼女に温かな思いを持ち続けました。そうしたらどうなったと思いますか？　突然、アニタが私に心を開き、自分の離婚やご主人や子どものことを話し始めたんです。家族の写真を見せてくれたとき、彼女のご主人が自分にあまりにもそっくりで驚いてしまいました。しばらくして、私は心からこの女性に愛を感じ始めました。もちろんロマンチックな愛ではなく、思いやりの愛です。学校が終わった後、私たちは一緒にコーヒーを飲みにも行きました。今ではアニタのことが友達のように思えます」

ラースは、天使が上司との問題を解決してくれたことに感謝していると言いました。このような対立に、愛を持って取り組むことを学べたのを喜んでいました。今では、同じ原則を別の場合にも用いると決めたそうです。彼はすでに、一番難しく、手のかかる生徒たちに、この方法を使っています。

天使の処方箋

学びの経験として、他人の人生に関わっていることを覚えていてください。人には愛にあふれた考えを持ち続けましょう。遅かれ早かれ、そのレッスンが誰のためであり、どんなものか現実として目に見えるはずです。

お金の不足に対する処方箋

家族をきちんと養い、将来の緊急時にも備えるため、多くの人がつつましく暮らし、節約しています。金銭問題は、夫婦のいさかいを招く原因としてセックスと並んで首位を占めています。

お金の使い方、誰がお金を稼ぐか、一番稼いでいるのは誰か、貯蓄と投資の仕方などで口論したり、感情を傷つける言葉を投げ合うのもよくあることです。

お金の心配は、あなたを肉体的にも精神的にも弱らせます。さらに重要なのは、友人や家族、余暇の時間や子どもたち、内側の充足感のような一番大事なものを見失ってしまうことです。陽気なはずの友人が、突然の経済危機でやつれて落ち込んでいるのを目にしたことがあるでしょう。次の食事にどこでありつけるのか、来月の家賃をどうやって払うのか、新しいタイヤをどうやったら買えるのか、息子の歯列矯正代を払えるかどうかがわからなければ、人生を楽しむのは難しいのです。

でも、元気を出してください。天使は、誰もが心の中にスピリチュアルなＡＴＭを持っていると言っています。

ＡＴＭとは、思考現実化装置（Automatic Thought Manifester）の略で、神の考えとあなたの考えを組み合わせたものが必要なお金をもたらす強力な力であることを意味しています。自分には十分なお金がないとか、お金をたくさん手にする資格がないと思うのは、あなたの思い込みにすぎません。

私の生徒のシャーメインは、自分の経済状況を嘆いていました。彼女とご主人のフロイドは、小さなジューススバーを経営しています。ビジネスは安定していましたが、収入は少なく、何とか借金せずにすんでいる状況でした。

「お金が十分あることはありません。収入のすべてが、ライセンス使用料、従業員の給料、所得税、電気・ガス・水道などの支払いに消えてしまいます」

夫婦は、町の反対側にできた新しいショッピングセンターに、二店目のジュースバーを開きたいと夢見ていました。そこでは経費が今の五割増ですみ、なおかつ三倍の売り上げが見込めると推測していたのです。でも、その場所を借りる資金がありませんでした。

「それがかなえば、楽に暮らせるんですが……」と、シャーメインはため息をつきました。

彼女はどうしたらいいか天使に尋ねました。彼らは即座に答えてくれました。

『あなたとフロイドは、自分たちには豊かになる資格があると心から信じていません。その結果、現在のお店でお客を増やす努力もしていないのです。それをすれば、自分の夢の実現に必要なお金を得られるのにです。もう一つは、請求書と事務書類をいいかげんに処理しています。その結果、節約やもうけのチャンスを見逃しているのです』

私は、このことが真実かどうかシャーメインに尋ねました。彼女は驚いたように、私の顔をまっすぐに見ていました。

「当たっています。私はときどき、夜ベッドの中で、どうすればお金持ちになれるか計画を立てるんですが、いつも『そんなことは自分に起こるはずはない。だって私は近所の小娘にすぎないんだもの』と思ってしまうんです。学位は問題ではありません。私のような人間はお金持ちになれないと思うのです。フロイドが同じように感じていたとしても、驚かないでしょう」

天使は、経済的に豊かになる処方箋を提供してくれました。

『あなたとフロイドが、自分たちには裕福になる資格があり、豊かさを経験すると本当に信じれば、現金収入が増え始めるはずです。でも、お金の足りない状況を受け入れている限り、これ以上稼ぐのは不可能でしょう。あなたは、ありのままの自分と人生に決然とした態度をとり、お金ともっとよい関係を築けるように取り組まなければなりません。

一生懸命に働けば、報酬を受ける資格があります。きちんとした会計システムには、価値があります。もっとお客を増やすことにも価値があります。以上のことがわかれば、すぐに裕福になれるでしょう』

「確かに、お話はもっともだと思います。でも、今そうすることができないのに、一体どうすれば自分にもっと価値があると感じられるんでしょうか?」

私は天使からの提案を二つ伝えました。

『覚えていてください。あなたは単にお金がほしくて、お金を要求しているのではありません。自分の基本的欲求を満たすために、お金を望んでいるのです。あなたには、自分の愛する人を助け、サポートするお金が必要なのです。神は、あなたの願いを聞き届けるでしょう。自分の愛する人や他の人を助けるために、お金をもっと得たいと祈り、助けがやってきたら受け入れてください。この中には、教育、旅行、経験、生活、住む場所、ビジネスなどの基本的欲求を満たすお金が含まれます。

第二に、あなたはお金について、利己的、世俗的な見方をしてはいません。愛する人や他人を助ける道具として、お金を見ているのです』

シャーメインは、決まり悪そうに目を伏せました。

「暮らし向きをよくしたいと願うことが間違っているから、状況がよくならないんですか? 聖書は、お金が人をだめにすると言っていませんか? お金をほしがるのは罪ではありませんか?」

私は静かに笑いながら、彼女に尋ねました。

「金持ちが天国の扉をくぐるよりも、ラクダが針の穴を通るほうが簡単だという話のことですか?」

天使は、聖書の話はお金に執着しないように警告しているだけだと言っています。イエス・キリストの言葉の目的は、豊かさや富の真の源として、富の邪神ではなく、神のことを考えてもらうことなのです。

天使はシャーメインに言いました。

『本来、お金はよくも悪くもありません。それは単に、愛と光、あるいは闇と恐れのために使われる道具にすぎません。前者を選べば、あなたは残りの人生を、億万長者のように報われていると感じるでしょう。後者を選べば、お金は十分にあると感じることなど決してありません』

安心したシャーメインは、天使のアドバイスに従ってみたいと言いました。

その後、一年半ほど彼女に会うことはありませんでしたが、ある日思いがけなくショッピングセンターで出くわしたのです。彼女は、自分たちが経営するジュースバーのカウンターで働いていました。そして、短大の向かいにある複合商業ビルに三店目を開店予定だと言い、天使のアドバイスに従ってから起きたことを教えてくれました。

彼らは、もはやその日暮らしの生き方はしないときっぱり心に決めました。組織的かつ財政的にしっかりしたビジネスをしなければ、経済的豊かさは得られないと結論を下したのです。簿記のプロを雇い、自分たちがどこで無駄遣いしているかを調べ、もっと効率的な経営で収益をあげられるとわかりました。さらに、新鮮な果物と野菜ジュースがいかに健康にいいかをアピールして新しい店の宣伝をし、地元の大学で割引クーポンを配布しました。半年もしないうちに、毎月の銀行残高は増えていき、一年後には、銀行からの借金と自分たちの貯金で、ショッピングセンターに新しい店を開くことができたのです。

天使の処方箋

あなたには豊かになる資格があり、必ずそうなると信じてください。もし、すでにお金を持っていれば、今と同じくらいきちんとやりくりしてください。

chapter 8

聖なる処方箋の受け取り方

もし聖なる処方箋というアイディアに興味をそそられ、どうすれば神や天使から直接アドバイスを受け取れるのかが知りたいと思っているなら、すばらしいニュースがあります。

神は、あなたにぜひ聖なるガイダンスを伝えたいと思っているので、受け取る方法をとても簡単にしてくれました。聖なる処方箋を得るのに、あなたはわざわざエンジェル・リーディングにやってくる必要はありません。神のアドバイスを受け取るために全員に与えられた第六感を用いて、自分で直接入手できます。事実、神はとても簡単にしてくれて、たった一回の練習で、天使の処方箋を受け取れるようになるでしょう。

もし、人生はなぜこんなに大変なのだろうと思っているなら、こんな話は信じがたいでしょう。私が本書やほかの本で述べているように、神や天使はいつでもあなたのそばにいて、メッセージや処方箋、導きをたくさん与えてくれています。

あなたはそれにいくつかの理由で気づかず、そんな天からのメッセージをはねつけているかもしれません。一つ目の理由は、単にそれに耳を傾けておらず、どのように波長を合わせればいいかがわからないのです。二つ目の理由は、天のメッセージを感情的な苦しみや混乱が押しやっているからです。三番目の理由は、どうすべきか言われたり、神に支配されるのが嫌いで、たとえそれが自分の祈りへの答えであっても、そのアドバイスを無視するのです。

しかし、質問の練習をたえず行い、天からの答えに油断せずに注意していれば、誰でも自分の天使とより強力な関係を築くことができます。神や神のヘルパーたちは、いつでもあなたを助けてくれます。彼らは、あなたに天からのメッセージを正確に受け取る能力があると知ってほしいのです。

この章では、天からメッセージが届けられる方法について学びます。さらに、天からの導きをゆがめたり、妨害する感情の混乱を取り除く方法も学びます。それから、必要なときに、いつでも、どこでも、誰にでも、人生の問題へのガイダンスをお願いし、それを受け取ることのできる二段階の方法を紹介しましょう。

感情の浄化：邪魔ものを取り去りましょう

天使からのアドバイスを受け取る最初のステップは、混乱した感情やネガティブな感情を取り除くことです。このような感情が、神とのコミュニケーションの四つの方法を妨害します。四つの方法とは、クレアオーディエンス（言葉と音）、クレアボイアンス（イメージと映像）、クレアセンシェンス（感情と感覚）、クレアコグニザンス（突然の認識）です。天から送られた処方箋は、暗く、混乱したエネルギーに衝突して、はね返ってきてしまいます。それは、あなたの前にあるネガティブな障害物を通り抜けることができないからです。

天使は、神からの処方箋を得る前に、まずあなたが感じている惨めさや不協和音を、十分に時間をかけて解放するように言っています（もちろん、緊急の場合は、どんなアドバイスでもすぐに要求すべきです）。たとえ、ネガティブな感情がないとは思っていても、そうしたほうがいいでしょう。人はこのような感情を心の奥深くに持っているものですが、立ち止まって内側を見ないかぎりは気がつかず、突然その感情がわき出てくることがあるのです。

ネガティブな感情の原因を長い時間かけて分析する心理療法とは異なり、感情の浄化は一種の天使の瞑想法で、怒り、許せない気持ち、拒絶、嫉妬、苦痛などの有害な精神的重荷を、自分ですばやく徹底的に手放す力を与えてくれます。この瞑想法はあなたの心を自由にし、天使の処方箋と一緒に天からやってくるポジティブなエネルギーを受け入れられるでしょう。

感情の浄化を行うには、少なくとも三十分間、邪魔されない時間を作ってください。気が散らないように、電話やファックス、携帯電話の電源を切りましょう。ほかに家族がいれば、「邪魔しないでください」という札をドアにかけてください。

楽な姿勢で座るか横になり、ゆっくりとした深い呼吸を三回します。できるだけ深くゆっくりと息を吸い、それから吐きましょう。

もし、イエス・キリスト、観音、モハメッド、モーゼ、聖クリストフォルス（シリアのキリスト教殉教者：旅行者の守護聖人）、聖母マリア、聖霊、父なる風、などのような礼拝の対象となるお気に入りの人物がいれば、心の中でその人物を呼んでそばにいてもらいましょう。私が感情の浄化をするときには、たいていイエス・キリストや大天使ラファエルや大天使ミカエル、その他の癒しや浄化の天使たちにお願いしています。

心の中で言うか、声を出して彼らに話しかけましょう。

「私の心の中に入るのを許します。今すぐ私の心の中に入ってきて、私の感情をきれいにしてください。私がしがみついている怒りを取り去ってくれるようにお願いします」

しばらく静かにして、心の中で天使が働いているのを感じてください。それは、エネルギーのうねりのように感じられるでしょう。昔の怒りを手放すとき、体が痙攣するかもしれません。心身が静まったら、次のステップに進むときだとわかります。

「私がこの人生あるいは過去の人生から背負ってきた苦しみを、心の中から一掃してくれるようにお願いします」

再び、天使が浄化する間、しばらく待っていてください。このとき、呼吸し続けるのを忘れないでください。息を止めると、浄化が遅れてしまいます。

「自分や自分の人生、他人や世の中に抱いている憤りを、心から一掃してくれるようにお願いします」

しばらく静かにして、天使たちにあらゆる形の憤りを解放してもらいましょう。

「自分や他人に裏切られたという感情を、心から取り除いてくれるようにお願いします」

天使が、あなたの心や感情に完全に入り込めるように、深い呼吸をしてください。

「コントロールを失う恐れやコントロールすることへの恐れを、心から取り除いてくれるようにお願いします」

しばらく座っていて、天使にこれらの恐れをきれいに取り除いてもらいましょう。

「自分自身を許せない気持ちを、心から取り払ってくれるようにお願いします」

しばらく時間をかけて、天使に自分をきれいにしてもらいましょう。

「家族や友人、恋人、雇用主や同僚、他人や世の中に抱いている許せない気持ちを、心から取り除いてくれるようにお願いします」

この言葉を体がリラックスするまで繰り返してください。体がリラックスするということは、許せないという感情的負担が心から取り除かれたサインです。必ずしも、人の行為を許す必要はなく、そこに関わる人物を許せばよいのです。許しは、あなたにとって癒しの処方箋であるだけでなく、天とのコミュニケーションをはっきりさせる方法でもあるのです。

聖なる処方箋を受け取るテクニック

感情の浄化を終えたら、あなたは神のアドバイスを意識的に受け取る準備ができています。最初は、少し怖い感じがするかもしれませんが、次に紹介する二つのステップに従ってやってみましょう。

1．ガイダンスを必要とする問題、あるいは状況について述べてください。

2．聖なる処方箋を受け取ってください。

ずいぶん簡単だと思いませんか？　このプロセスをさらに簡単にする天使からのヒントがあります。セッションに先立ってお祈りをすると、リーディングの内容がもっと詳しく、正確になります。お願いするときには、お祈りから始めてみてください。私が頼りにしている祈りは次のようなものですが、とてもすばらしい効果があります。

「神と聖霊、イエス・キリスト、天使たち、このリーディングで私を助けてくれるようにお願いします。どうぞ、私にこの人物を助けるための詳しい情報を与えてください。そしてたくさんの恵みを与えてください。あなたの愛と助けに感謝いたします。神と聖霊と、イエス・キリストと天使たちの名のもとに」

エンジェル・リーディングの前に、しばらく瞑想するのも役立つでしょう。瞑想状態のとき、インスピレーションや心の中のサインに気づきやすくなることが研究によって証明されています。リーディングをしている場合には、相手の天使に波長を合わせるのが容易になります（瞑想になじみがなければ、近所の教会、寺院、瞑想グループへ行ったり、瞑想の良書がたくさん出ているので、それを読んでください。私のお気に入りは、スピリチュアルな教えを説いた本『コース・イン・ミラクルズ』の生徒用ワークブックで、自分の思考に集中する瞑想を教えてくれます。もう二冊すばらしい本がありますが、ビクター・ダヴィッチの『The Best Guide to Meditation』とサル・メリル・レッドフィールドの『Joy of Meditating』です）。

問題をはっきり述べる

私はクライアントたちに、自分の問題や困難について、神や天使に意識的に聖なる処方箋をお願いすることの大切さを力説しています。質問を一つするたびに、あなたは自動的に神からの答えを引き出します。

たとえば、「横柄な母をどうすればいいでしょうか?」「新しい仕事を探すべきでしょうか?」のような具体的な質問かもしれません。あるいは、「どうしたらもっと幸せになれるでしょうか?」「人生で何をすべきでしょうか?」という一般的なものかもしれないでしょう。

どんなやり方でも、あなたが一番心地よいと感じる方法で聖なる処方箋をお願いしてください。

1. 質問を声に出して尋ねてください。

2. 心の中で質問しましょう。天使には、話したのと同じくらいはっきりとあなたの考えが聞こえています。彼らはあなたの考えを批判しないので、心配しないでください。

3. 日誌や手紙に質問を書いてください。手紙は封をして、後で捨てるとよいでしょう。

4. あなたが導きを求めている状況を心の中に思い描きましょう。たとえば、多動性傾向のある三歳の子どもに対して怒らず落ち着いている自分の姿が見えるかもしれません。また、学位を取りに学校に通うことを考えているなら、大学宛ての白紙の小切手に疑問符のついたものが見えるかもしれません。

処方箋を受け取る

天使は、あなたが心で述べた質問を聞いているので、お願いを伝え終える前に、処方箋を受け取るかもしれません。答えは、ビジョンや考え、肉体的感覚や感情、あるいは耳元で聞こえる言葉としてやってきます。メッセージを受け取る可能性を高めるためには、リラックスし、かつ集中した状態でいなければなりません。緊張していれば答えに気づく邪魔となり、心がさまよっていれば答えが現れたときに別のことを考えているかもしれないからです。天からの導きをお願いして、すぐに二、三回深呼吸をするか、静かにお祈りをすれば、この理想的な状態になれるでしょう。

質問をした後すぐに、あなたのもとへやってきた印象に気づいてください。それは神との四つのコミュニケーション法のいずれかでやってきます。

1. クレアオーディエンス

頭の中か外で、言葉や歌や音楽が聞こえます。

「この言葉や歌は、私が尋ねた状況にどのように関わっていますか?」と天使に尋ねてください。

2. クレアボイアンス

心の中で、夢かと思うような映像が見えたり、象徴的なイメージが浮かびます。

「このビジョンは、私の問題にどのように関係しますか?」と天使に尋ねましょう。

3. クレアセンシェンス

喜び、温かさ、恐怖、期待などが感じられます。胃がきゅっと締めつけられたり、そわそわしたりします。空気圧が変わったり、匂いがするという肉体的感覚があります。

「この感覚は私の質問にどう関係しているのですか?」と尋ねてください。

「将来、私にある変化が起きたら、同じような感覚がして、その変化の善し悪しがわかるのでしょうか?」と天使に尋ねましょう。

4. クレアコグニザンス

解決法が考えとして心に浮かぶのではなく、ただ突然、何をすべきかがわかります。それは自分のたましいのとても深いところからやってきたと確信できるものです。

聖なる処方箋を解釈し、正しいと証明する

聖なる処方箋をお願いすると、多くの場合、はっきりとしたわかりやすい答えが返ってきます。たとえば、恋愛関係を再燃させる方法を尋ねると、海辺を歩く二人のイメージが見え、その次にレストランでのキャンドルディナーが見えたとします。あなたは、自分のパートナーと楽しむ時間をもっと作りなさい、というメッセージに違いないと確信するでしょう。あるいは、健康法を尋ねたら、いつもとは違う道を通って家に帰る、という第六感を得るかもしれません。それに従うと、途中で建設中の新しいジムを見つけます。天使が、定期的に運動しなさいと言っていると考えて間違いないでしょう。

ときには、答えがあまりはっきりせず、解釈に多少混乱する場合もあります。

ストレスをどうすればいいか天使に尋ねたところ、公園にある子どものすべり台が心に浮かんだとします。「これは、私が下り坂を滑り落ちているということだろうか？　それとも子どものように楽しむべきということだろうか？　もしくは、単なる偶然の一致で、何の意味もないのだろうか」と考えるでしょう。

心配はいりません。天使は、受け取った処方箋をきちんと理解してほしいと願っているので、あなたがその意味をしっかりと理解できるまで、あらゆるお手伝いをしてくれます。必要なら、あらゆる手を尽くし、何度でも繰り返し力説してくれるでしょう。

聖なる処方箋の解釈がわからず、動きがとれずに混乱しているなら、天使は次の四つの方法で、その意味がはっきりすると保証してくれています。

1．明確にしてくれるようお願いしましょう

理解できなかったり、意味をなさないと思うメッセージを受け取ったら、もっと説明してほしいと天使に頼んでください。

答えが耳にはっきりと聞こえなければ、「もう少し大きな声で言ってください」と言いましょう。視覚的なメッセージが理解できなければ、「何か別のものも見せてくれませんか？」と天使に頼んでください。

突然心にぱっと浮かんだアイディアや啓示が理解できなければ、「これは、私の質問にどう関係しているんですか？」と天使に尋ねてください。

自分の感情をどう解釈すべきかがわからなければ、「この感情と私の求める答えとの関係が理解できるよう助けてくれますか？」と頼んでください。

天使に馬鹿にされるかもしれない、とびくびくしたり、心配したりしないでください。天使はあなたの味方です。彼らは決してあなたを批判しません。ですから、説明が必要なら、堂々とお願いしてください。彼らはそれを提供することで、自分たちの目的が達成できて幸せなのです。

何年も前、私が自分のクレアボイアンスをどうすれば高められるかを天使に質問すると、食べ物の視覚的イメージを受け取りました。最初、何のことかまったくわかりませんでした。クレアボイアンスと食べ物との関係が、まったく想像できなかったのです。私は天使に説明をお願いしました。その答えとして、食べ物のエネルギーが答えを受け取ったり明瞭に考える能力に影響を及ぼす、という声が聞こえました。私は天使の処方箋に従い、ある種の食べ物、特に肉、脂肪質のもの、砂糖やチョコレート製品、コーヒー、炭酸、アルコール類の摂取をやめました。その結果、私のクレアボイアンスは劇的に向上したのです。

答えが理解できたと納得するまで、質問を続けてください。自分は天使をインタビューしており、聴衆のためにはっきりした答えを得なければならないと思いましょう。練習を重ねれば、もっと速く、より明確な天のメッセージが伝えられるようになるはずです。

2. 受け取った答えが正しいと証明するサインをお願いしてください

自分の想像かもしれないと思ったり、正しい解釈だったかどうかを疑うなら、天使に頼んで証明してもらいましょう。

「私が、正確にあなたの話を聞いて解釈できたと示すはっきりしたサインをお願いします」と心の中で言いましょう。

以後何時間か、見たこと、聞いたこと、考えたことに注意してください。一定のパターンがあるものに気づきませんか？　たとえば、繰り返し同じ歌が聞こえたり、同じバンパーステッカーを見たり、最初にあなたが受け取ったのとまったく同じメッセージを友人が繰り返して言うかもしれません。

3．繰り返されるメッセージに気を配っていてください

天使の助けの特徴は、同じアドバイスが繰り返し与えられることです。天使に同じ質問を何回しても、必ず同じ答えがやってくるとわかりました。これが本当に天使が話しているとわかる方法です。なぜなら、もし想像なら、毎回答えが違うはずだからです。

4．答えについて、自分がどう感じるかに注意してください

あなたが受け取った答えは、真実のように思えますか？

天使からのガイダンスは、あなたがすでに受け取り、無視してきたものに似ていることもあります。「それは知っている」という感じがしませんか？　その答えは、あなたが以前に経験した感覚や考えと同じですか？　温かく、安全な感じにしてくれますか？　「はい」と答えられるなら、処方箋は本当に神の領域からきたものと確信していいでしょう。

受け取った処方箋を実行する

エンジェル・リーディングを始めたばかりの人は、天のメッセージを受け取る自分の能力に自信がありません。彼らは間違ったメッセージを受け取り、自分や他人を誤った方向へ導いてしまうのを恐れています。その結果、与えられた忠告に従わず、なかなか実行しようとしません。医師の処方箋に関しても、その指示に従わなければ求める効果は期待できないはずです。同じように、あなたに神から授けられたガイダンスを利用するつもりがなければ、天の忠告は何の役にも立たないでしょう。さらに言えば、それを実行して何か失うものはあるのでしょうか？　もう一つの選択肢は、天に助けを頼んだその問題でずっと悩み続けることなのです。

受け取ったメッセージを信頼することが大切なのは、そういう理由からです。さらに、信頼がなければ、メッセージが十分に伝わらなかったり、意味がないと思った部分を勝手に無視してしまうでしょう。

神は決して間違いを犯さず、いつでも正しいメッセージを伝達しています。神は、はっきりとした、わかりやすい聖なる処方箋を送る方法を知っていて、とても長い間、数えきれない人にそうしてきたのです。でも、あなたに理解できなければ、きちんとわかるまで何度でも答えてくれるでしょう。神の忍耐力が続かないだろうと恐れる必要はありません。神は無限なのです。あなたが西暦三〇〇〇年まで生きたとしても、それを使い果たすことはないでしょう。おろかな質問など存在しないと覚えていてください。

受け取ったメッセージがあまりにもとっぴすぎて、神の能力に対する自信が揺らいだら、天使にあなたの信頼を強めてくれるよう頼んでください。ベッドに入る前に、癒しの天使である大天使ラファエルに夢に出てきてくれるようお願いしましょう。彼に次のように言ってください。

「私は、完全なる信頼の邪魔をするような信念や思考や感情を喜んで手放します。どうか、信頼の邪魔となるものは、すべて取り除いてくれるようにお願いします」

許可さえ与えればラファエルは、あなたのために残りの仕事をしてくれます。朝、目覚めたら、前日よりも、恐れる気持ち、孤独感、心配が少なくなったと感じるでしょう。

ほかの技能のように、時間と練習と経験で天のメッセージを受け取り、理解する自分の能力を信頼できるようになります。自分が明確に聖なる処方箋を受け取っていると自信が持てたら、第六感を使って自分以外の人にもガイダンスをすることができるでしょう。他人の代わりに質問を尋ね、代わりに答えを受け取れるのです。

次章では、ほかの人のリーディングをするときのガイダンスを紹介しましょう。

chapter 9
聖なる処方箋を伝える方法

私のワークショップ参加者のように、あなたはエンジェル・リーディングにとても興味があるかもしれません。他人に、聖なる処方箋を伝達する人になりたいと思っているかもしれないでしょう。この役割を引き受けたとき、あなたは地上の天使になります。事実上、神のメッセンジャーの一人になるのです。天使があなたを通して伝えるメッセージと処方箋は、人生を変え、救い、明るくするでしょう。

私は何千人という男女や若者に、第六感を使って天使の処方箋を受け取り、それを伝える方法を教えてきました。これらの成功によって、誰でも神とのコミュニケーションの方法を学び、この能力を発展させられると確信しました。神や天使から処方箋を受け取るために、特に優れた才能やきちんとした訓練など必要ありません。私自身、天と話をする非凡な才能があるわけではありません。天使たちはいつでも私たちのそばにいて話をしようとしており、あなたはすでに無意識のうちにそのメッセージを受け取っています。ですから単に、このプロセスに気づけばよいだけなのです。

この章では、第六感を用いて、ほかの人に天使のメッセージをうまく伝達するために必要なことがすべて書かれています。自分の受け取る能力を高めるすばらしい方法が、他人に聖なる処方箋を伝えることです。人からのフィードバックで天への質問の仕方に磨きをかけ、天使が答えに用いるシンボルを理解して、正確なメッセージを受け取る自分の能力に自信が持てるようになるでしょう。

神の聖なる処方箋の配達人になるのに必要なのは、目と耳を大きく開いて、天使が言わんとしていることを聞き、天使があなたに示すものを見ることだけです。その際、唯一要求されるのは、神とのコミュニケーションの道具として喜んで働こうという気持ちだけです。

他人のためにリーディングしている場合、自分が誰の天使と話しているのかと考えることもあるでしょう。あなたの天使か、それとも相手の天使かで戸惑うかもしれませんが、答えは両方とも正しいのです。あなた自身の天使は、あなたのリーディング中に導いてくれますが、他人の天使からもたくさんのアドバイスや情報を受け取っています。人に、お金や愛や健康のような人生の大切な領域について質問されているのなら、これらの分野を専門とする天使たちが答えてくれるでしょう。

最後に一つ言っておきたいのは、もし最初のエンジェル・リーディングであまりうまくいかなくても、がっかりしないでほしいということです。練習が少し必要なだけだからです。それに、問題はあなたにないかもしれません。相手や相手の天使と気が合わないせいかもしれないのです。

なかには、エンジェル・リーディングしやすい人がいて、そんな人のガーディアン・エンジェルはにぎやかで、外交的で、あなたの相談者についてあらゆることを話したがっています。そして、大きな声ではっきりと、詳細なメッセージを伝えてくれます。一方、静かで控えめな天使がついていて、あなたの質問に答えてくれてはいますが、進んで情報をくれない場合もあります。あなたは処方箋を完全に理解するために、数回にわたりさらなる説明を頼まなければならないでしょう。亡くなった愛する人たちが、聞きとりにくい弱いシグナルを送ってくることもあります。

どれくらいリーディングに成功しているか、自分はそれを続けるべきかと決断する前に、少なくとも十回はエンジェル・リーディングをするようにおすすめします。そのときまでには、おそらくあらゆる問題が解決していることでしょう。

ほかの人のために聖なる処方箋をお願いする

次に紹介するのは、他人のためにエンジェル・リーディングをする際、誰がやっても失敗しない段階的な方法です。何千人というワークショップ参加者が、これを使ってわずか一、二回の練習で他人への処方箋を受け取れるようになりました。

1. 向かい合って座る

相手と向かい合って座り、両手を握ってください。二人とも目を閉じて、ゆっくりとした深い呼吸を始めます。

2. エネルギーを同調させる

一緒に心の中で、「一つの愛、一つの愛、一つの愛」とゆっくりと繰り返して言います。この言葉は、神とのコミュニケーションに心を開かせ、あなたがた二人をお互いのリズムに同調させます。相手の人は、天使と深くつながるために、この言葉をリーディングの最中ずっと、心の中で言い続けてもよいでしょう。

3. 相手の天使を入念にチェックする

両目を閉じたまま、相手の左肩付近をじっと見つめてください。相手のガーディアン・エンジェルが見えるとしたら、どんな感じか心の中で想像しましょう。それから、相手の頭と右肩付近を詳しく調べてください。自分に天使を見る許可を与えてください。もし、右肩に天使が見えたら、その天使はどんな感じでしょう？

4. 天使を選ぶ

ゆっくりと滑らかな呼吸を続けてください。前に見たことがあったり、その特質を感じたことのある天使の一人を選び、注意を向けてください。

5. 天使に頼む

目は閉じたままにして、相手の人に声を出して質問をしてもらいましょう。

相手が一般的なリーディングに来ているなら、心の中で、「この人にどんなメッセージを伝えたいと思っているのですか?」と天使に尋ねてください。

6. 心の中で質問を繰り返す

心の中で数回、あなたの天使と相手の天使に質問を繰り返してください。質問を繰り返しているうちに、精神的、視覚的、聴覚的、感情的な形態のいずれかでメッセージを受け取り始めるでしょう。

7. 受け取ったものを伝える

メッセージを受け取ったらすぐに、声に出して相手にそれを繰り返してください。言葉で表現することで、さらに天使からメッセージを受け取れるでしょう。

8. 天使と相手の人に明確な説明をお願いする

そのメッセージの意味がわからなければ、リーディングをしている相手に尋ねてください。こう言うといいでしょう。

「天使はあなたの隣に茶色い髪の少年を見せてくれました。これはあなたの息子さんですか?」

「天使は私に赤いトラックを見せています。これはあなたが所有している車ですか?」

相手にもメッセージの意味が理解できなければ、その人の将来の出来事か、すでに忘れてしまったことに関係するかもしれません。もっとはっきりさせてほしいと、心の中で天使に頼んでください。混乱したメッセージを一人で解釈しようとするよりも、ずっと効率的です。余分なエネルギーと時間は、リーディングに使ったほうがいいからです。

エンジェル・リーディングをするあなたの役目は、他人の内なるガイダンスが正しいと証明することです。相手は心の奥底で、自分への天使の処方箋がどんなものかをすでに知っています。天使は、彼らが正しく受け取ったことをあなたに確認してほしいだけなのです。

聖なる処方箋を伝える

天使の処方箋を人に伝えるとき、心に留めておくべきもっとも大切なガイドラインは、ガイダンスをやってきた言葉のままに伝えることです。医師の処方箋のように、天使は自分の処方箋に詳細な説明やアドバイスを加えます。神のメッセンジャー部隊としてのあなたの大切な義務は、自分が受け取った処方箋を詳細かつ正確に、完全な形で伝えることです。詳細に述べることで、相手はあなたの伝えるガイダンスを実践することができ、そこから恵みを得るでしょう。

リーディング中に受け取ったメッセージをすべて伝えるべき理由が、もう一つあります。イメージにしろ、言い回しにしろ、歌にしろ、あなたには無意味に思えても、受け取る側には完璧に意味をなす場合があるからです。天使たちは、受け取り手に合わせて処方箋を伝達しているのです。

伝達する前にメッセージを編集したり、修正や削除をしないでください。そんなことをすると、大切な部分が失われてしまいます。

あるクライアントが、いつもけんかを始めるのは夫のほうだとあなたに言ったとします。でも天使が見せてくれたのは、まったく逆でした。これを知らせれば、この女性がうろたえるのはわかっています。でもそれを言わずにいれば、夫を非難するのをやめ、結婚生活の改善に必要な気づきを得るチャンスを奪うかもしれません。あるいは、相談者は既婚者ですが、オフィス内での不倫のイメージを見たとします。そのイメージを削除してしまえば、その人は結婚生活に害をなす行動をしていると理解できないままかもしれません。つまり、あなたの個人的な感情をリーディングに影響させない唯一の方法が、受け取ったメッセージをそのまま伝えることなのです。

『コース・イン・ミラクルズ』によると、自分に意味をなさないメッセージを受け取ったら、それを信頼することがとても大切です。前書の教師用マニュアルには次のように書かれています。

「神の教師（スピリチュアルな方法で他人を助けたいと望む人）は、自分に差し出された言葉を受け取り、それを与えます。自分の話の方向性をコントロールせず、聞いた話を繰り返して話すだけです。ここでの教師の学びを妨げるのは、自分の耳にしたことが正しいかどうかと心配することです。彼が聞いたのは、本当にびっくりするようなものかもしれません。提示された問題とはまったく無関係に思えたり、とても混乱するような状況に追い込むものかもしれません。これらすべては判断する価値のないもので、置き去りにすべきさもしい自己認識からきています。自分にやってきた言葉を判断するのではなく、それを信頼してください。それは、あなた自身の言葉以上に賢いものなのです。神の教師は、彼らのシンボルの後ろに神の言葉を持っています。そして神自身が、言葉に神のスピリットのパワーを与え、意味のないシンボルを天からの要求へと高めているのです」

あるワークショップで、リーアンという参加者が、キムという男性にエンジェル・リーディングをしていました。キムは、自分が大学へ戻るべきかどうかを尋ねました。その女性は、リーアンはキムの左肩に、すでに亡くなった女性の姿を見ました。リーディングの最中、リーアンにある言葉を繰り返し言っていましたが、英語ではありませんでした。リーアンは、自分にはその言葉をキムに伝える資格がないと感じました。その言葉の発音を間違えるかもしれないと心配だったからです。でも、私に励まされて、とうとうリーアンは、とちりながらもキムにその言葉を言いました。

リーアンは、キムの亡くなった母方の祖母と話していたことが明らかになりました（その女性の髪型や服装、体格などから、キムがぴったりだと言いました）。祖母はカンボジア語しか話せず、「大学」を意味する言葉をカンボジア語で言っていたのです。キムには、これが学校へ通うことへの承認とわかりました。リーアンが自分にとって意味をなさない言葉を伝えなかったら、もう少しでキムはそのメッセージを受け取れないところでした。

もう一人の参加者サリーは、初めてのエンジェル・リーディングをベサニという女性にしていました。サリーにはベサニの天使が次のように言うのが聞こえました。

『左のこめかみと胸と尾てい骨の左下のことは心配しなくていいと彼女に言ってください』

サリーは、そんな個人的なメッセージをあまりよく知らない人に伝えるのは気が進みませんでした。なぜなら、自分が誤った情報を与えて、馬鹿にされるのが怖かったのです。私は受け取ったメッセージがどんなものであろうと、心を開いて話すようにサリーを説得しました。

サリーは深呼吸してから、自分が聞いた体の部分を指差して話し始めました。

「あなたはここと、ここと、ここについて心配しなくてもいい、と天使は言っています」

言い終わるやいなや、ベサニが泣きだしたので、この女性を傷つけたのではないかとサリーは怖くなりました。

ところが、ベサニは、サリーにこう言ったのです。

「実は、昨日、医者に行って痛みのある場所を検査したばかりなんです。それは、まさにあなたが指摘した三ヵ所でした。検査結果は月曜日までわからないので、とても心配していたんです。でも、すべて大丈夫とわかり、本当に感謝しています」

リーディングをしているとき、自分の意見を加えたら天使の言ったことがもっとはっきりするのにと感じることがときどきあります。そんなとき、私は次のようにはっきり言ってから、自分の意見を伝えています。

「これは私が心理セラピストとして話していることで、天使が話しているのでありません。天使が言おうとしているのは……だと私は思います」

「この状況で私だったら……するでしょう」

「ダイエットについて天使のアドバイスに従う一つの方法は……です」と。

こうするとクライアントは、私が聖なる処方箋を伝えているのではなく、人間である自分の意見を伝えており、それを受け入れても拒絶してもかまわないとわかります。

エンジェル・リーディングをするときはいつでも、ガイダンスのためにお祈りするのがきわめて大切です。同時に、自分の感情を整理する必要があります。心配や疑いがあるなら、それを表面に出して、これらの感情を取り去ってくれるように神や天使に心の中でお願いしてください。

自分に正直であることが、自らも癒されているヒーラーになるために必要なことです。癒されているヒーラーとは、自分自身の問題が、天使からのメッセージに影響しない人を意味します。

ミラーリング手法

多くの人が、誰も心から自分の話を聞いてくれないと思っているかもしれません。すなわち、他人は耳を傾けてくれないと感じています。その結果、見下された気がし、無視され、一人ぼっちに感じています。結局、人は他人の話に、どれくらい真剣に耳を傾けているでしょうか？　会話中、相手の話を中断したり、相手をだしぬこうとしたり、自分がどう答えるべきかばかり考えていることがよくあるものです。

エンジェル・リーディングは、相手の人が本当に理解され、耳を傾けてもらったと感じられる絶好の機会となります。ミラーリング手法と呼ばれるカウンセリングの基本的テクニックを用いるといいでしょう。近年の偉大な心理学者、カール・ロジャーズによって知られるようになったミラーリング手法は、相手に、あなたは本当に話を聞いていて、言われたことを理解していると知らせるコミュニケーション方法です。

ミラーリング手法は、相手の言ったことを言い換え、その人に再び投げかけます。たとえば、リーディングに来た人が、「最近、上司が私にとても敵対的なので、心配なんです」と言ったとします。あなたは彼女のセリフを別の表現に言い換え、きちんと話を聞いたことを知らせるのです。たとえば、このようにです。

「あなたは、上司が自分に腹を立てていて、その結果として職を失うことになるのが心配なんですね」

この繰り返しと別の表現での言い換えは、最初はわざとらしく感じるかもしれませんが、その効果に驚くことでしょう。相手の人はうれしそうに、「ええ」と言ったり、力強くうなずくはずです。彼女は、他人が自分の感情を理解してくれたと知り、心から幸せを感じます。ミラーリング手法は、「あなたに注目しているので、がんばってください」というメッセージを伝え、危機に落ち込む人を元気づける方法です。この方法では、相手にもっと話すように励まし、それが問題への新しい解決法を見出す助けとなることがよくあります。

疑っている人に処方箋を伝える

心の中で疑っている人、神や天使や天使のメッセージを信じていない人、あなたがインチキだと証明したい人にリーディングを頼まれるかもしれません。これは避けられません。その場合、あなたはきっと不安を感じるはずです。これらの不安を一つひとつ見ていきましょう。

一つ目の不安は、相手の疑いが天使を追い払ってしまうのではないかというものです。でも、天使を遠ざけておくことは何ものにもできません。疑いにも否定的な感情にも行動にもです。天使はいつでもあなたと一緒におり、疑う人とも、あざける人とも、無神論者とも一緒にいます。あなたが天使を一番必要としているときに、見捨てられるかもしれないと心配しないでください。

二つ目の不安は、疑念が、スピリチュアルな静電気のように、リーディングの邪魔をするのではないかというものです。疑う人間のためにリーディングするのは本当に難しいですが、それは、自分をテストしようとする人の前では緊張するからです。あざける人が存在するからではなく、あなたの緊張が、天使からのメッセージの邪魔をするのです。自分の受け取った処方箋は本物であると、心から信頼してください。ためらったり、不安を感じながらメッセージを伝えようとすれば、相手にメッセージの正当性を信用させるための情報をうっかり逃してしまうでしょう。

本の宣伝ツアーに出ていたときに、これに対するよい解決法を見つけました。私はよくラジオ番組に出演しており、そこで疑り深い司会者から、天使のメッセージを伝えるように頼まれます。今でもよく思い出すのは、アリゾナ州フェニックスの番組で、私をインタビューした男性のことです。番組が始まるやいなや彼は、私が天使と話しているなんてまったく信じていないと、放送中に面と向かって言いました。私を呼んだのは、天使の話題は人気があり、私が出演すると聴取率が高くなるからだったのです。

私は、相手に頼まれない限り、その人の人生について天使から受け取った情報は決して誰にも話さないことにしています。私にはのぞき見趣味はありませんし、黄金律（キリストの教えの要とされてきた行動規範）を信条にしているからです。さらに、公衆の面前、あるいは放送中にリーディングを頼まれたときには、できるだけそつのない言い方をし、相手の威厳や評判に敬意を表しています。このラジオ番組の司会者から、放送中のリーディングを頼まれたとき、天使は、彼がなぜ険悪な懐疑主義者になったのかという理由をいくつか見せてくれました。私は、どう進めるかというジレンマに陥りました。なぜなら、こんな場合はたいてい、その人のリーディングを後回しにして一対一になってから話すのですが、この司会者は「自分の人生について、誰も知らないようなことを話してほしい」と執拗に迫ったのです。

何千という人が聴く中で、私はすぐにメッセージを受け取りました。

「天使は、あなたと奥さんに赤ちゃんが生まれたばかりだと見せてくれました。奥さんは産後のひどい精神不安に陥っています。彼女が落ち込んでいるせいで、あなたも悩んでいます」

司会者は、すぐに彼のスタッフのほうを見て叫びました。

「誰が彼女に話したんだ?」

「どいつが話したんだ?」

私がそんなデリケートな個人的内情に通じていたことに、彼はとてもうろたえていました。私が天使と話せるとは信じていなかったので、スタッフの誰かが漏らしたと確信していたのです。スタッフが何も話していないと繰り返し誓い、やっと彼は、ほかに説明可能なものはないと認め、私が本当に天使と話しているに違いないと降参しました。その後、彼の態度は一変したのです。

三つ目の不安は、疑り深い人の疑いを取り除くべきかどうかということです。

答えは、「いいえ!」です。

あなたは議論ではなく、エンジェル・リーディングをするためにその場にいるのです。冷静な議論は、時間をやり過ごすにはいい方法ですが、エンジェル・リーディングはそのためにあるのではありません。私自身、議論よりも経験で説得される人間ですし、嘲笑するほとんどの人も同じでしょう。議論よりも、確かなリーディングをするほうが、態度を変えてもらえる可能性が高いといえます。

事実、嘲笑する人たちは、あなたが彼らの懐疑主義を変えようとするのを恐れています。彼らを変えようという試みは、彼らを怒らせ、自己防衛させます。きっと頑として応じず、いっそう懐疑主義にしがみつこうとするでしょう。

懐疑主義者は、自分が間違っていたり、ペテンにかけられたり、ごまかされたりするのを恐れています。でも、心の奥深くでは、誰もがそばに天使がいて守ってくれていると信じたいのです。多くの人が、助けや癒しを求めて祈っても答えてもらえず、過去のどこかで神に裏切られたと感じています。そして、神や天使やスピリチュアルな話題をあざ笑うことで、将来起こりうる失望感から自分を守っているのです。でも、懐疑主義という鎧の下では、神は本当に存在していて人を愛しており、死後も命は存在し続け、神は私たちを見守るために天使たちを送ってくれている、という希望にしがみついています。彼らは、あなたによって再び信じさせられ、その結果、心を打ち砕く経験をするのではと恐れています。

疑り深い人のリーディングをするときには、次のことを覚えていてください。あなたは彼を説き伏せようなどとは思っていませんが、彼らはあなた以上に恐れています。この不安を見越して、「私は、あなたの考えを変えるつもりはありません」と言って、安心させてあげましょう。

賛同者を得るのはうれしいことですが、私は自分の信念に改宗させるためにエンジェル・リーディングを行っているのではないといつも言い聞かせています。エンジェル・リーディングは、神の偉大な知恵の伝達を助けることです。エンジェル・リーディングが相手の心の琴線に触れれば、すぐに信じてくれるようになるでしょう。あなたの唯一の役目は、受け取ったガイダンスに気を配り、疑り深い人に一語一句そのまま伝えることです。

私はこのことを、ミッドウェスタン放送のニュース番組でインタビューされたときに学びました。ニュースキャスターは、自称、頑固な無神論者で、カメラが回る中でリーディングするよう要求してきました。彼は腕組みをしながら、こう言ったのです。

「では、バーチュー博士、あなたが本当に天使と話ができるということを私に証明してください」

私は少しびくびくしましたが、ぐっとこらえました。ニュースキャスターのぶしつけな挑戦にたじろぎたくなかったのです。

私は彼の天使に、「この人物について私に何を知ってほしいですか？」と質問しました。ただちに年老いた男性がキャスターの頭の後ろに現れ、この男性は彼の祖父だというメッセージを受け取りました。祖父を見ながら、私の目は、今撮影しているキャスターの部屋のがらくたに衝撃を受けました。特に気になったのが、キャスターの頭のすぐ後ろにある古くて大きな地球儀でした。色や形や言葉にあふれた部屋の中に、彼の天使たちも見えました。祖父はその古い地球儀を抱え、人差し指でゆっくりと一周させ、孫は世界一周旅行から戻ったばかりだと教えてくれました。

ほんの一瞬、私は不安になり、次のような迷いが生じました。

「私は、本当に古い地球儀を見ているのだろうか？　それともキャスターの後ろに地球儀があったことによる幻覚だろうか？　私の心は、肉体的ビジョンからスピリチュアルな幻覚をもたらしたのだろうか？」

祖父はとても詳しく話してくれ、活気にあふれていたので、本物だとわかっていました。でも、地球儀が本物かどうかは確信できなかったのです。

カメラが回る中、キャスターは私の答えを待っており、プレッシャーがだんだん高まりました。私は、自分のクレアボイアンスを信頼するほうを選択しました。

「あなたのお祖父さんがすぐ後ろに立っています」

キャスターは驚いて口をポカンと開け、祖父の特徴を言うように要求しました。

私がお祖父さんの背の高さ、亡くなったときの大体の年齢、髪型、服装を伝えると、キャスターはしきりとうなずきました。

「ぴったりだ。まさに祖父はそんな感じだった。確かに、そんな服装をしていた」

私は深呼吸してから、言いました。

「お祖父さんは、あなたが世界一周旅行から戻ったばかりだと教えてくれました」

「ええ、そうです。先週戻ったばかりです」

キャスターは興奮ぎみに言いました。

残りのリーディングは、スムーズに進みました。お祖父さんは、キャスターが私を信用するように、さらに細かい情報を提供してくれました。キャスターは疑り深い人でしたが、彼のお祖父さんはまったく違ったのです。

疑う人へのメッセージを受け取ったり、与えたりするときには、あなたが受け取ったものの正当性に注意を集中してください。キャスターを信じさせられるかどうかを心配するのではなく、お祖父さんとの会話に集中したおかげで、私の場合はすべてうまくいきました。

不愉快な処方箋を伝える

医師の処方薬は、たいてい苦いものですが、その効果は抜群です。健康を手に入れられるなら苦味をがまんする価値があると、大人になればわかります。

同じように、エンジェル・リーディングをしているとき、相手が聞きたがらない処方箋を伝えるように天使から頼まれるかもしれません。たとえば、月曜日に受けた生検検査について質問され、天使からその結果が深刻だと聞かされるかもしれません。あるいは、壊れた関係を何とか元通りにする方法を尋ねられ、天使は、それはほとんど不可能と伝えてきます。

私たち人間の考えでは、こんなメッセージは一般的に悪いニュースと思われます。しかし、この処方箋に気を配ることで、長期的にはすばらしい恵みがやってくる可能性もあります。

人に相談されたときに、天使が不愉快な答えを伝えてきたらどうすべきでしょうか？　相手が「私の商売は大丈夫ですか？」「私の結婚はだめになるのでしょうか？」とあなたに尋ねているときには、恐れが現実にはならないという前向きの保証を望んでいます。なのに、天使から受け取った答えは、「いいえ、商売はうまくいきません」「結婚はだめになります」であったなら、黙っているべきでしょうか？　それとも悪いニュースを伝えるべきでしょうか？

こんな場合には、そのメッセージを伝えるべきかどうか、もしくは、相手の動揺をできるだけ小さくするためにどんな表現をすればいいか、天使にさらなる導きをお願いしてください。そして、特別に多くの天使にその人を囲んでもらい、その処方箋を聞くために最善の心構えができるよう助けてもらいましょう。

あなたがまだ疑うなら、私からの答えは簡単です。天使がどんなメッセージをくれたとしても、その人はそれを聞く必要があると私は信じています。私は自分のことを、指定されたメールボックスへメールが配達されるインターネット回線のようなものだと思っています。この原則に従って、後でクライアントの命やキャリアや恋愛を救うかもしれない重大な処方箋を伝えてきました。スナック菓子を食べながら、いつもごろごろしてテレビを見ているような人に、すぐに栄養のある適切な食生活をしなければ、健康に深刻な問題が起こるだろうと言いました。ある女性には、ご主人が複数の女性とつきあっているので、エイズの危険性があると言ったこともあります。また、ある男性に、まず怒りや短気を抑制しなければ、あなたの望むような女性には決して出会えないだろうと話したこともありました（同じことは、素敵な男性に出会うことを夢見ている男性にも話しました）。

黒髪の三十歳のキャリアウーマンであるリリーは、エンジェル・リーディングの初心者でしたが、私のワークショップで、自分よりもずっと年上のビジネスマン、ドウェインをリーディングすることになりました。

ドウェインの天使は、今の生活習慣を変えて、食事の脂質を減らさなければ深刻な心臓血管疾患を起こすだろうと告げました。リリーはこのことを彼に伝えるのは気が進みませんでしたが、私のアドバイスを思い出しました。それは、相手にはメッセージを聞く必要があり、そうでなければ天使はその処方箋を与えない、というものでした。そして、リリーは自分が受け取った処方箋をそのまま、ドウェインに伝えたのです。

彼女が恐れていたように、ドウェインはそのニュースをあまりよく受け取りませんでした。実際、腹を立て、自分の体調はよく、一年前に健康診断を受けたばかりで何の問題もなかったと主張したのです。自分が脳卒中や心臓発作を起こす危険性があると言った医師は一人もいないと憤慨しました。そして、決定的な台詞として、「君は、天使からのメッセージを間違って受け取ったに違いない」と言ったのです。

　私はリリーがリーディングしている最中、彼女の周りに天使が大勢いるのを見ていました。ですから、彼女が本当に天使からメッセージを受け取っていたとわかっていました。初めてのリーディングでこのような反応を受け、リリーは自分には天使の声を聞く才能がないとがっかりしてしまいました。

「私は、天使からのメッセージを受け取るのがうまくないんだと思います」

　そう落ち込む彼女をわきのほうに連れていき、それは真実ではないと私は励ましました。

　一年後、リリーが正しかったことが証明されました。彼女は、天使がドウェインの体調について言ったことを正確に聞いていたのです。それは、年に一度のワークショップ参加者の同窓会でのことでした。そこにはリリーもドウェインも参加しており、私たちは一年前に受け取ったエンジェル・リーディングについて、その後の経過を話し合っていました。

　最初にドウェインが口火を切り、リリーに謝りたいと言いました。彼女のエンジェル・リーディングは、ぞっとするほど正確だったことが証明されたのです。

「私は五ヵ月前に、脳卒中になりました」

　彼の話し方はまだ多少もつれていました。

「そのとき医者から、低脂肪で野菜中心の食事にするようにきつく言われました。さらに、定期的な運動もしています。リリー、君のエンジェル・リーディングをちゃんと聞いていればよかったよ。おそらく長期的に見れば、脳卒中は人生で大きな変化を起こすために必要なモーニングコールだったと思います。今は、これまでになかったくらい体調がよくて、体重は十キロも減りました」
大きくライフスタイルを変える要求、前途にある困難に対して準備する要求は、それを受け取る人にとって、最初は不快に感じるものかもしれません。でも、医師が処方する苦い薬のように、その薬を飲めば、将来起こるかもしれない致命的な病気を防ぎ、危険を最小におさえられます。

友人や家族などの愛する人たちへ処方箋を伝える

エンジェル・リーディングをしていることが知れわたると、友人や家族が、あなたにリーディングを頼み始めるでしょう。医師が我が子の手術をしたり、セラピストが自分の配偶者の精神分析をするときのように、そんな状況には双方にとってほかに例のない特有の落とし穴があるものです。友人や愛する人たちは、大切な処方箋をうっかり無視してしまいがちなのです。なぜなら、ミステリアスで賢そうな見ず知らずの人がくれたものではなく、よく知る人がくれたものだからです。あるいは、友人がネガティブに反応し、怒ったりして、二人の関係に亀裂が生じるかもしれません。天使は、同僚や身近な人に天使のメッセージをいかに伝えるかという処方箋も持っています。

いろいろなケースが考えられます。あなたの妹さんが、自分の結婚についてリーディングをお願いしたらどうでしょう。あなたが彼女のご主人を嫌いなのはわきに置いておき、その感情がリーディングに影響しないようにするにはどうしたらよいでしょうか？　お金を貸している甥が、自分の経済的見通しについてリーディングをお願いしたらどうでしょうか？　自分のお金を取り返したいという気持ちが、リーディングの解釈に影響を及ぼさないでしょうか？　親友のご主人の裏切りを天使が見せたとき、あなたは彼女に何と言うべきでしょうか？　義弟がタバコをやめ、食生活を変えて、運動を始めるべきだと天使が言ったら、それをどううまく彼に言うことができますか？

　これは、駆け出しの心理学者が、自分の愛する人や親友をクライアントとして受け入れないように注意される理由です。

「私的な関係者を、客観的態度を保って助けられる人など誰もいません。家族や友人にカウンセリングが必要になったら、自分の家族や知人以外で適任者を紹介するのが賢明です」と、私の大学教授は忠告していました。

　正式なリーディングでは、相手との親しさが、天使の処方箋をはっきりと受け取って解釈する能力を曇らせてしまいます。これは、自分の愛する人のために自然にわいてくる神からのメッセージとは異なります。突然、我が子や兄弟が助けを必要としているとわかったことがあると報告する人は多いのです。でも、正式なエンジェル・リーディングを行う場合は、愛する人よりも見知らぬ人のほうがうまくいくでしょう。

　とても親しい友人から、自分の経済状況についてリーディングを頼まれたことがあります。セッションの最中、天使は、彼女の預金口座にどれだけのお金があるのかを見せてくれました。そして、さらなる借金を背負い込まないように、クレジットカードを切り刻むべきだと示したのです。私は処方箋を伝えましたが、その後、私たちの関係は気まずくなり、疎遠になってしまいました。私は友人の銀行預金を内々に知ることで気まずい思いをし、彼女は自分の経済状況を詳しく知られたことに恥ずかしさを感じていました。それ以来、私は家族や友人のリーディングはしないことにしたのです。親類や家族からエンジェル・リーディングを頼まれると、私はすぐにガイダンスが与えられるように祈ります。それから、自分が信頼している外部の人を紹介しています。たいていは、エンジェル・リーディングをしている人たちですが、問題が深刻な場合には、心理セラピストやカウンセラーを紹介することもあります。これで苦情を言われたことは、一度もありません。私の行動の根底にあるのが愛だとわかっているからでしょう。

彼らが個人的な難題への処方箋を求めているなら、私は神に、いつもより多勢の天使がやってきて、癒しを与えてくれるように祈ります。あなたにも同じことができるでしょう。そのような祈りが、あなたにできる一番大きな貢献です。それは計り知れない方法で、愛する人を助けてくれるはずです。

扱いの難しい微妙な問題の処方箋を伝える

天使は、どんな質問にも、必要ならばはっきりと詳しく答えてくれます。他人のリーディングをしているときに、経済状況や性生活などのきわどい問題について、非常に個人的な情報を受け取ることがあります。天使が処方したことを、声に出して言うのがはばかられたり、どうすればリーディングしている相手を傷つけたり、当惑させないようにうまく情報を伝えられるだろうと思うかもしれません。

リーディングで取り扱いの厄介な情報を受け取り、どうすればいいかわからなくなったら、やけどせずに処方箋を伝えるために、次の二つの方法に従ってください。

1．秘密を守ってください

エンジェル・リーディングをすることは、天からあなたに与えられた特権です。ですから牧師やセラピストと同じように、セッション中にあなたが受け取った内容には守秘義務があります。うっかり口を滑らせてしまえば、あなたに信頼を置く人の人生を破壊したり、天使があなたを信頼して渡した処方箋を無効にしてしまうかもしれません。

私はクライアントの許可がない限り、その人のリーディングについて詳しいことは決して話さないと心に決めていますが、あなたも同じようにすることをおすすめします（本書でも、クライアントのプライバシーを守るため、かなり多くの部分を修正しました）。

2．機転をきかせてください

あなたは、天の声を伝える人として、外交官のようにそつなく振る舞わなくてはいけません。受け取ったメッセージを一語一句正確に伝えなければなりませんが、それは、相手の人を辱めたり、傷つけたりする可能性のあるものもすべて言わなければならないという意味ではありません。

もし、戸惑うような情報を与えられたら、それを伝えるべきか、どうやって伝えるべきかについてガイダンスをお願いしましょう。助けを求めさえすれば、きわどい内容を伝えるとき、天使はあなたと一緒にいてくれるはずです。

かつて、交通事故で娘を亡くした夫婦に、エンジェル・リーディングをしたことがありました。

娘さんは、両親が悲しみのあまりいつも言い争う映像を見せてくれました。内々に、母親が夫との別れを真剣に考えていることも教えてくれました。私は、この事実を公にしませんでした。なぜなら娘さんが、この情報は二人に無用な苦しみを生み、離婚を早めるかもしれないと言ったからです。彼女は、時がたてば両親は現状を乗り越え、ずっと一緒にいられるだろうと話してくれました。

私は、自分の天使に、どう進めるべきかガイダンスをお願いしました。彼らは、妻が離婚を考えていると注意深くほのめかすよう助言してくれましたが、私は、妻だけにわかるようなやり方で話すことにしました。天使は、娘さんからの次のようなメッセージを伝えるように私に言いました。

「私は幸せで、うまくここに適応しています。ですから、このことで、自分やお互いを責めないでください。ここでは、お祖母ちゃんと一緒にいます。私はいつもお父さんとお母さんのところを訪ねているんですよ。犬のロビーは、私を見るたびにほえています。二人の辛さはわかっています。私の事故のせいで苦しませてしまい、本当にごめんなさい。でも、私には将来が見えるんです。私たち家族にとってあらゆることは癒されるとわかっています」

危機にある人に処方箋を伝える

問題を抱えて困っている人は、天使の声を聞くのが難しいものです。強烈な精神的苦痛が、神とのコミュニケーションのチャンネルをふさいでしまうからです。危機にある人が、自分の頭の辺りで天使の叫び声を聞くのはこういう理由からです。天使は、人の内側で精神的な騒音があっても聞こえるように、声の音量を大きくしなければなりません。

危機の最中、たくさんの人が神や天使に助けを求めます。兵士が言うように、戦争の塹壕の中に無神論者はいません。あなたには神の処方箋が提供できると人が知ったら、危機に直面して、苦しみ、落ち込み、ひどい感情の混乱の中にある人のためにリーディングをすることになるでしょう。その中には、絶望的になり、自殺を思い、手に負えないような人がいるかもしれません。ひどい個人的危機に陥っている人にリーディングを頼まれたら、心の中で次の四つのガイドラインに従ってください。そうすれば、双方にとって癒しとなる方法でリーディングできるでしょう。また、致命的な間違いをしないように守ってくれるはずです。

1．あなたが集中しているものについて心配しないでください

深刻な精神的危機にある人をリーディングしているとき、自分の意識が分裂していることに気づくかもしれません。また、同時に二つの場所にいるように感じたり、今いる部屋が変わったように感じるかもしれません。これは、心の一部を問題のある人に向けており、他の部分は彼女の天使と双方向コミュニケーションをしているために起こることです。

これについては、心配いりません。つまり、これは友人と会話しながら、同時にお気に入りのテレビ番組を見ているのと同じです。もし何か難しさを感じたら、あなたを助けてくれるカウンセラーを送ってくれるように天にお願いしましょう。

2．その人の問題ではなく、その人の長所に注意を向けてください

相手の人の真の姿を見るように最善を尽くしていますか？　つまり、完全で聖なる神の子として見てください。その人のことを、ひどく貧乏で、打ちひしがれ、正常ではない人と見てはいませんか。弱さを見れば、あなたが弱さを増やすことになります。相手に強さを見れば、いっそうの強さを生み出せるでしょう。

3．医師を演じないでください

神の処方箋を伝えることで、あなたは世の中に多くの善をもたらします。でも、ときには、危機介入訓練をきちんと受けたセラピストにまかせるのが必要なときもあります。メンタルヘルスの訓練を受けていないなら、臨床心理士の役割を果たそうとしないでください。その問題に神や天使がはっきりしたメッセージを与えてくれなかったら、その人を分析するのはやめましょう。

その人がひどい肉体的、精神的トラウマのサインを示していたら、資格のある専門家に紹介してください。自殺や他人を傷つけるようなことをほのめかしたら、すぐに緊急の助けを求めてください。そうすれば危機カウンセリングの深みにはまらずにすむでしょう。

4．自分のことは話さないでください

エンジェル・リーディングの初心者は、善意から、「この問題で悩んでいるのはあなただけではありません」と、自分の過去の問題やそれをどう乗り越えたかについて話し始めます。このようなカウンセリング法が役に立つことはめったにありません。ほとんどの人は、心を乱されたと

感じるだけです。体の痛みがひどくて医者に行き、「体が痛いのですね。先週、私が経験した痛みについてお話ししましょう」と言われたら、あなたはどう思いますか？

エンジェル・リーディングのセッションは、自分自身や過去の問題でどう逆境に打ち勝ってきたかを伝えるためのものではありません。それは、人を助けるためのものです。そのための最善の方法は、相手に伝えるべきはっきりした神の処方箋とガイダンスがもらえるようにお祈りすることです。

天使の処方箋に依存しすぎる人への接し方

エンジェル・リーディングをする人が直面する一番大きなわなの一つは、すぐに依存するような自尊心の低い人に関わりすぎることです。彼らは、ときどきリーディングに来るのではなく、ほとんど毎日、あなたにアドバイスを求めてやってきます。注意しなければ、慢性的に問題を抱えた一人か二人の人に、あなたの時間を独り占めされてしまうかもしれません。

「そのために私はここにいるんです。そうではないですか？　人を助けるためではないんですか？　世の中のほかの人たちを助ける前に、リンダが問題を乗り越えられるよう助けなければなりません」と、あなたは言うでしょう。でも、問題は、リンダ自身が、変動の激しい人生を変えたいと思っていないことです。彼女は、アドレナリンを噴出させるジェットコースターのような生活に夢中なのです。彼女の興味は、がまん強く座り、自分の話に耳を傾け、何時間も注意を注ぎ、彼女が自分の人生に責任をとらなくていいように、どうすべきか言ってくれる人を見つけることです。あなたはその最良候補に違いありません。

さらに、「あなたは私を助けてくれる唯一の人です」といういつもの台詞が、あなたをエゴのわなにとらわれやすくしています。

ほかの人に天使のメッセージを伝えられるので、自分には才能がある、特別だと思い始めるかもしれません。人と違うと思い始めた瞬間、自分が神と一つであり、ほかのすべての人たちとも一つであるという意識を失ってしまいます。人と違うという思考は、神のメッセージをはっきり聞く能力の妨げとなるでしょう。なぜなら、エゴは、天のメッセージを手に入れられず、本当の自己だけが神とつながっているからです。

「あなただけが私を助けられるんです」と相手に言われたら、その人もあなたと同じ情報源を利用できると思い出させ、自分でエンジェル・リーディングができるようになる方法を教えてあげましょう。

リーディングを望んであなたの時間を独占する人は、別のわなにも導きます。あなたは無意識のうちに、自分の人生や目標に取り組めない言い訳として、彼らのカウンセリングに時間を費やし始めるのです。もしそんな疑いがあれば、天使に、自分の目標に向かっているときに感じる恐怖感から解放してくれるようお願いしましょう。つまり、成功、失敗、拒絶、あざけりなどに対する恐怖のことです。それから、人を救うのに費やす時間を削減してください。代わりに、余分に天使を送るか、自分でリーディングする方法を教えてあげましょう。

自己をドラマ化するようなヒステリックな人物、つまり、いつも自分で招いた危機に巻き込まれている人に、週に一度、一時間以上のセッションをしているなら、あなたはこの関係を、自分の人生の目的に取り組むのを避けるために使っていると考えてください。もし相手が、あなたの提供したアドバイスにめったに従わないなら、特にその可能性が高いでしょう。

次にあげるのは、他人が、エンジェル・リーディングであなたに依存しているサインです。

- あなたのところに週に二回以上、天使からの意見を聞きにくる。
- 日常的な出来事についての決断にエンジェル・リーディングを頼む。
- 自分の感情や自分の天使に相談するのではなく、頻繁にエンジェル・リーディングをお願いする。
- あなたが伝えた天使の処方箋を無視して、将来について占いやサイキック・リーディングのようなアドバイスをほしがる。
- たえずエンジェル・リーディングをお願いされるので、自分がその人の訪問や電話を避けているのに気がついた。

こんな状況のいずれかに直面しているなら、あなたはおそらく、その人に効果的なリーディングをする能力を失っています。あなたがた双方のために、エンジェル・リーディングのセッションをやめるのが一番いいでしょう。その人には次のように言ってください。

「私の天使は、しばらくあなたにリーディングをするのをやめて、私自身が経験している変化に適応するのが最善策だと言っています」

そして、その人に、自分でエンジェル・リーディングをする方法を教えてあげましょう。

おわりに

神や天使は、私たちの人生に関わり、私たちが必要とする聖なる処方箋を与えられることに幸せを感じています。

でも、彼らは、私たちの代わりに責任をとったり、私たちを無力にしたり、私たちの自由意思を取り去るためにここにいるのではありません。私たちは最終的には、自分自身で選択をすることによって学び、成長できるのです。

天の領域は、私たちが求めればアドバイスを与えられるように、アドバイザーとして待機しているだけです。自分のエゴや衝動、低次の存在ではなく、天使たちの忠告に従うほうが賢明でしょう。

天使は私に、何度も繰り返して、私たちの前には選ぶべき将来がいくつもあると力説しました。彼らはそれを、複合型映画館に行くことにたとえ、異なった内容の複数の映画から一つを選べると言っています。つまり、私たちの期待と意図が、どの人生のシナリオに従うかを決めるというのです。

怒りや恐怖に満ちた期待を持てば、暴力的で攻撃的なシナリオとなり、悲劇的なドラマや過ちのコメディーを作り上げます。瞑想やアファメーションを習慣とし、アルコールや麻薬などは遠ざけ、いつでもポジティブで愛に満ちた考えを持ち続ければ、調和と安らぎと満足のシナリオができるでしょう。

かつてワークショップの参加者が私にこう言いました。

「バーチュー博士、私はこれまでにあなたの講演を二回聞きました。あなたのお話は大好きですが、恐れから解放されて生きる話を聞くたびに、私は恐ろしさを感じるんです」

その男性は、恐れが自分を安全でいさせてくれると信じており、それは大変苦労して獲得した経験の賜物だと説明しました。彼は、世間知らずでだまされやすい人間に戻ったり、過去に自分を傷つけたわなに二度と陥りたくないと思っていました。将来の思いがけない危険からしっかり自分自身を守っていたかったのです。

私は彼に、優しく忠告しました。

「過去にしがみついていても、あなたの将来は安全にはなりません。実際、恐れを感じていると、自分が一番恐れている状況を引き寄せることになるのです」

天使は、私たちが過去の苦しみにしがみついているとき、背中にものすごく大きなくわを引っ張っている耕作用の馬のようだと言っています。この巨大な重さが私たちのエネルギーレベルを引き下げ、心の安らぎを奪ってしまいます。安らぎは、私たちがここに存在する理由であり、生きる理由です。

私たちが安らいでいるとき、すべてのことがうまく働きます。恋愛関係は花開き、とても健康な状態になり、喜びと繁栄を経験し、友人や家族や見知らぬ人たちのロールモデルとなれるでしょう。

でも、私は、安らぎについてたくさんの作り話と間違った名称のあることを知りました。まず、心の安らぎではないものを話しましょう。安らぎは、受身でいることでもエネルギーの低い状態でもありません。安らぎを感じるのは退屈なことではなく、目標や方向性や経済的豊かさが欠如した状態を意味するものでもありません。

安らぎが何を意味し、私たちに何を与えてくれるのかを完璧に表した例を紹介しましょう。私はエルニーニョの嵐が南カリフォルニアを破壊した直後に、海辺を散歩していました。その散歩は、決して悠々としたものではありませんでした。嵐が海辺の砂を大量に運び去ってしまい、滑らかな砂のあったところに、激しい波が小石の層を堆積していました。

私は小石の上を恐る恐る裸足で歩きながら、一歩進むごとに痛みを感じていました。「イタッ！　キャー！」と、親指のつけ根が角張った石に触れるたびに心の中でうめき声をあげました。私は思ったのです。「ここを歩くことに何の意味があるんだろう？　身の安全と快適さのために用心ばかりしているなんて。自分の肉体や自己について考えるのをやめ、自然の広大さを楽しむために散歩しているのに」

もう散歩をやめようかと思っていると、頭上で、パタパタという走る音が聞こえてきました。振り返ると、私のまったく知らない道を、一人の男性が犬とジョギングしているのが見えたのです。その道は、砂浜のそばの高くそびえた崖の上にありました。彼は私のほうを見なかったので、自分がどれほどの影響を私に与えたか考えもしなかったでしょう。でも、その瞬間、この男性が私の救世主となりました。なぜなら私に、より滑らかな道が存在することを知らせてくれたからです。

よりよい道があるとわかったとき、私はすぐにその道のほうへ向かいました。まもなく私は、心底安らいだ気持ちで自然の中での散歩を楽しんだのです。

天使は私たちがみな、ジョギングしていた男性のようになることを望んでいます。私たちの目的と責任は、安らぎの道を突き止め、安らぎの中で暮らすことです。ほかの人たちも、私たちの輝きに満ちた表現と、若々しい活力、内なる光に気づくでしょう。安らぎの中で生きることに目を向けたとき、私たちは何千回という平和の行進、何百万回という講演、数えきれないほどの自己啓発書以上によいことが世の中のためにできるのです。自分の中のこの性質を表すことで、私たちは世の中に光を広げられるでしょう。

この世の中で、安らぎなど、絵に描いた餅のような目標に思えるかもしれません。でも、私が訪ねたすべての都市で、毎日、天使の目を通して世の中を見ることを学んだとても幸せな人たちに出会えました。彼らは、自分が目にしたあらゆる状況、あらゆる人を、外見的なものを超えて見ていました。つまり、人々の表面的な性格、性別、人種、宗教を超えるものを見ていたのです。

私と天使が祈っているのは、私たちみんなが、自分自身とともに存在する美しい世界を発見することです。人は争いや混乱や問題を抱えながら、助けを与えたいと思っている天使の水槽の中で泳いでいるのです。自分がベールを取ることさえ望めば、癒された世界はすでに存在しています。

「天使（Angel）」という言葉は、「頼む（Ask）」という言葉のAで始まり、「聴く（Listen）」という言葉のLで終わっていると、天使は言っています。頼むこと（Ask）と聴くこと（Listen）さえ覚えていれば、「その間のことはすべてうまくいきます」と天使は言います。ですから、みんなで一緒に頼みましょう。

親愛なる神様、天使様

どうぞ私の考えが、安らぎと愛に集中し続けるようにお助けください。心が道に迷いそうになったら教えてください。あらゆる瞬間において、自分が現実を創っていると知り、思考と行動で最善の選択ができるように導いてください。私たちの人生に、いつもより多く天使をお送りください。あなたの望みである安らぎを私たちが経験し、教えられるように、あなたの愛を知り、感じられるように、どうかお助けください。

付録A

天使の世界

人は、三つのスピリチュアルな存在を通して、神から聖なる処方箋を受け取ります。

私は、本書の中で、この三つの存在について何度もお話ししてきました。

天の導きを求めたなら、あなたはきっと彼らに出会うことでしょう。

三つの存在とは、次の通りです。

- 天使（専門家の天使、ガーディアン・エンジェル、大天使）
- 亡くなった愛する人たち
- アセンデッド・マスター

天使について

私が天使と呼ぶ存在は、神によって天国で創造されたまったく無垢な存在です。彼らは、地上で人間として生きたことはありませんが、人間のような姿をして現れることがあります。天使は、私が地球上で見たいかなるものよりもはるかに美しい姿をしています。オパールのような光彩を放ち、透明で、肉体や人種はなく、翼を持ち、輝いています。

多くの場合、彼らはルネサンス期の絵画に描かれた天使のように見えます。天使は大きな愛と深い安らぎを表しており、それぞれの天使に、人間のような名前や異なる性格や目的があります。天使は、いつでも人々に話しかけており、私たち誰もが天使の言葉を受け取って理解する能力を持っているのです。

数種類の異なるタイプの天使がいます。

- ガーディアン・エンジェル
- 大天使
- 専門家の天使

ガーディアン・エンジェル

私たち誰もに、生まれたときから二人以上のガーディアン・エンジェルがついています。これらの天使の義務は、あなたを見守り、何があなたにとって最善であるかを常に知っていることです。彼らは、あなたが自分について知る以上によく知っています。なぜなら、あなたが人生で成長し、進化するのをずっと見てきたからです。ガーディアン・エンジェルの使命は、あなたについて彼らが持つ特別な知識を用いて、あなたが健《すこ》やかで成功した人生を送るのに必要な基本的サポートと導きを提供することです。

私がガーディアン・エンジェルについて話すと、いつもこんな質問をする人がいます。

「悪い人にもガーディアン・エンジェルがいるのですか？」

この質問は、ガーディアン・エンジェルを持つには何らかの資格がいることを意味していますが、そんなことはありません。神は、私たち全員に生まれながらにガーディアン・エンジェルを授けてくれ、彼らは人がどんなに多くの過ちを犯そうと、決してそばを離れません。悪人と考えられている人も、実はガーディアン・エンジェルからの導きを締め出しているだけで、天使たちはいつでもそばにいるのです。

深刻な危機に直面し、いつもよりたくさんの天からの助けが必要と感じているなら、専門家の天使にお願いし、そばにいてあなたを助けてもらいましょう。専門家の天使については、このセクションの後半で詳しく説明します。

大天使

大天使は、ほかの天使たちを監督するように任命された「管理人」です。彼らは、ほかの天使よりも背が高くて大きく、異なった色の光を放っているので容易に見分けられます。代表的な天使は白い光を発していますが、大天使は宝石を散りばめたような色の光で輝いています。たくさんの大天使がいますが、有名な大天使を紹介しましょう。

●大天使ミカエル

ミカエルは、恐れを取り去り、人に勇気を与えてくれる保護の天使です。彼の光の色は、威厳ある紫がかったコバルトブルーです。

恐れを感じたら、「大天使ミカエル、どうか今すぐ私を守り、安らぎを与えてください」と心の中でとなえてください。ミカエルに自分のそばにずっといてほしいと頼んでもいいでしょう。そうすれば、彼のパワフルな保護を受けて、いつも安全に感じていられます。あらゆる天使やアセンデッド・マスターのように、大天使ミカエルには時間や空間の制限がないので、呼んだ人全員と同時に一緒にいられます。恐怖感、人生の突然の暗転に心の安らぎが揺らいだら、大天使ミカエルを呼んでください。ミカエルは、愛する人、隣人、仲介人、見知らぬ人との争いを平和的に解決できるよう助けてくれるでしょう。

大天使ミカエルは、コンピュータ、車、ラジオ、配管のようなあらゆる種類の機器や電化製品の管理もしています。これらの機器の調子が悪くなったら、彼に助けと導きをお願いしてください。ただし、天使はときどき、大切なレッスンを与えたり、あなたを危害から守るために、突然故障させることもあります。たとえば、ファックスを壊して、あなたが書いた手紙に深刻な間違いがあると気づかせてくれます。その間違いに気づかずにファックスすれば、とんでもない誤解が生じかねないからです。機器や電化製品に問題が起きたら、助けと導きと理解を求めてお祈りしましょう。ミカエルはそれを修理してくれるか、それがどうして起こったかが理解できるようにあなたを導いてくれます。

● 大天使ガブリエル

私の知る唯一の女性の大天使で、ガブリエルの光の色は、彼女が持つトランペットのような赤胴色です。ガブリエルと彼女の率いる天使たちは、人生の使命にコミュニケーションが関わる人を助けます。これらの人には、ライター、教師、講演者、俳優、写真家などが含まれます。

自分の考えや気持ちを他人に伝えるような仕事を助けてくれるように、ガブリエルにお願いしてください。

「愛する大天使ガブリエル、どうぞ私の内なる真実が、完璧な創造的表現を得られるように助けてください。よろしくお願いします」と、心の中で言いましょう。ガブリエルは、インスピレーション、動機、情報、予期せぬチャンスで答えてくれるはずです。

ガブリエルは男性と主張する本もあれば、すべての天使に性別はないと主張する本もたくさんあります。でも、私は何度もガブリエルを目にしたり、話もしたことがあり、それは確かに女性でした。受胎告知の初期の絵画の多くが、ガブリエルを女性として描いています。私は、聖書の記述が当時の家父長制の影響を受けたとき、ガブリエルの性別が変更されたのだと信じています。神でさえ、初期の聖書では、「母」と「父」の両方で呼ばれていましたが、のちに男性に変えられたのです。

●大天使ラファエル

ヒーラーと癒しの大天使ラファエルは、彼の光であるエメラルドグリーンで人々を包み、はぐくみを与えてくれます。彼はヒーラーになりたい人を指導し、動機を与え、外科医や心理学者などのあらゆる治療に従事している人たちの耳元で指示をささやきます。肉体的、精神的、恋愛やスピリチュアルなどで何らかの苦しみを経験しているなら、ラファエルに助けをお願いしましょう。ラファエルがやってきて、問題の多い結婚、依存症、悲嘆や喪失、家族関係、ストレスの多い生活に癒しをもたらしてくれます。これらの状況はすべて、ラファエルによって癒されるでしょう。ただ彼の名前を言うか、次のような特別なお願いをしてください。

「大天使ラファエル、どうぞ私のそばにやってきて、トムとの別れの辛さが楽になるように助けてください。あなたの癒しのエネルギーで私を包み込み、癒しが与えられるように私の行動と思考を導いてください」

ラファエルは多忙な大天使で、旅行者を保護する責任も負っています。あなたの安全で快適な旅行を手伝ってくれ、預けた荷物も見張ってくれます。空港でチェックインするとき、ラファエルにあなたのスーツケースと旅行を見守ってくれるようにお願いしてください。そうすれば、飛行機の乱気流の揺れをやわらげ、あなたが道に迷えば方向を教えてくれ、空気漏れしそうなタイヤを膨らませ、車がガス欠にならないように守ってくれるでしょう。

●大天使ウリエル

大天使ウリエルは、薄い黄色い光を発しており、混沌とした状況に調和をもたらしてくれます。彼はあなたを、私たち一人ひとりの内側に存在する静けさの中に置いてくれます。さらに、地震、竜巻、洪水のような自然災害の被害を防ぎ、最小限にとどめるよう助けてくれます。

人生がめちゃくちゃになり、どうしていいかわからなくなったら、ウリエルに助けをお願いしましょう。

「大天使ウリエル、この状況で調和と安らぎを感じられるように、どうぞ私を助けてください。すでに犯した過ちを無効にしてくれるようにお願いいたします」

ウリエルは、あなたの心と感情を落ち着かせ、混乱した状況に大きな調和をもたらしてくれるでしょう。たとえば、財政状態や人間関係がバラバラに壊れそうだと感じたら、ウリエルは筋道を立てて考えられるように助けてくれます。そうすると、落ち着き、はっきりした心で問題の解決法を探せるようになるでしょう。荒れ狂う人生の変化を経験するたびに、その道をスムーズにしてくれるようウリエルにお願いしてください。

専門家の天使

ほとんどの天使は、ある特定の仕事を専門としており、人が人生のある領域で目標を達成できるよう上手に助けています。これらの専門家の天使には、恋愛の天使、仕事の天使、夢の天使、お金の天使、音楽の天使、健康の天使、家探しの天使、機器修理の天使、旅行の天使、安全の天使、友情の天使、目標実現を助ける天使、そして何百という他の天使群が含まれています。

私は周りにどんな専門の天使がいるかを見るだけで、今その人に何が起こっているか、たいていはわかります。恋愛の天使がついている人は、たいていの場合、ソウルメイトを積極的に探している最中です。お金の天使に囲まれた人は経済的危機に直面しているか、株式市場で大金を稼いでいるかもしれません。専門家の天使について説明しましょう。

●恋愛の天使

愛や親密さに恋焦がれている人には、恋愛の天使がついています。あなたはソウルメイトを探していますか？　もしそうなら、恋愛の天使にそばに来てくれるようにお願いしてください。彼らは、あなたの望みに一番合う人へと導いてくれるでしょう。長いつきあいで情熱を失った関係に、最初の頃の熱い思いをよみがえらせたいと思っていますか？　二人の関係を情熱的なものにしてくれるように心の中でお願いしてください。

●お金の天使

お金の天使は、経済的問題や欲求に対する解決法を見つけられるように助けてくれます。あなたは経済的危機にいますか？　収入が増えて、借金が減るのを切望していますか？　あなたの事業は、壮絶な競争や突然の景気後退に直面していますか？

お金の天使は、お金を貯めて支出を減らし、市場取引について学び、負債を返済できるように導きます。でも、状況が緊急なら、遺産のような思いがけない授かりものをもたらしたり、引き寄せる助けもしてくれます。心の奥のほうで、「お金を貯めなさい」「馬鹿なお金の使い方はやめなさい」—「新しい事業を始めなさい」と言うのが聞こえたら、それはあなたを助けようとしている天使の声です。

●家探しの天使

この天使は、それがアパートでもマンションでも、予算の範囲内で、あなたが必要としている家へと導いてくれます。新しい住まいを探しているなら、望みの特徴をリストに書き出し、天使にそれに見合う家を見つけてくれるようにお願いしましょう。彼らの導きに心を開いてください。その家にめぐり合わせるため、彼らは、予測もしなかった場所に行ってみたり、近道をしたり、昔の友人に電話をしてみるように、あなたをつつくかもしれません。

●駐車場の天使

車を運転しているとき、目的地に近い駐車場に導いてくれるよう天使にお願いしてください。姪御さんの結婚プレゼントを買うのに、お昼休みの数分間しかなければ、天使に出かけると決めたらすぐにお願いしてください。そうすれば、あなたの要求をかなえるために十分時間がかけられます。

助けの求め方には注意しましょう。これらの天使は、言葉通りに要求をかなえてくれるからです。私はかつて、行く予定の店の真ん前の駐車スペースをお願いしました。到着すると、確かに一番前列の駐車スペースが私を待っていましたが、なんと、十分間しか駐車できない場所だったのです。

●旅の天使

旅行中、安全に、すみやかに導くのは、旅の天使の役割です。あなたは一番混雑している休暇シーズンに旅行する予定ですか？　絶対に時間にまにあわせて到着しなければなりませんか？

旅の天使にあなたと一緒に来てもらい、見守ってくれるようにお願いすれば、飛行機、車、タクシー、その他の交通手段がとてもスムーズに動くでしょう。飛行機が乱気流にあったら、旅の天使を呼んでください。強風が飛行機をあまり揺らさないように支えてくれます。夜の受賞パーティーにタキシードが必要なのに荷物が届かなかったら、旅の天使にお願いしてください。娘さんが町の反対側にある病院で赤ちゃんを産もうとしているのに、車が渋滞にひっかかったら、旅の天使を呼んでください。

●ヒーリングの天使

大天使ラファエルに率いられたヒーリングの天使は、精神的、肉体的に苦しむ人がいるところならどこにでも現れます。

あなたや愛する人は、肉体的苦痛を経験していますか？　精神的に傷つけられたり、恐れていたり、混乱していますか？　何かの依存症に苦しんでいますか？　もしそうならヒーリングの天使を呼んでください。彼らはすぐにあなたや愛する人たちを、神の癒しの愛で包み込んでくれるでしょう。そして、もっと自分自身を癒せるように導いてくれます。

●**自然の天使**
これは、ピーターパンに登場するティンカーベルによく似た妖精のような小さい天使で、植物の成長を助けることが仕事です。

植物を買って園芸店から家に持ち帰るやいなや、枯れそうになってはいませんか？　あなたはもっと屋外に行きたいですか？　ハチに襲われないようになりたいですか？　その土地に生息している珍しい鳥を一目見たいと思っていませんか？　公園で平和な一日を過ごしたくはないですか？　これらのことを自然の天使にお願いしましょう。

●**動物の天使**
動物の天使は、自然の天使が植物を見守るのと同じように、動物を見守っています。ペットには動物の天使がついていて、あなたがペットと遊ぶたびに、彼らも一緒に遊んでいます。あなたの犬はわがままに振る舞っていませんか？　愛するペットの死を悲しんでいませんか？　ペットの健康や振る舞いについて助けてくれるように、動物の天使にお願いしましょう。

●**探しものの天使**
これらの天使は、神の全能の心と探偵のような能力を用いて、あなたの見つけられないものがどこにあるか調べてくれます。

小切手帳や鍵が見当たりませんか？　先祖伝来の指輪がなくなってうろたえていませんか？　修理中の古い車の部品をどこで買おうかと考えていますか？　なくなったものが見つからなかっ

たり、ほしいものがあるときは、この天使にお願いしてください。はっきり聞こえる言葉や、心にぱっと浮かんだ考え、ビジョンや第六感によって、なくしたもののところへ導かれるでしょう。あるいは、あなたが探しているものを売るお店に案内してくれます。

●創造の天使

創造的なアイディアが必要だったり、緊急な問題を解決するため途方にくれているなら、創造の天使があなたにインスピレーションを与えて、助けてくれます。

あなたはピアニストや作家になることを夢見ていますか？　インスピレーションを待ち望んでいますか？　自分のシナリオライターとしての才能を形にするソフトを探していますか？　もしそうなら、創造の天使にお願いしましょう。

『宝島』『ジキル博士とハイド氏』といった古典的名作の作者、スコットランドの作家ロバート・ルイス・スティーブンソンは、彼のアイディアすべてが、眠りの中でブラウニー（スコットランドの伝説に登場する妖精で、夜間ひそかに家事の手伝いをすると言われている）からもらったものだと話していました。また、有名な作曲家モーツァルトは、空中に漂っている曲を聴いて作曲したと語っていました。

●スポーツの天使

これらの天使は、あなたが何らかのスポーツや運動競技、あるいは、レクリエーションに参加しているときに見守ってくれます。

ゴルフのやっかいなスライスの癖を直したいと思いますか？　ノーヒットノーランの試合を達成したいですか？　オリンピックの十種競技が目標ですか？　プロのアメフト選手になるのを夢見ていますか？　それとも単に会社のソフトボール大会で、下手なやつと思われたくないだけですか？　これらはすべて、スポーツの天使にお願いしてください。

亡くなった愛する人

リーディングの最中、私がクライアントの周りに見える天上の存在について話すと、クライアントは、アモス叔父さんとかアガサ叔母さんのような故人が自分と一緒にいると知って驚きます。彼らがなぜ、私たちを助けに戻ってきたのか理解するのは簡単です。あなたがもし明日この世界を離れたとしても、自分の子や孫、いとこや叔母に関心を持ち続けるように、あなたの両親や祖父母も亡くなってからもずっと関心を持っているのです。

亡くなった愛する人たちは、たいていはあなたの生まれる前に亡くなった曾祖父母か祖父母で、一族を守るスピリットとして仕えることに同意した人です。天に先立った両親や家族、叔母や大切な人、子どもや親友のこともあります。一般的に、最近亡くなったばかりの人ではありません。スピリットの世界に適応するのにしばらく時間がかかり、まず天の授業に参加して、ほかの義務を果たさねばならないからです。でも、最近亡くなった愛する人は、呼べば聞こえるところにいます。心の中か声に出して名前を呼べば、その声を聞き、すぐにあなたのそばに来てくれるでしょう。

亡くなった愛する人は、地上での時間を、家族の人生を導き、サポートすることにささげています。この導きを通して、あなたが学んで成長すれば、それを確認しながら、彼らも学び成長できるのです。バイオリニストになりたいと願いながら、それを実現できずに死んでしまったら、その人はミュージシャンになりたいという同じ目的を持つ親戚の担当になるかもしれません。目標達成の邪魔をするあらゆる障害を乗り越えられるように助けることで、亡き人自身の目的も実現されるのです。亡くなった人は、自分の子どもたち全員を見守っていますが、大きな危機を経験している子には、より多くの時間をささげているようです。

私がクライアントに、亡くなった愛する人たちが一緒にいると話すと、自分の現在の生活を批判されているのではないかと心配する人もいます。

「お祖母ちゃんが四六時中、私を見張っているんですか?」と不平を言うのです。彼らは、愛の行為の最中や入浴中でさえ、亡き人が一緒にいると思って落ち着かなくなります。

この場合、亡くなった人にはのぞきの趣味はありませんと言って、安心させています。あなたが邪魔だと思うようなときには、彼らはひかえめに出ていくのです。さらに、彼らは天の次元にいるので、物事を天の視点から見ており、あなたの肉体的欲求や望みを理解し、思いやりを持っています。あなたが自分や愛する人を何らかの方法で傷つけた場合にだけ、彼らは心配するのです。

亡き人たちはかつて人間だったので、人間としての個人的特徴と限界をまだ持ち合わせており、その結果、彼らのアドバイスはときにゆがんでいたり、あなたのためにならないこともあります。たとえば、亡き母は、あなたの飲酒に寛容すぎるかもしれません。また亡き祖父は、事業を始めるように急かしすぎるかもしれません。亡くなった愛する人のアドバイスは、その人がまだ生きていればそうしたのと同じ程度に、多少の疑いを持って耳を傾けましょう。言われたことに疑いがあれば、それを支持するか、否定するかのサインを天使にお願いしてください。

亡くなった愛する人から受け取る忠告のほとんどは、あなたを幸せで健全な人生へと導いてくれます。でも、彼らは、自分自身の問題を抱えているかもしれません。この場合、天使の承認がなければ、与えられた処方箋に従うのは気をつけてください。次のような警告サインに注意しましょう。

- 正しいアドバイスとは思えなかったり、不愉快になるアドバイスを与えられた。
- まだ準備のできていない生活の変化を、今すぐ行うように要求された。
- すぐにお金持ちになる処方箋を与えられた。
- 「自分以外の人はみんな敵だ」という見方を奨励された。
- 自分や家族、友人を傷つけるかもしれないことをするようアドバイスされた。
- 屈辱的で、下品で、批判的な言葉を使った（天使や愛にあふれた人は、決してそんなことはしません。彼らはみんなに敬意を持って接します）。

こんな振る舞いのいずれかに気づいたら、亡くなった愛する人に断固としてやめるよう言ってください。そして、神と大天使ミカエルにお願いして、その状況を癒してもらうか、その存在をあなたの人生から連れ去ってもらいましょう。

アセンデッド・マスター

アセンデッド・マスターは、人間の姿で地上に生きたことがあり、スピリチュアルの高いレベルにまで成長し、死後、たましいとして地上に戻り、自らの知恵とヒーリングの力を用いて、地上でもがく人間の役に立とうとしています。アセンデッド・マスターには、イエス・キリスト、仏陀、モーゼ、聖母マリア、クリシュナ、モハメッド、聖ジャーメイン、観音、洗礼者ヨハネ、老子、パラマハンサ・ヨガナンダ、聖ヘレナ、そして世界中のあらゆる宗教によって聖人、預言者と考えられている人が含まれます。

亡くなった愛する人のように、アセンデッド・マスターは天のやり方を伝授されたので、特定の宗派に属しません。彼らにはもちろん、自分たちの信奉者、すなわち同じ宗教的信仰のある人を助けるという特別な使命もありますが、どんな宗教の人とも働きます。彼らが、教会やモスク、寺院について話すことはめったにありません。話すとしても、その特定の宗教を好んでいるからではなく、愛に満ちたエネルギーと親交のある場所を紹介するためにそうしているだけです。

堕天使

人々は、気づかないうちに本当の天使ではなく、堕天使に近づいてしまうことを恐れています。彼らは、神の手によって書かれた癒しの処方箋ではなく、危険で、破壊的な導きに従ってしまうのではと恐れているのです。よく「堕天使ではなく本当に神の天使と話しているのだと、どうすれば確かめられますか？」と、私に質問します。

私は、堕天使という言葉は、相矛盾する二語を並べて作られた言葉と考えています。人々が誤って堕天使と呼ぶ存在は、決して天使ではありません。彼らは、中世のガーゴイル（ゴシック式教会の屋根などにある怪獣の形をした雨水の落とし口）の外見をしたネガティブな存在です。コウモリの羽を持ち、つぶれた顔をした全長六十センチほどの動物は、神の手ではなく人間の恐怖感によって作られたものです。彼らはグロテスクで、ゆがんだ形をし、大きなカギづめで人間の肩をわしづかみにしたり、ときには、人々の頭上を飛び回る黒いドラゴンの形をなして人間の気持ちや生活に暗雲をもたらします。

堕天使はほんの一瞬でさえ、本当の天使になりすませはしません。蛾と美しい蝶を見分けるのが難しくないように、ガーゴイルと輝く天使は似ても似つかぬものです。ガーゴイルが天使の輝きを真似しようとしても、そんな光はまったく持てません。

ガーゴイルが守ってくれていると信じる人もいます。ここ数年間で、ガーゴイルは再び人気を得てきました。でも、私は用心して、自宅やオフィスに決してガーゴイルの像や絵を置きません。そういったものが、本物のガーゴイルを招き寄せるかもしれないからです。そんなことは、あなたも決して望まないはずです。

でも、一般的に、ガーゴイルと黒いドラゴンは、エゴに支配された、不誠実な薬物依存症者が引き寄せるもので、エンジェル・リーディングをしている人のところへはやってきません。事実、彼らは天使を避けています。心に愛があり、自分のもとへ天使を送るように神に頼み、他人に対して誠実な意図を持っているなら、あなたのところへ堕天使がやってくる心配はまったくありません。それをさらに確実にするため、もっとも完全な存在だけがあなたのところへやってくるように、大天使ミカエルにお願いすることもできます。ナイトクラブの用心棒のように、ミカエルはあなたを守り、招待客だけが入れるようにしてくれるでしょう。

その会話が愛や温もりに満ちていて、双方ともが満足のいく方法で問題を解決できる処方箋を受け取ったなら、自分が光の天使と話しているとわかります。ガーゴイルの恐怖にもとづくメッセージは、あなたを落ち込ませたり、怒りっぽくするからです。そして、彼らのアドバイスにはいつも、他人があなたよりも優れているかいないかという意味が含まれています。本当の天使は、私たちの一人ひとり誰もが等しく特別であり、愛を得る価値があると知っています。

私たちはみんな、あらゆる種類の天のヘルパーに囲まれています。私たちがもっと強くなり、幸せで、もっとバランスのとれた人間になるために、処方箋を提供することが彼らの喜びなのです。天からのアドバイスを受け入れるか否定するかは、私たちの自由意志によります。いつか、私たち全員が、聖なる処方箋から恵みを得る方法を学び、よりすこやかで、成功に満ちた人生を送れるようになることを私は願っています。

付録B

聖なる処方箋への気づきを高めるための食べ物と飲み物

スピリチュアルな成長が私たちの人間関係に影響するように、それは食生活にも影響を及ぼします。スピリチュアルな道は、自分自身や人生にポジティブな見通しをもたらします。

この上向きの態度は、精神的にも肉体的にも、私たちをより軽やかに自由にしてくれます。

でも、どんなに一生懸命スピリチュアルな道に取り組んだとしても、食事も私たちの感じ方に大きな影響を与えます。

カロリーの高い、化学物質でいっぱいの食事は、軽いたましいを重くしますが、その一方で、たましいや心を急激に軽くしてくれる食べ物もあります。

スピリチュアル志向の人の多くは、食生活からある食べ物や飲み物を抜くようにという直感のメッセージを受け取っています。また、コーヒーや砂糖のような波動の低いものには耐えられなくなったと言う人もいます。彼らは、これらの物質の摂取を突然拒むようになるのです。

天使は、一つひとつの食べ物や飲み物には、その中にどれくらいの「生命力」があるかに応じた一定の「波動」があると説明しています。生命力は、植物が成長するときに与えられた太陽の光や空気から生まれます。食べ物の生命力は、それが食べられる前の処理のされ方によっても異なってきます。生命力の高い食べ物は人間のスピリチュアルな成長の助けとなり、人をより軽く、エネルギッシュにしてくれ、聖なるガイダンスにさらに気づくようにしてくれるでしょう。

一番生命力の高い食べ物は、熱帯地方のような日の光の多い場所で、地上で育った食べ物です。新鮮なパイナップル、グアバ、マンゴー、パパイヤにはたくさんの生命力が含まれています。このような食べ物を頻繁に食べていれば、スピリチュアルな直感の感度が上がっていることに気づくでしょう。

日の光が少ないところで育った食べ物は、地中で育った野菜のように生命力が少なくなります。オーガニックのものは、そうでないものよりも高い生命力があります。それは、農薬には植物を枯らすエネルギーがあり、食べ物の波動を下げるからです。調理されたり、缶詰や冷凍されたものも生命力が低いか、あるいはまったくありません。生命は、冷凍庫の中で生存できませんが、食べ物の生命力も同じなのです。天使は、できるだけ自然に近い状態で食べ物をとるように言っています。つまり、生《なま》か軽くゆでたオーガニック野菜のようなものをすすめています。

全粒粉のパン製品は、挽いた小麦粉のものよりも高い生命力があります。挽くのは、小麦粉を漂白するのと同じで、穀物の生命力を殺してしまいます。

砂糖、カフェイン、チョコレートには生命力がなく、実際、聖なる処方箋をはっきり受け取る能力を阻みます。動物の肉、鶏肉、他の動物性製品（乳製品を含む）にも生命力はありません。それは死んでいるか不活性だからです。動物が殺されるときや、生きているときに残酷に扱われると、動物の苦しみのエネルギーがその肉と乳製品のような副産物に残ってしまい、苦しみのエネルギーが体の波動を低くします。そんな理由から、動物の肉や鶏肉、乳製品を食べるなら、苦しみのエネルギーを変換するために、感謝か食前の祈りをしてください。あるいは、動物を慈悲深く扱い、苦しみが最小となるように殺されたことを保証するため、放し飼いされた鶏や卵、ユダヤの律法にかなった肉だけを選んでください。

天使は、魚は鶏肉や動物の肉よりも高い波動のたんぱく源だと言っています。海水は、魚が死に直面した際に感じた苦しみのエネルギーを変換する電気化学的な反応を作り出します。スピリチュアルな道にいて、食事のエネルギー的影響を心配する人は、セミベジタリアンになる選択をしてもよいでしょう。その食事は、新鮮あるいは軽く料理した野菜、果物、全粒粉、魚からなります。

飲み物の中の生命力

天使は、できるだけ自然の水を飲むように言っています。彼らは、人が川や井戸から引いたばかりの水だけを飲むことを望んでいます。それが無理ならば、「湧水」あるいは「自噴水」と書かれたボトル入りの水がよいでしょう。それには、処理された飲み水や逆浸透による水よりもずっと高い生命力があります。さらに天使は、人工的な炭酸水を避けるように言っています。

新鮮な果物や野菜を搾って二十分以内に飲めば、そのジュースには高い生命力が含まれています。二十分以上たつと、果物や野菜のスピリットは失われてしまいます。オーガニックの果物や野菜のジュースは生命力が高く、冷凍や濃縮されたものには生命力がまったく含まれていません。アルコールやコーヒーなどの飲み物には生命力はまったくなく、それどころか体から生命力を奪ってしまいます。

自分の嗜好について天に助けてもらいましょう

高脂肪で加工された、生命力の低い食べ物や飲み物が無性にほしくなったら、あなたを助けてくれるように、心の中で大天使ラファエルとヒーリングの天使にお願いしてください。ラファエルに、今晩ベッドに入る前に夢の中にやってきて、不健康な欲求を手放すのを助けてくれるように頼みましょう。食べ物や飲み物がほしくてたまらなくなるたびに、心の中で天の助けをお願いしてください。

私はこの方法で、インスタント食品がほしくてたまらない気持ちを治してもらいました。食事に恵まれていないと感じることはまったくないので、天の助けにとても感謝しています。私は喜んで、体によい軽い食べ物を選んでいるのです。その結果、私の体は聖なる処方箋を受け取りやすくなり、多くの生徒が同じような成功を経験しています。

付録C

聖なる処方箋に波長を合わせるための２つの方法

処方箋を受け取ることや、それを明確に受け取ることが難しいと感じるなら、エンジェルカードや夢を用いて、それに波長を合わせるほうが簡単かもしれません。両方とも、天使の聖なる処方箋を得るために古くから存在する道具です。

特にカードは、ほかの人のリーディングで、意味をはっきりさせるのに役立つでしょう。

私は、これらの方法を全米で教えていますが、好評を博しています。

あなたも試してみれば、どちらが自分に合うかわかるはずです。

エンジェルカード

カードは、聖なる処方箋とつながるために、大昔からある方法です。これらには、エンジェルカード、易経、タロット、その他のオラクルカードがあります。私は必ずしもすべてのリーディングでカードを使うわけではありませんが、カードを使うととても役に立つことがわかりました。

エンジェルカードは、私がリーディングの最中に感じた多くの感覚、メッセージ、ひらめき、解釈などの妥当性を確認する大きな助けとなりました。長年の経験から、ヘトヘトになりすぎて天使の言うことが理解できなかったり、メッセージが紛らわしかったり、はっきりしないときにはエンジェルカードを使えばクライアントの情報が得られるとわかりました。私にとってカードは、確証を得るために用いる診断ツールです。それはちょうど、医師が用いる超音波、血圧測定器、心臓モニターのようなものなのです。

天使を信じていても、カードを使うのは秘術信仰や黒魔術のように感じるなら、次の話で安心できるでしょう。

私は、エンジェルカード、タロットカード、オラクルカードを含む数種類のもので実験しましたが、どれも自分や友人やクライアントに役立つ情報をくれました。でも、カードに天使が描かれているものが、特に気持ちをわきたたせてくれました。その一方で、カードの中には（すべてではありませんが）ネガティブな気持ちにさせるものもあると気づいたのです。すぐに、自分はエンジェルカードを使うのが好きだとわかったので、ほかのカードはすべて人にあげてしまいました。

まだ自分のカードを持っておらず、あなたのリーディングを天使が導いてくれているかどうか再度確認したいなら、私は天使の絵のついたカードをおすすめします。今日では、たくさんのすばらしいエンジェルカードが存在します。精神世界専門書店はもちろん、ほとんどの書店、あるいはインターネットでも購入できます。私は特に、『Angel Blessings』『Angel Oracle』のカードが気に入っています（私の『Healing with the Angels』というカードもあります）。

カードはどのようにして、あなたが天使と簡単につながる助けをしてくれるのでしょうか？　どのオラクルカードにも、片面に絵や数字や言葉が印刷されています（エンジェルカードの場合には、一人の天使と一つか二つの言葉でカードの意味を表しています）。あなたがカードを一枚引くと、カードを通して天使が行動を起こします。あなたが引いたカードには、天使があなたに受け取ってもらいたいメッセージが含まれているのです。

次のステップに従えば、エンジェルカードは正確な情報を伝えてくれるでしょう。

1．質問してください

はっきり質問するほど、答えもはっきりしたものとなります。明確な質問や問題がなければ、一般的なリーディングを天にお願いし、どんなメッセージであろうと、彼らが一番重要と思うものを送ってもらいましょう。

カードをシャッフルする前に、心の中で二、三回、自分に質問を繰り返してください。

2. カードをシャッフルしている間、自分の天使とつながりましょう

天にあなたのリーディングを導いてほしいとお願いしましょう。特に、聖霊（あるいは自分の宗教でそれに一番近いもの）に導いてほしいとお願いすることをおすすめします。私は天使と同じく、聖霊の助けがものすごく強力であると発見しました。

このお願いは祈りや瞑想中にしてもいいですし、カードをシャッフルしながら、声に出したり、心の中で言ってもよいでしょう。かしこまった形で言う必要はありません。やめたいと感じるまでシャッフルを続けてください。

3. 何枚のカードを並べるかは導きに従ってください

天使は、それぞれのリーディングにカードを何枚使うべきかについて、内なるガイダンスに従うよう教えてくれました。伝統的なカードの読み方では、決まった数のカードを並べるように指示しています。そのメッセージをできるだけはっきりさせるために、天使は指導書に書かれているよりも多い、あるいは少ないカードを並べるように言うことがあります（ほとんどのリーディングでは、一～十二枚のカードを使います）。この点に関して、天使に大きな声ではっきりした指示がほしいとお願いしてください。あなたはその情報を、感じるか、聞こえるか、見えるか、単にわかるかするでしょう。

4. カードを並べましょう

導かれた数のカードを、自分の前に、一列に並べてください。

5．それぞれのカードの意味を解釈しましょう

カードについてきた解説書を参考にして、あなたの前に置かれた一枚一枚のカードの意味を解釈してください。でも、自分の直感や解釈を無視しないでください。そのほうが解説書にあるような万人用の定義よりも、正確であることが多いのです。

6．カードの位置から解釈しましょう

一番左端にあるカードは、リーディングされている人（それがあなたでも他人でも）の過去を表します。

二番目のカード（最初のカードの右側）は、現在を表します。

三番目のカードは、未来を表します。

四番目のカードは、今日から三ヵ月間のその人の人生を表し、五番目のカードは今日から半年間の人生、というように三ヵ月単位になっています。

各カードの意味をその位置と関係づけてください。左端から二番目の悲しみのカードは、現在の悲しみを表します。ビジネスや財政面でのリーディングなら、四番目にある成功のカードは、幸運がそこまでやってきていることを意味しています。

7．パターンを解釈しましょう

リーディングを進めるにつれて、よく起こる筋道やパターンに気づき始めるでしょう。これらの共通点を見つけ、それがもともとの質問にどのように関係するのかわかるように天使にお願いしましょう。

天使からもう一つアドバイスがあります。リーディングしているあなたから見て、どのカードが上下正しい位置（正位置）にあって、どのカードが逆さ（逆位置）になっているかに気づきましょう。

正位置のカードは、相手の人生にほとんど障害がないことを意味しており、逆位置のカードは、その人のエネルギーがふさがれている部分を示しています。逆位置の許しのカードは、誰かに対して憤りや怒りを抱き続けていることを示しています。このカードには、これらのマイナス感情を手放し、許しが必要という意味があります。

夢

天使は、あなたが眠っている間に、いつもよりたやすく働きかけられると知っています。それは、あなたの心が天のメッセージを受け取ることに開かれているからです。目覚めているとき、心は思考と疑いにあふれており、それが天使の声を追いやってしまいます。

夢の中で神からのアドバイスを受け取る、簡単な処方箋を紹介しましょう。

1. 夢の中で話してくれるように、天使を招き入れてください

あなたに必要な情報を持って夢の中にやってきてくれるように、天使にお願いしましょう。朝、起きたとき、あなたが見た夢と天使からの答えを覚えていられるように頼みましょう。

2．質問を尋ねてください

一枚の紙に質問を書いて、その紙を枕の下に置きましょう。ベッドに入ったら、眠りにつく前に、その質問を心の中で数回繰り返してください。そうすると、自分の潜在意識にその質問を印象づけ、眠りの中に一緒に持っていけます。

3．目覚めたら夢を記録しましょう

朝、目覚めたらすぐに、夢について覚えていることは何でも記録しましょう。最初はあまり思い出せなくても、思い出せることから始めてください。イメージ、自分の行動、感じ方、色、音、人物など何でもよいでしょう。小さな記憶を一つ書くと、それが別の記憶を引き出して、思っていた以上に思い出せることに気づくはずです。

4．夢の解釈を助けてほしいとお願いしましょう

あなたの夢が、質問にどう関係しているか理解できるように天使にお願いしましょう。

夢は本来、象徴的なもので、その意味は人それぞれにとって特有です。二、三の普遍的なシンボルは別として、あなたの夢に現れるイメージは、天使が特別にあなたのためだけに作ったものです。ですから、その解釈が難しすぎるということはないはずです。天使は喜んで、あなたに理解できないことは何でも助けてくれるでしょう。

[著者]

ドリーン・バーチュー（Doreen Virtue）

心理学者。現在は、エンジェル・リーディングをおこなうプラクティショナーの養成に力を入れると同時に、CNNなどのメディアへの出演や講演活動、各種のワークショップをおこなっている。著書には、『エンジェル・セラピー　天使の癒し』（KKベストセラーズ）、『エンジェル・メディスン・ヒーリング』（メディアート出版）、『エンジェル・ヒーリング』『エンジェル・ビジョン』『エンジェル・ナンバー』『エンジェル・ガイダンス』（以上、ダイヤモンド社）など多数がある。

www.angeltherapy.com

[訳者]

奥野節子（おくの・せつこ）

北海道生まれ。高校の英語教師を経て、ジョージ・ワシントン大学大学院修了後、ニューヨークの米企業に勤務。訳書に、『「死ぬこと」の意味』（サンマーク出版）、『願望を実現するスピリチュアル・サークル』『第六感　ひらめきと直感のチャンネルをひらく方法』『あなたのガイドに願いましょう』『自分を愛するたましいのレッスン』（以上、ダイヤモンド社）など多数がある。

エンジェル・センス——第六感で「天使の処方箋」につながる方法

2009年5月21日　第1刷発行

著　者——ドリーン・バーチュー

訳　者——奥野節子

発行所——ダイヤモンド社

〒150-8409　東京都渋谷区神宮前6-12-17

http://www.diamond.co.jp/

電話／03·5778·7234（編集）　03·5778·7240（販売）

装丁————雫純子（Aflo design）

DTP製作——伏田光宏（F's factory）

製作進行——ダイヤモンド・グラフィック社

印刷————八光印刷（本文）・慶昌堂印刷（カバー）

製本————宮本製本所

編集担当——酒巻良江

ISBN 978-4-478-00498-2